GROS PROBLÈME

Dave Barry

GROS PROBLÈME

Traduction d'Hubert Tézenas

Roman

PRESSES DE LA CITÉ

Titre original : *Big Trouble*

Publié avec l'accord de G.P. Putnam's Sons, un département de Penguin Putnam Inc

ISBN 2-258-05480-X

À Michelle

REMERCIEMENTS ET AVERTISSEMENT

Je commencerai par un avertissement : *Ceci n'est pas un livre pour la jeunesse.* Je le souligne parce que je sais, grâce à la lecture de mon courrier, que de nombreux jeunes lisent mes livres d'humour et mes chroniques dans la presse, et j'en suis ravi. Ce livre n'est cependant pas pour eux, dans la mesure où certains personnages utilisent un langage propre aux adultes. Je n'ai pas nécessairement choisi que mes personnages utilisent ce type de langage ; la plupart en ont décidé ainsi par eux-mêmes.

Et maintenant, les remerciements :

Je voudrais tout d'abord remercier mon éditeur de la maison Putnam, Neil Nyren, qui m'a proposé d'écrire un roman en présentant cela comme quelque chose de très amusant. Neil m'a toujours soutenu et abreuvé d'excellents conseils, c'est pourquoi je lui pardonne de ne pas m'avoir dit, d'entrée de jeu, que j'aurais besoin d'inventer des personnages *et* une intrigue.

Je remercie mon agent, Al Hart, qui m'a lui aussi encouragé à tenter ma chance dans la fiction. J'écoute toujours Al, qui a calmement piloté ma barque d'auteur à travers plus d'une mer démontée, tenant fermement la barre d'une main et de l'autre une boisson rafraîchissante.

J'ai la grande chance de compter, au nombre de mes

amis, de merveilleux romanciers qui ont eu la générosité de me faire partager leurs lumières quand je me suis attelé à la rédaction de ce livre — et que j'ai découvert que je n'avais aucune idée de ce qu'est une intrigue. Je tiens à remercier tout particulièrement Carl Hiaasen, le maître du genre que j'ai tenté d'explorer — le genre Bande de Déjantés du sud de la Floride —, de même que Stephen King, Elmore Leonard, Paul Levine, Ridley Pearson et Les Standiford, qui tous m'ont dit en substance de ne pas trop me soucier de l'intrigue au départ, sauf Ridley, qui est extrêmement organisé et sait déjà ce qu'il prendra au petit déjeuner le 12 mai 2011 (du thé et un muffin sans beurre). Je remercie aussi Jeff Arch pour ses mots d'encouragement, même ceux en yiddish que je n'ai pas compris.

Je remercie ma formidable assistante de recherches, Judi Smith. J'appelle généralement Judi pour lui poser des questions du type : « Quelle quantité de lait contient en moyenne une noix de coco de Tahiti ? » Et en dix minutes, après avoir réussi à mettre la main sur la plus éminente sommité mondiale en matière de lait de coco tahitien, elle me rappelle avec des ramettes d'information, et je lui dis : « Oups, à la réflexion, je m'aperçois que je n'ai pas besoin de ça », et malgré tout, *elle ne se met jamais en colère.*

Je remercie Luis Albuerne et Bobby d'Angelo, qui m'ont fourni des informations précieuses, respectivement sur les procédures policières et les avions de chasse. J'ai sans doute tout compris de travers, mais ce n'est pas de leur faute.

Enfin, je remercie tous ceux d'entre vous qui m'ont soutenu au fil des ans en lisant mes chroniques et mes livres, et qui me suivent à présent (sauf les plus jeunes) dans le Royaume de la Fiction. J'espère que vous prendrez autant de plaisir à lire ce livre que j'en ai pris à l'écrire — du moins à partir du moment où j'ai compris ce qu'est une intrigue…

1

Puggy s'accrochait à son job au Jolly Jackal Bar & Grill, lequel ne faisait surtout pas grill, depuis quasiment trois semaines. Pour Puggy, en matière d'emploi, c'était un record personnel. En fait, après une longue carrière de vagabond semi-professionnel, il envisageait sérieusement de s'installer à Miami, de jeter l'ancre, et pourquoi pas de se trouver un toit. Même s'il aimait bien son arbre.

Tout lui plaisait à Miami. La chaleur, en particulier. Et aussi la tolérance de la plupart des policiers avec les gens comme lui — des gens qui, par leur existence même, avaient tendance à enfreindre des lois dont les citoyens ordinaires ne se souciaient jamais, du style combien de temps on a le droit de rester assis quelque part sans rien acheter. Apparemment, la position des flics du coin, c'était plutôt : « Hé, vous pouvez rester là autant que vous voudrez ; du moment que vous ne dégainez pas un flingue, nous, on est contents... »

Ce qui plaisait aussi à Puggy à Miami, c'était qu'on entendait tout le temps parler espagnol. Ça lui donnait l'impression de vivre dans un pays étranger, ce qui était son rêve numéro un — même si, lors de son seul vrai séjour à l'étranger, quatre ans plus tôt, au terme d'un week-end assez chaotique entamé à Buffalo, il s'était brièvement retrouvé en taule du côté canadien des chutes du Niagara pour avoir uriné à l'intérieur du musée Ripley[1].

Le plus drôle, c'était que Puggy n'avait pas spécialement cherché à venir à Miami. À sa sortie d'un refuge pour SDF à Cleveland, il avait fait du stop dans la direction générale du sud avec l'idée de passer l'hiver au chaud. Le routier qui l'avait pris se rendait au port de Miami.

Le destin avait fait arriver Puggy un jour d'élections. Il traînait dans les rues du centre depuis moins d'une heure quand une fourgonnette blanche s'était arrêtée à sa hauteur. Le chauffeur, un homme assez âgé, lui avait lancé quelque chose en espagnol en agitant un billet de dix dollars. Puggy, pensant que le type avait envie de se faire sucer, avait dit :

— M'intéresse pas.

L'homme avait aussitôt basculé vers l'anglais pour expliquer à Puggy que tout ce qu'il aurait à faire, pour gagner les dix dollars, c'était de voter.

— Je suis pas d'ici, dit Puggy.

— Aucun problème, dit l'homme âgé.

Alors, il monta dans la fourgonnette. Sur le chemin du bureau de vote, l'homme âgé ramassa sept autres électeurs, tous de sexe masculin, la plupart dégageant un arôme violent. Ils entrèrent ensemble dans le bureau de vote, et l'homme âgé leur expliqua la marche à suivre, ce qui ne parut poser aucun problème au personnel du bureau.

Quand vint son tour, Puggy se présenta, selon les instructions de l'homme âgé, sous le nom d'Albert Green — qu'il épela « Allbert Gren ». Le vrai Albert Green avait beau être décédé en 1991, il votait encore très régulière-

1. Robert Ripley, auteur de la série « Believe It or Not », créée en 1918, fut un des premiers dessinateurs de bande dessinée de la presse américaine. *(N.d.T.)*

ment à Miami. Puggy donna la voix dudit Green à un candidat au fauteuil de maire nommé Carlos quelque chose, puis il ressortit du bureau et prit son billet de dix, qui dans sa main était aussi beau qu'un million de dollars.

Puggy n'avait jamais voté pour qui que ce soit, mais en ce jour magique, circulant à bord de la fourgonnette blanche, il vota à quatre reprises pour élire le maire de Miami, dans quatre bureaux différents. Les trois premières fois, il toucha dix dollars, mais, à la quatrième, le type de la fourgonnette lui expliqua que le prix était tombé à cinq, et Puggy répondit que c'était d'accord. Il avait l'impression que la ville de Miami lui avait déjà beaucoup donné, et ça ne le gênait pas de lui rendre la monnaie de sa pièce.

Puggy déposa son dernier bulletin de vote dans un quartier de Miami nommé Coconut Grove — où le type de la fourgonnette le laissa. Il y avait des palmiers, de l'eau, et des voiliers dont les mâts oscillaient doucement sur fond de ciel bleu. Puggy se dit qu'il n'avait jamais vu un endroit aussi chouette. Il se sentait bien. Il avait chaud, et trente-cinq dollars en liquide dans la poche — ce qui était plus d'argent qu'il n'en avait jamais possédé. Il décida de les dépenser en bière.

Il se mit à prospecter le Grove en quête d'un établissement approprié, et il eut tôt fait d'éliminer les bars à touristes du centre, où une bière pouvait coûter jusqu'à cinq dollars — ce que Puggy trouvait exagéré, même pour un mec qui, comme lui, se faisait dix dollars par bulletin de vote. C'est ainsi qu'après avoir dérivé vers la périphérie du quartier, nettement moins chic, Puggy poussa la porte du Jolly Jackal.

Le Jolly Jackal ne faisait pas dans le haut de gamme. Il aurait même eu besoin d'un certain nombre de milliers de dollars en travaux de rénovation pour mériter simplement l'appellation de «boui-boui». Une enseigne au néon barrait la devanture, mais comme elle ne marchait qu'à moitié, elle disait juste ACKAL. Sitôt le seuil franchi, on pouvait jouir dans la pénombre d'une vue imprenable sur les toilettes, lesquelles avaient perdu leur porte quelques années plus tôt après qu'un client, frustré dans ses efforts pour l'ouvrir par la voie classique, se fût forcé un passage à coups d'extincteur. Il flottait dans la salle obscure une odeur rance de bière éventée. La télé diffusait une course de motos. Des noms étaient graffités sur les murs, ainsi que des dessins de parties intimes. Puggy se sentit tout de suite chez lui.

Il s'installa au comptoir, désert à l'exception d'un type barbu assis à l'autre bout, en train de parler au barman dans une langue qui n'était pas de l'anglais, mais dont Puggy se dit qu'elle ne ressemblait pas non plus à de l'espagnol. Le barman — un type lourd, aux traits épais — dévisagea Puggy, mais s'abstint de venir vers lui.

— Je prendrai une Budweiser, dit Puggy.

— Vous avoir de quoi payer? demanda le barman.

Puggy ne fut pas du tout choqué. Il savait bien qu'il avait l'air d'un type qui n'a pas de quoi payer. Et en général, il n'en avait pas que l'air.

— J'ai de quoi, répondit-il.

Et il déposa toute sa fortune sur le comptoir — les trois billets de dix et le cinq. Sans mot dire, le barman décapsula une bouteille de bière et la poussa devant Puggy. Il prit le billet de cinq et le remplaça par trois d'un dollar et deux pièces de vingt-cinq cents. Puis il repartit vers le barbu, dit quelque chose en étranger, et les deux hommes se mirent à rire.

Puggy s'en fichait. Il était en train de calculer combien de bières il allait pouvoir se siffler à un dollar cinquante l'unité. Il n'arriva pas à déterminer un nombre précis, mais une chose était sûre, ça en faisait un paquet. Plus de dix. Et il pourrait même se payer quelques cocktails s'ils en avaient.

Puggy en était à sa quatrième bière quand deux mecs firent leur entrée. L'un s'appelait Snake, et son tee-shirt disait *Gators*. L'autre s'appelait Eddie, et son tee-shirt disait *Sex Bomb*. Tous deux portaient un jean coupé en bermuda et des claquettes, mais leurs pieds étaient tellement noirs de crasse qu'on aurait parié qu'ils avaient des chaussettes.

Snake et Eddie se faisaient passer pour des pêcheurs, mais ils ne pêchaient pas. Cela dit, ils vivaient sur un bateau : un rafiot abandonné par son propriétaire légal parce qu'il n'avait plus de moteur et qu'il aurait coulé à la moindre tentative de déplacement. En réalité, Snake et Eddie gagnaient leur vie en prenant position devant les places de stationnement libres de Coconut Grove, et là, chaque fois qu'arrivait une voiture de touristes, ils donnaient des indications au conducteur avec de grands mouvements de bras, comme si c'était une manœuvre ultrapointue qui devait être exécutée au millimètre, du style atterrissage de navette spatiale. Après, Snake et Eddie attendaient un pourboire que la plupart des touristes leur donnaient, surtout s'il faisait nuit.

Puggy sentit très vite que Snake et Eddie étaient déjà venus au Jolly Jackal, parce que, dès leur entrée, le barman vint vers eux en leur montrant la porte et en disant :

— Dehors ! Je déjà dire à vous ! Dehors !

— Calmos, mec, calmos, dit Eddie, les paumes ouvertes, en parfait pacifiste. On veut juste boire un verre ou deux. Et on a de quoi payer.

Il plongea la main dans la poche de son bermuda en jean, en sortit une poignée de pièces d'un, dix et vingt-cinq cents, et l'étala sur le comptoir.

Le barman regarda l'argent en silence.

— On est d'accord ? demanda Eddie, en s'installant au

bar sur la droite de Puggy, à un tabouret de distance, dès qu'il eut senti que le barman s'était résigné à le laisser faire. On est d'accord.

Snake prit le tabouret situé immédiatement à droite de celui d'Eddie, qui indiqua la pile de pièces et dit :

— On va boire tout ce que ça vaut.

Toujours sans rien dire, le barman compta l'argent, en faisant glisser les pièces une par une du comptoir au creux de sa main. Il prit deux verres, les remplit d'un liquide clair tiré d'une bouteille sans étiquette et repartit vers le barbu.

— Quel trouduc, glissa Eddie à Snake.

Dès qu'il eut déterminé que la situation n'allait pas l'obliger à se jeter à plat ventre, Puggy reporta son attention sur la télé, qui passait maintenant une course de camionnettes à plateau. Puggy n'avait jamais pensé que ce genre d'engin pourrait déboucher sur un sport, mais il était très tolérant en matière de télé, et du moment que c'était sur l'écran, il pouvait bien regarder.

Une vingtaine de minutes plus tard, il décida d'aller pisser. En faisant le geste de ramasser son fric, il s'aperçut qu'une partie avait disparu. Il n'aurait pas su dire exactement combien, mais il manquait au moins un billet de dix.

Puggy se tourna vers la droite. Eddie et Snake mataient tous les deux la télé d'un air hyper intéressé, comme si elle montrait des femmes nues plutôt que ces camionnettes à plateau.

— Hé... dit Puggy.

Eddie et Snake continuèrent de fixer l'écran.

— Hé... répéta Puggy.

Snake continua de fixer l'écran. Eddie tourna la tête pour regarder Puggy — durement.

— Un problème, chef? demanda-t-il.

— Rendez-le-moi, dit Puggy.

— *Quoi?* demanda Eddie, les traits déformés en une mimique censée donner l'impression qu'il ne voyait pas du tout de quoi Puggy voulait parler, sauf qu'il en rajoutait des tonnes.

— J'ai dit « rendez-le-moi ».

— Qu'est-ce que tu me chantes, enfoiré?

Snake regardait aussi, maintenant, et, ensemble, son pote et lui pivotèrent d'un quart de tour sur leur tabouret pour faire face à Puggy.

Puggy savait d'expérience que c'était le genre de situation où il risquait de prendre des coups. Il savait qu'il valait mieux laisser tomber. Il le savait, mais *merde*, dix dollars!

— J'ai dit « rendez... »

Le coup de poing d'Eddie ne lui fit pas trop mal, parce qu'il venait de loin et qu'il le toucha à l'épaule. Par contre, quand Puggy partit à la renverse et tomba par terre, là, il eut mal. Surtout que dans la foulée Snake contourna Eddie et tenta de lui écrabouiller la gueule sous sa claquette. Puggy se recroquevilla et se mit le visage à l'abri à la jonction du comptoir et du plancher, sans intention de se battre, juste pour attendre que ça se tasse. Le plancher puait le vomi.

Snake en était à sa quatrième tentative pour lui écrabouiller la gueule quand un *bong* sonore se fit entendre. Snake s'écroula. Le barman venait de le frapper à la nuque avec une batte en aluminium. Il n'avait jamais joué au base-ball, mais ça ne l'empêchait pas d'avoir un joli coup de batte, très efficace. Il préférait les battes en alu aux battes en bois, qui avaient tendance à casser pour un oui pour un non.

Dès que Snake fut à terre, le barman se tourna vers Eddie, qui était en train de reculer vers la porte, de nouveau les paumes ouvertes, de nouveau le grand pacifiste.

— Du calme, fit Eddie. C'est pas votre problème.

— VOUS être problème, dit le barman, en faisant un pas en avant.

On voyait bien qu'il s'attendait à ce qu'Eddie décampe, mais Eddie resta. Eddie resta parce qu'il vit que Snake — qui encaissait mieux que le commun des mortels les coups de batte sur la nuque — était en train de se relever dans le dos du barman, et qu'il attrapait par le goulot une des bouteilles de bière à long col sifflées par Puggy. Le barman ne vit rien de tout cela, mais Puggy, lui, le vit, et sans être capable de trouver à son geste une seule raison valable, même ensuite, il roula sur lui-même et balança son pied gauche dans la jambe de Snake, juste au-dessus de la cheville. La cheville émit un craquement, et Snake, en faisant *hummpff*, s'écroula de nouveau, en lâchant la bouteille. Le barman fit volte-face, vit Snake au sol, se retourna pour voir Eddie décamper sur le seuil, fit une dernière fois volte-face vers Snake. Il se pencha en avant, en tenant sa batte comme une pelle, et enfonça énergiquement le bout arrondi de la batte au creux des côtes de Snake.

— Dehors !

— Il m'a pété la cheville ! protesta Snake.

— Et moi te péter le crâne ! dit le barman.

Il reprit sa batte normalement, la mit en position de frappe et attendit.

— D'accord-d'accord, dit Snake. D'accord.

En prenant appui sur un tabouret, il se releva sans quitter le barman des yeux et sautilla jusqu'à la porte. Quand il y fut arrivé, il se retourna et pointa l'index sur Puggy, qui était toujours par terre au pied du comptoir.

— Toi, j'te revois, t'es de la viande froide.

Il poussa la porte et s'en fut à cloche-pied. Puggy remarqua qu'il faisait nuit.

Le barman regarda Snake s'éloigner, puis se retourna vers Puggy.

— Dehors !

— Écoutez, m'sieur, fit Puggy, je...

— Dehors ! dit le barman, en crispant les doigts sur sa batte.

Puggy se remit d'aplomb et s'aperçut, ce faisant, qu'il avait pissé dans son froc. Son regard atterrit sur le comptoir. L'argent des élections avait disparu — jusqu'au dernier cent. Eddie devait l'avoir fauché pendant que Snake essayait de lui écrabouiller la gueule.

— Oh c'est pas vrai ! fit Puggy.

— Dehors !

Puggy se dirigeait vers la sortie quand, à l'autre bout du comptoir, le barbu, qui avait assisté à la bagarre sans décoller les fesses de son tabouret, dit en anglais :

— Tu pouvoir rester.

Le barman fixa le barbu, haussa les épaules, relâcha légèrement sa prise sur le manche de sa batte.

Puggy dit :

— J'ai plus d'argent. Ils m'ont tout fauché.

Le barbu dit :

— Ça va. Être gratuit.

— D'accord, dit Puggy.

Il venait d'attaquer sa deuxième bière à l'œil, de nouveau très satisfait du déroulement de sa journée, à part le fait qu'il avait pissé dans son froc, quand la porte s'ouvrit. Il sursauta, en pensant que ça pouvait être ce Snake qui revenait pour lui faire la peau, mais non, c'était un mec en costard, qui trimballait une valise. Le mec en costard se dirigea vers le bout du comptoir et se mit à discuter en étranger avec les autres. Peu après, le barbu apostropha Puggy :

— Vouloir gagner cinq dollars ?

— Sûr ! dit Puggy.

Une sacrée ville, Miami.

Il apparut que le travail consistait à sortir une caisse en bois du coffre d'une Mercedes stationnée devant le bar. La caisse avait beau être lourde, le barbu et le mec en costard ne levèrent pas le petit doigt. En soufflant bruyamment, Puggy et le barman la transportèrent à l'intérieur, longèrent le bar, dépassèrent les toilettes et empruntèrent un couloir menant à une pièce dont le barbu se chargea d'ouvrir la porte, ce qui lui prit un certain temps, vu qu'il y avait trois serrures. La pièce était plus grande que Puggy ne s'y attendait, et il y avait d'autres caisses dedans, de toutes les tailles. Ils y entreposèrent celle qu'ils venaient de transporter et ressortirent. Le barbu referma la porte et tendit à Puggy un billet de cinq.

— Toi fort.

— Je crois, dit Puggy.

C'était la vérité — même si la plupart des gens ne s'en doutaient pas, parce qu'il était petit.

— Reviens demain, dit le barbu. Peut-être avoir autre travail pour toi.

Voilà comment Puggy s'était fait embaucher au Jolly Jackal. En général, il venait travailler en fin d'après-midi et restait jusqu'à ce que Leo (c'était le nom du barman) lui dise qu'il pouvait rentrer chez lui. Certains soirs, ils n'avaient pas besoin de lui pour quoi que ce soit, mais ils le laissaient rester quand même. Quand ils avaient besoin de lui, c'était toujours pour déplacer des caisses lourdes — tantôt de la Mercedes à la pièce du fond, tantôt de la pièce du fond à la Mercedes. Chaque fois, après le boulot, John, le barbu, lui refilait un billet de cinq. Un jour, Puggy lui demanda ce qu'il y avait dans les caisses.

— Du matériel, répondit John.

La plupart du temps, Puggy matait la télé et buvait des bières que Leo ne lui faisait quasiment jamais payer. C'était comme un rêve. Si Puggy s'était douté que le travail pouvait ressembler à ça, il s'en serait cherché un depuis belle lurette.

Le soir, quand ils lui disaient de partir, il regagnait son arbre. Il avait trouvé cet arbre à sa troisième nuit à Coconut Grove. Il avait passé les deux premières dans un parc, au bord de la mer, mais il s'était fait bouffer de partout par des fourmis vicieuses, et en plus, le deuxième soir, il avait vu de loin passer Eddie et Snake, le long du quai. Snake traînait la patte.

Puggy s'était donc mis en quête d'un endroit plus sûr pour dormir. Il s'aperçut qu'il suffisait de s'enfoncer un petit peu dans Coconut Grove pour se retrouver dans un quartier totalement différent, un quartier de gens riches, avec d'énormes baraques protégées par de hauts murs qui faisaient tout le tour et des portails commandés à distance. Il y avait plein d'arbres étranges, des gros surtout, tout emberlificotés, avec des racines qui partaient dans tous les sens, des lianes, et des branches qui s'étiraient largement au-dessus de la rue. Puggy se dit que ce coin ressemblait à une jungle.

Il trouva un arbre idéal pour s'installer. Juste derrière le mur d'enceinte d'une propriété de gens riches, mais séparé de la maison par un grand jardin touffu, très tranquille. Il monta dedans après avoir escaladé le mur; Puggy était d'instinct un bon grimpeur, même avec toutes les bières qu'il avait bues. À six ou sept mètres du sol, là où trois branches maîtresses se séparaient du tronc, il découvrit une plate-forme de bois branlante et tapissée de mousse — sûrement le plancher d'une cabane de gosses abandonnée depuis des années. Puggy l'arrangea en recouvrant la plate-forme de carton et en tendant au-dessus une bâche en plastique récupérée sur un chantier pour se protéger en cas de pluie. Il lui arrivait d'entendre des gens parler à l'intérieur de la baraque, mais il ne savait pas qui c'était, vu qu'ils ne venaient jamais dans ce coin du jardin.

Tard dans la soirée, une musique s'échappait toujours d'une des pièces de la maison. Une musique douce, avec de la flûte, qui se faufilait à travers la jungle et arrivait jusqu'à lui. Puggy aimait s'allonger sur le dos pour l'écouter. Il était ravi de la façon dont les choses s'étaient arrangées, autant pour sa carrière que pour son habitat. C'était l'existence la plus sûre, la plus structurée, la moins turbulente qu'il ait jamais eue. Elle dura presque trois semaines.

— J'ai beau regarder cette annonce, dit le Gros Client Infernal, je ne vois rien qui parle de la bière Hammerhead.

Eliot Arnold, de l'agence Eliot Arnold Publicité et Relations Publiques (laquelle était exclusivement constituée d'Eliot Arnold), acquiesça d'un air pensif, comme s'il était en train de se dire que le Gros Client Infernal venait de soulever une objection valable. En réalité, Eliot se félicitait de faire partie de la quinzaine de personnes à Miami qui ne se promenaient pas armées en permanence, parce que, dans le cas contraire, il n'aurait sûrement pas pu résister à l'envie de loger sur-le-champ une balle dans le front gras et luisant du gros gars assis en face de lui.

Dans ces moments-là — ils étaient nombreux —, Eliot se demandait s'il n'avait pas quitté la presse un peu trop vite. Surtout de la façon dont il l'avait fait, en balançant son pied dans l'écran d'ordinateur du directeur de la rédaction. Ce faisant, il avait indéniablement franchi une sorte de point de non-retour.

Eliot avait vingt et un ans de journalisme derrière lui. Son projet, à sa sortie de la fac, était de défendre la justice en utilisant sa plume pour déterrer et dénoncer la corruption. Il avait d'abord décroché un poste dans un petit quotidien, où il était chargé de rédiger des nécrologies et de couvrir certaines réunions du conseil municipal pendant lesquelles des élus et des ingénieurs consultants passaient des heures à débattre du diamètre des canalisations du nouvel égout. En les écoutant, penché sur son carnet couvert de notes gribouillées, Eliot se disait qu'il y avait sans doute de la corruption là-dessous, mais il n'avait pas la moindre idée de la façon dont il allait pouvoir la débusquer.

Quand il fut embauché par le plus grand journal de la ville, il avait renoncé à déterrer quoi que ce soit et préféra s'installer dans une niche confortable : la production d'articles insolites, activité pour laquelle il manifesta un certain talent. Pendant des années, il pondit sur à peu près tous les sujets qu'il eut envie de traiter des reportages — généralement qualifiés par les pontes de la rédaction, souvent avec condescendance, de « papiers atypiques ». Eux préféraient les enquêtes « de société » — des monceaux de faits accumulés par des équipes rédactionnelles et publiés en cinq ou six parties sous un titre qui incluait presque systématiquement le mot « crise » : « Familles en crise », « La Crise de nos écoles », ou encore « Bientôt la crise de l'eau », etc. Ces séries, qui bénéficiaient d'une promotion agressive et remportaient souvent les concours de journalisme, étaient couramment désignées sous l'appellation de « mégadaubes » en salle de rédaction. Mais les pontes adoraient. Le « journalisme citoyen », disaient-ils. Faire avancer les choses ! Nouer des liens avec le lectorat !

Mais on demandait de plus en plus souvent à Eliot de participer à des mégadaubes en lui laissant de moins en moins de temps pour écrire les papiers dont il persistait à croire que quelqu'un, quelque part, pourrait effectivement avoir envie de les lire.

Le dénouement survint le jour où Eliot fut convoqué dans le bureau du directeur de la rédaction, Ken Deeber, qui avait sept ans de moins que lui. Eliot se rappelait distinctement l'époque où Deeber avait été pisse-copie à tout faire, juste après sa sortie de Princeton. C'était un garçon qui s'exprimait et présentait bien, et sur lequel on pouvait absolument compter pour se fourvoyer sur au moins un fait important par article, quelle que soit la brièveté de celui-ci. Cela dit, Deeber n'écrivait pas beaucoup d'articles : il était bien trop occupé à tisser ses réseaux. Après s'être élevé au sein de la hiérarchie comme un missile Polaris, il devint le plus jeune directeur de la rédaction de l'histoire du journal. Les enquêtes de société étaient son dada. Et s'il avait convoqué Eliot dans son bureau, c'était pour en parler.

— Ça va, Eliot? demanda Deeber en guise d'ouverture. Ça va comme tu veux?

— Eh bien, disons que je suis un peu...

— Si je te pose la question, enchaîna Deeber (qui se fichait éperdument de savoir si Eliot allait comme il voulait), c'est parce que John Croton me dit que tu n'as pas pondu une ligne sur le projet Crèches.

Le projet Crèches était la mégadaube du moment. Il avait pour but d'expliquer aux lecteurs, en cinq parties illustrées par quatorze graphiques en couleurs, que les crèches étaient en crise.

— Écoute, Ken, il y a déjà cinq personnes qui travaillent sur ce...

— Eliot, coupa Deeber à la façon d'un père s'adressant à son garnement, on t'a confié une mission.

La mission d'Eliot consistait à rédiger un encadré pour rendre compte du point de vue de la communauté haïtienne sur la crise des crèches. Deeber estimait que toute enquête devait mentionner le point de vue de tous les groupes ethniques. Quand il ouvrait le journal, il ne lisait pas les articles, il comptait les groupes ethniques. Il envoyait régulièrement à ses journalistes des notes de service du genre : «Le papier sur l'augmentation des attaques d'alligators contre les golfeurs m'a paru informatif et tout à fait pertinent, mais un effort supplémentaire aurait pu être consenti pour faire valoir le point de vue de la communauté hispanique.» Si aucune bombe n'avait encore été reliée au démarreur de sa voiture, c'était probablement parce que les journalistes, dans leur immense majorité, étaient nuls en bricolage.

— Je sais, soupira Eliot, mais je travaille aussi à cet article sur...

— L'histoire des pélicans? ricana Deeber.

Eliot songea qu'ils devaient donner des cours de ricanement à Princeton, parce que, dans ce domaine-là, Deeber était très fort.

— Ken, dit-il, c'est une histoire hallucinante, et je suis le seul sur le coup. Il y a ce type, tu sais, ce vieux Cubain de Key West, et il dresse des pélicans à...

— À lâcher des bombes, ricana Deeber. Je sais. C'est le truc le plus débile que j'aie jamais entendu.

— Ken... Ce type est incroyable. Il a vraiment essayé d'utiliser un pélican pour tuer Castro! Quelque chose a foiré, peut-être que la bombe a mal fonctionné ou que le pélican s'est emmêlé les pinceaux, mais l'engin a apparemment explosé devant un hôtel du centre de La Havane, et un groupe de touristes français a reçu plein de morceaux de pélican, et le gouvernement cubain a prétendu que c'était une sorte de phénomène atmosphérique...

— Eliot, coupa Ken, je ne crois pas que ce genre d'article puisse apporter grand-chose à nos lecteurs.

— Mais c'est la vérité, insista Eliot, en luttant contre l'envie de saisir Deeber au collet. Mes infos sont en béton. Ce type m'a parlé, et il...

— Eliot, dit Deeber, est-ce que tu te rends compte à quel point les crèches sont quelque chose d'important pour nos lecteurs ? Tu sais combien d'entre eux ont des enfants à la crèche ?

Pause.

— Ken, dit Eliot, tu sais combien de nos lecteurs ont un trou de balle ?

— Je ne vois pas l'intérêt de...

— Tous ! s'écria Eliot. Ils ont tous un trou de balle !

Une proportion non négligeable des personnes présentes dans la salle de rédaction entendit son cri malgré la cloison vitrée qui isolait le bureau de Deeber. Des têtes se tournèrent.

— Lançons une série là-dessus ! glapit Eliot. RECTUMS EN CRISE !

Cette fois, toute la salle de rédaction entendit.

Deeber, conscient d'être observé, prit sa mine la plus grave.

— Eliot, tu travailles pour moi. Tu fais ce que je te dis de faire. Je t'ai confié une mission. Si tu veux continuer à travailler pour ce journal, cette mission doit être remplie, et je veux que ce soit *là-dedans* (il darda l'index sur son ordinateur) avant que tu rentres chez toi ce soir.

— Parfait ! dit Eliot.

Il se leva et contourna le bureau, ce qui força Deeber à reculer précipitamment sur son fauteuil à roulettes. En heurtant le meuble de rangement, il renversa plusieurs trophées de journalisme.

— Si je m'en occupais TOUT DE SUITE ?

C'est alors qu'il balança son pied gauche à travers l'écran de l'ordinateur de Deeber. Son pied étant resté plus ou moins coincé à l'intérieur, il dut faire un effort violent pour le dégager et, du coup, l'appareil entier tomba par terre. Dans la salle de rédaction, des applaudissements fusèrent brièvement, mais avec une touchante spontanéité.

Hormis la fois où un cariste saoul avait précipité un chariot élévateur neuf (d'une valeur de quarante-trois mille dollars) dans la baie de Biscayne, personne n'avait jamais été viré du journal aussi vite qu'Eliot. Ses confrères lui manifestèrent leur sympathie et leur soutien ; à dire vrai, Eliot devint même un minipersonnage culte dans le milieu de la presse. Mais il fut rapidement clair qu'il ne trouverait plus de boulot en tant que journaliste, en tout cas pas à Miami — où il tenait à rester pour ne pas perdre le contact avec son fils Matt, confié à la garde de son ex-femme.

C'est ainsi qu'Eliot, devenu Eliot Arnold Publicité et Relations Publiques, s'installa dans un petit bureau de Coconut Grove. Au début, il consacra énormément de temps à démarcher des gens pour les supplier de devenir ses clients. Mais, au terme de deux années de dur labeur, il avait franchi un cap, et il consacrait désormais le plus clair de son temps à démarcher ses clients pour les supplier de régler ce qu'ils lui devaient. Ou bien à les écouter expliquer pourquoi son travail n'était pas acceptable. Ce qu'était justement en train de faire le Gros Client Infernal.

La dernière idée de génie du Gros Client Infernal était la bière Hammerhead, dont le goût était si infect que la seule fois où Eliot s'en était humecté la bouche, il l'avait aussitôt recrachée sur son bureau. Eliot estimait que la bière Hammerhead était une idée encore plus exécrable que le précédent projet du Client Infernal — un parc à thème pour retraités baptisé « Aventuriers à Dentier ».

Mais dans la mesure où il arrivait parfois au Client Infernal de régler ses factures, Eliot avait imaginé un concept publicitaire pour sa bière. Le Client Infernal, qui avait justement le nez dessus, proposa une critique aussi élaborée qu'à son habitude.

— C'est à chier.

— Ma foi, Bruce, j'ai essayé de...

— Écoutez, dit le Client Infernal, qui ne voyait pas l'intérêt de laisser qui que ce soit finir une phrase tant que lui-même était encore en état d'en placer une. Vous connaissez ma philosophie des affaires ?

Bien entendu, se dit Eliot. *Votre philosophie des affaires consiste à soutirer de l'argent à un père extrêmement riche pour le gaspiller avec vos projets imbéciles.*

— Non, Bruce. Quelle est votre... ?

— Ma philosophie des affaires, c'est que le monde est plein de gens.

Afin d'illustrer cette vérité, le Client Infernal fit un geste en direction du monde. Plusieurs secondes s'écoulèrent, pendant lesquelles Eliot attendit, plein d'expectative, un développement.

— Eh bien, finit-il par dire, il est certain que...

— ET, reprit le Client Infernal, qui avait attendu qu'Eliot parle pour avoir l'occasion de l'interrompre, tous ces gens VEULENT quelque chose. Vous savez ce qu'ils veulent ?

— Non, dit Eliot, en décidant de s'en tenir dorénavant à des phrases courtes.

— Ils veulent se sentir bien.

D'autres secondes s'écoulèrent.

— Ah... fit Eliot.

— Vous voyez ce que je veux dire ? demanda le Client Infernal en regardant fixement Eliot.

— Ma foi, risqua Eliot, je...

— NON, VOUS NE VOYEZ PAS ! tonna le Client Infernal, qui ne se sentait jamais aussi bien que lorsqu'il était en position de maltraiter quelqu'un qui avait besoin de son argent (ce qui constituait à ses yeux l'avantage absolu et ultime de la richesse). Parce que je vous ai apporté le concept idéal pour la bière Hammerhead. Le concept idéal ! Rien à voir avec ce machin merdique !

Son bras boudiné décrivit un mouvement de balayage, du genre chasse-mouches, en direction du concept d'Eliot — concept sur lequel Eliot avait planché jusque très tard dans la nuit. Sur un tableau, Eliot avait fixé la photo en gros plan d'un requin-marteau[1] à la gueule béante, avec deux yeux absurdement laids et éloignés l'un de l'autre. Sous la photo, en énormes caractères noirs, le slogan :

LE PLUS LAID DES POISSONS
LA MEILLEURE DES BOISSONS

— Qu'est-ce que c'est que ce truc, bon sang ? fit le Client Infernal. Pourquoi « laid » ?

— Disons qu'il s'agit de susciter un effet de contraste, sur le mode humor...

— Écoutez-moi, dit le Client Infernal, dont la conception de l'humour se réduisait aux images (il les avait en vidéocassette et se les repassait le plus souvent possible) de Joe Theisman[2] en train de se faire littéralement arracher la jambe. Je n'ai aucune envie de voir du laid, moi. Ce n'est pas du tout l'impression que je veux donner. Bon sang, je vous ai donné le concept ! Je vous ai apporté le concept idéal sur un plateau !

— Bruce, j'ai touché deux mots à un avocat de votre concept, et il pense que nous pourrions avoir de gros ennuis avec...

1. *Hammerhead* signifie « marteau » ou « requin-marteau ». *(N.d.T.)*

2. Célèbre joueur de football américain des Redskins de Washington, dont la carrière fut interrompue par une grave blessure à la jambe pendant un match. *(N.d.T.)*

— « ÉCLATEZ-VOUS AVEC HAMMERHEAD ! » clama le Client Infernal, en abattant sur le bureau d'Eliot son poing gauche boudiné, auquel scintillait une Rolex. Voilà le concept !

Il se leva et écarta ses bras adipeux — sans doute histoire d'aider Eliot à visualiser son idée.

— On a ce mec dans son bateau, avec une fille, une fille en bikini, à gros nibards, ils sont en bateau, et ils s'éclatent ! Avec de la Hammerhead ! Toute l'idée de cette pub, c'est qu'il y a de la baise dans l'air ! À l'arrière-plan, on aperçoit un requin en train de leur tourner autour. La fille a des nichons vraiment énormes ! Tout baigne ! Je vous apporte le concept parfait, et vous, vous me sortez du laid ! Si vous croyez que je vais payer pour cette merde, laissez tomber tout de suite, parce que moi, je ne paie pas pour avoir du laid. Le laid, je peux l'avoir gratos.

Sûr, puisque vous l'êtes vous-même, songea Eliot.

— D'accord, laissez-moi essayer de...

— Ne me parlez pas d'*essayer*. N'*essayez* rien. Je déteste ce mot. *Essayer* est un mot pour les perdants, expliqua le Client Infernal, qui tirait l'intégralité de sa philosophie des spots Nike. Laissez-moi vous dire une chose, ajouta-t-il en martelant de l'index le bureau d'Eliot, qui constata à cette occasion que ses ongles aussi étaient boudinés. Vous n'êtes pas le seul publicitaire de cette ville.

Peut-être, mais je suis le seul publicitaire de cette ville à avoir assez de retard dans le versement de sa pension alimentaire pour endurer un connard de ton envergure, pensa Eliot, ce qui donna, prononcé à haute voix :

— D'accord, Bruce.

— Je veux ça pour DEMAIN ! dit le Client Infernal.

Je pourrais me procurer un flingue d'ici demain, pensa Eliot. *Avec des balles à pointe creuse...*

— D'accord, Bruce.

Le téléphone sonna. Eliot décrocha.

— Ici Eliot Arnold.

— J'aurais besoin que tu me prêtes ta voiture ce soir, dit Matt.

Matt était le fils d'Eliot. Il avait dix-sept ans, ce qui signifiait qu'il était généralement trop pressé pour dire bonjour.

— Oh, Nigel, bonjour ! s'exclama Eliot. Comment va la vie à Londres ? Vous pouvez patienter une petite seconde ?

— Nigel ? nasilla Matt au bout du fil.

— Bruce, dit Eliot au Client Infernal, il faut absolument que je prenne cet appel d'un client de Londres, cela concerne...

— Je veux mon affiche pour demain, et vous avez intérêt à ce que ce soit bon !

Le Client Infernal ouvrit la porte du bureau d'Eliot d'un geste violent et sortit sans la refermer.

Dans le couloir — sur le pas du bureau voisin, un expert comptable qui se plaignait chaque fois qu'Eliot mettait sa stéréo en marche —, il beugla :

— Et vous avez intérêt à ce qu'elle ait de gros nichons !

— Merci d'être venu, Bruce ! lança Eliot à la porte béante. Je crois vraiment qu'on tient le bon bout ! (Puis, dans le combiné :) Allô, Matt ?

— Qui c'est qui a de gros nichons ?

— Personne.

— Qui est Nigel ?

— Personne. J'ai inventé Nigel pour que mon client ne puisse pas se douter que j'interrompais une réunion de travail pour répondre à un appel personnel.

— C'était le crétin de la bière ?

— Oui.

— Pourquoi tu l'envoies pas promener, P'pa ?

— Matt, as-tu seulement idée de l'origine de l'argent qui te...

— Alors? coupa Matt, qui n'était pas d'humeur à sacrifier son précieux temps extra-scolaire pour entendre un sermon qu'il connaissait sur le bout des doigts. Je peux t'emprunter ta caisse ce soir?

— Pour quoi faire?

— Andrew et moi, on a une fille à tuer.

— D'accord, répondit Eliot, mais je veux que ma voiture soit garée devant mon immeuble à dix heures et demie, et je veux aussi que tu me promettes de conduire...

— D'accord, P'pa, merci, dit Matt.

Et il raccrocha — le type même du jeune homme pressé.

— ... prudemment, acheva Eliot dans le vide.

Quand elle eut fini de nettoyer après le dîner, Nina regagna sa chambre — on disait « les dépendances », mais c'était juste une pièce minuscule avec un minuscule cabinet de toilette — et ferma la porte à clé. Elle avait pris l'habitude de fermer à clé trois mois plus tôt, quand M. Herk avait fait irruption un soir. Nina, en train de se déshabiller, était en soutien-gorge et petite culotte. Herk n'avait pas frappé; il avait ouvert la porte et il était entré.

Il tenait un verre de vin. Nina attrapa sa robe sur le lit et la plaqua devant elle.

— Soyez tranquille, Nina, dit-il. Je me demandais juste si vous n'auriez pas envie d'un petit verre de vin. Vous travaillez dur.

Nina savait qu'il n'avait rien à faire de son travail. Elle savait ce qu'il voulait, à cause de cette façon qu'il avait de la regarder parfois, surtout quand il avait bu. Il aimait entrer dans la cuisine quand elle s'y trouvait seule et rester un peu trop près d'elle, sans rien dire, juste à la regarder.

Serrant sa robe contre sa peau, elle dit :

— Non, merci, monsieur Herk. Je suis fatiguée.

Il referma la porte derrière lui et s'approcha.

— Vous avez besoin de vous détendre, dit-il.

Il posa une main sur l'épaule nue de Nina et la laissa glisser vers sa poitrine. Sa paume était moite.

Nina se déroba et partit à reculons vers le cabinet de toilette.

— Monsieur Herk, dit-elle, Madame Anna être pas contente si elle sait que vous être là.

Le visage de Herk se durcit.

— Elle dort, répondit-il. Et je ne vais pas lui en parler. Vous n'allez pas en parler non plus, n'est-ce pas, Nina ?

Bien sûr que non, elle n'en parlerait pas. Herk était le maître de maison, et elle n'était que la bonne, et elle ne séjournait pas légalement dans le pays, et elle n'avait aucun autre endroit où aller.

— Excusez-moi, dit Nina.

Elle pivota sur elle-même et entra dans le cabinet de toilette, dont elle referma la porte et tira le loquet.

Le bouton de porte cliqueta à plusieurs reprises tandis que Herk s'escrimait dessus.

— Nina, dit-il. Sortez de là !

Nina regardait fixement le bouton de porte, sans oser respirer. Elle sentait encore la sueur de cet homme à l'endroit où il l'avait touchée.

— Nina, dit-il un peu plus fort, vous êtes ici chez moi, vous travaillez pour moi, et je veux que vous sortiez tout de suite !

Nina regardait fixement le bouton.

— Salope ! lâcha-t-il.

Elle entendit un bruit de verre brisé, puis la porte du couloir qui se rouvrait bruyamment. Elle attendit encore un peu, entrebâilla la porte du cabinet de toilette. Il y avait une grosse tache rouge sombre en plein milieu de son couvre-lit blanc — là où il avait renversé le vin. Il avait aussi cassé le verre en le jetant par terre. Elle s'entailla la plante du pied en ramassant les morceaux.

Le lendemain, quand elle lui servit le café en présence de Madame Anna, il se comporta comme si de rien n'était. Mais Nina vit qu'il la regardait toujours. Alors, depuis, elle prenait soin de fermer sa porte à clé. Elle n'aimait pas M. Herk, mais elle avait besoin de cette place. Elle avait besoin de gagner assez d'argent pour payer un avocat et obtenir des papiers en règle, et, après, elle ferait venir sa mère et son frère aux États-Unis.

Il y avait quand même des choses qui lui plaisaient dans son travail. La maison ressemblait à un palais, et Madame Anna était très jolie et très gentille. Nina ne comprenait pas comment M. Herk pouvait être aussi méchant avec une femme aussi bien. Nina l'avait entendu lui crier après, la traiter de tous les noms, la faire pleurer. Peut-être même qu'il la battait quelquefois.

Madame Anna était gentille avec Nina. Sa fille Jenny aussi, même si elle restait presque tout le temps dans sa chambre, au téléphone, ou à écouter sa musique, une musique qui faisait penser à des gens en colère qui crient très fort. Nina n'arrivait pas à comprendre que l'on puisse aimer écouter des cris de colère.

Nina, elle, écoutait des morceaux de flûte de son pays, sur un vieux lecteur de cassettes en plastique qui avait appartenu à Jenny quand elle était petite. Le soir venu, Nina ouvrait sa fenêtre (elle n'aimait pas la climatisation) et se couchait sur son lit, la lumière éteinte, pour laisser ses pensées flotter au gré de la musique. Cela l'aidait à se sentir moins seule.

Tout au fond du jardin, dans son arbre, quand il écoutait la musique de Nina, Puggy se sentait moins seul, lui aussi.

Matt passa prendre Andrew à neuf heures moins vingt.

— Où est le fusil ? demanda Andrew.

— Dans le coffre, dit Matt. Putain, j'adore ce morceau !

Il poussa à fond le volume de l'autoradio, qui venait d'entamer « Sex Pootie », le dernier succès d'un groupe nommé les Seminal Fluids. Les paroles disaient :

I want your sex pootie !
I want your sex pootie !
I want your sex pootie !
I want your sex pootie !
I want your sex pootie !
I want your sex pootie !
I want your sex pootie !
I want your sex pootie ![1]

Et ainsi de suite.

— Ça veut dire quoi, « *sex pootie* » ? demanda Andrew.

— À ton avis ? rétorqua Matt d'un ton dédaigneux.

Lui-même n'était pas tout à fait sûr de savoir ce que c'était.

Pour changer de sujet, il lâcha :

— Putain, il craint grave de chez grave, cet autoradio !

Matt n'éprouvait que mépris pour tous les appareils sonores dont la puissance n'était pas suffisante pour décorner un bœuf.

— Pourquoi est-ce qu'il s'est acheté une Kia, ton père ? dit Andrew.

— Parce qu'il craint.

Andrew manifesta sa compréhension d'un hochement

1. Qu'on pourrait traduire librement par « Je veux ton pot à sexe » ou « Je veux ta foufoune ». *(N.d.T.)*

de tête. Son père aussi craignait. À croire que tous les pères craignaient. Ce qui stupéfiait Matt et Andrew, c'était comment, dans de telles conditions, leur génération avait pu naître aussi cool.

— J'espère que Jenny ne verra pas cette caisse, dit Matt.

Jenny était la fille qu'ils étaient censés tuer. Matt la trouvait canon. Elle était en biologie avec lui à Southeast High School, et il avait passé un certain nombre d'heures de cours à la mater en faisant semblant d'étudier des coupes du pancréas et autres organes. Il avait souvent essayé d'imaginer un moyen de l'aborder, sans jamais rien trouver de potable. Mais, puisqu'il allait la tuer, il se disait que c'était une bonne occasion de briser la glace.

Matt avait été chargé de tuer Jenny par Evan Hanratty, l'élève de Southeast qui organisait l'édition annuelle du Killer.

Le Killer était un jeu de rôles qui refaisait surface chaque année dans un certain nombre de lycées ; il avait été condamné avec véhémence et interdit par les autorités scolaires, ce qui le rendait d'autant plus populaire auprès des élèves.

Il existait diverses versions de ce jeu, mais, à la base, le principe était le suivant : vous versiez à l'organisateur une somme d'argent (dans le lycée de Matt, il fallait se fendre de dix dollars) ; l'organisateur vous communiquait alors, secrètement, le nom d'un autre participant ; votre mission consistait à le tuer. Dans le même temps, vous deveniez vous-même la cible d'un autre joueur, non identifié, qui cherchait à vous éliminer.

À un moment déterminé, la partie démarrait officiellement — et le carnage avec. À la fin de chaque tour, les survivants se voyaient notifier une nouvelle cible à abattre ; la partie reprenait ensuite, jusqu'au jour où le dernier tueur encore en vie recevait un prix en liquide des mains de l'organisateur.

Chaque meurtre était commis au moyen d'un pistolet à eau. Pour qu'il soit valable, il fallait asperger sa victime en présence d'un témoin — mais seulement *un*. Ce qui voulait dire qu'on ne pouvait pas abattre sa cible à l'école ou dans un lieu public de type centre commercial ; il fallait lui tendre une embuscade, en général chez elle.

Certains s'assuraient la complicité de leurs parents. Par exemple, le tueur se faisait conduire par sa mère chez la cible ; il se planquait dans un buisson pendant que sa mère, l'air de rien, sonnait à la porte et demandait si la cible était là. Dès que la cible se pointait à la porte, le tueur jaillissait de son buisson, l'arme au poing.

Matt et ses copains trouvaient totalement ringard de faire appel à sa mère pour descendre quelqu'un. Ils préféraient le guet-apens nocturne, l'action sous couvert de l'obscurité, ce qui permettait de profiter de l'élément de surprise — sans compter un autre élément (on ne savait jamais) : la chance de surprendre sa cible à poil.

Matt gara la Kia paternelle à deux rues de distance de l'adresse de Jenny. Il ouvrit la malle arrière et en sortit son arme, un SquirtMaster 9 000, modèle haut de gamme à trente-trois dollars quatre-vingt-quinze chez Toys « R » Us. Le SquirtMaster, qui ressemblait à s'y méprendre à un vrai fusil d'assaut, contenait cinq litres de flotte ; il était capable d'expédier un jet d'eau extrêmement précis à quinze ou vingt mètres.

Matt et Andrew galopèrent dans l'obscurité moite jusqu'à l'entrée de la maison de Jenny. Ils ne croisèrent personne — sauf des moustiques ; c'était un des coins les plus rupins de Coconut Grove, et les habitants n'avaient pas l'habitude de traîner dans la rue le soir.

La maison de Jenny était grande, mais cernée d'arbres et à peine visible de la rue. Un mur haut de deux mètres faisait le tour complet de la propriété, et l'allée était fermée par un portail d'acier automatique.

À côté, il y avait un interphone.

— C'est quoi, ton plan? murmura Andrew. Tu vas sonner?

— Évidemment que non, dit Matt. Je dirais quoi? «Salut, c'est Matt Arnold, je viens tuer Jenny»? On va faire le mur.

— Et s'ils ont un clebs?

— Je m'entends bien avec les clebs, répondit Matt tout en se disant : *Putain, pourvu qu'ils n'aient pas de clebs!*

Ils longèrent le mur jusqu'à l'arrière de la propriété. Au pied d'un arbre énorme, ils repérèrent un endroit qui semblait très facile à escalader. Matt confia son Squirt-Master à Andrew et passa le premier; Andrew lui lança le fusil et suivit le mouvement. Une fois dans le jardin, les deux adolescents marquèrent une minute de silence afin de détecter un éventuel chien de garde, mais ils n'entendirent qu'une musique de flûte. Matt en tête, ils se mirent sans bruit en marche vers la maison.

À sept mètres d'altitude, Puggy vit les deux silhouettes et le fusil disparaître dans la touffeur végétale. Il se demanda ce qui pouvait bien se passer. C'était la deuxième fois qu'il voyait des mecs armés sauter ce mur en l'espace d'une demi-heure.

2

Les Herk avaient toutefois un chien — Roger. Roger était l'improbable résultat de plusieurs générations de coïts canins hâtifs et non planifiés : entre autres caractéristiques, il avait le châssis surbaissé d'un teckel, les oreilles en pointe d'un berger allemand, l'enthousiasme d'un labrador, le moignon caudal d'un boxer et l'intelligence d'un pied de céleri.

Ce soir-là, Roger était, comme à l'accoutumée, en patrouille dans le jardin, sans constituer la moindre menace pour quelque intrus humain que ce soit. Il adorait les humains. Sans exception — et sans réserve. Parce qu'on ne savait jamais quand un humain allait, comme par magie et sans qu'on ait rien vu venir, vous sortir de quoi manger. Et Roger adorait manger.

Ce qu'il haïssait, c'était le crapaud. Ce crapaud-là était un *Bufo marinus*, une très grosse espèce d'Amérique du Sud qui s'était répandue en Floride du Sud depuis son introduction dans les années quarante par des imbéciles pétris de bonnes intentions et persuadés que *Bufo* liquiderait les parasites de la canne à sucre. Les crapauds s'étaient allègrement reproduits et développés dans la moiteur fétide du terreau subtropical ; il ne leur avait pas fallu longtemps pour supplanter les parasites.

L'individu qui concentrait toute la haine de Roger — le Crapaud Ennemi — avait prospéré jusqu'à atteindre le poids majestueux d'un kilo et demi ; c'était une créature trapue, hideuse, à la peau verruqueuse et couleur de fange, aux yeux liquides, de la taille approximative d'un gant de base-ball. De l'avis de Roger, ce crapaud était la créature la plus malfaisante de l'univers, parce qu'il lui mangeait son manger. Chaque jour, Nina, la bonne, remplissait son écuelle d'un monceau de croquettes et la déposait sur la terrasse qui bordait la salle de télévision. Et chaque jour, alors qu'il s'apprêtait à savourer son repas, le crapaud, à une vitesse stupéfiante, catapultait son corps bouffi dans les airs et atterrissait en plein milieu de l'écuelle de Roger, où il commençait illico à se goinfrer de croquettes.

La première fois que ce phénomène s'était produit, Roger, naturellement, avait essayé de manger le crapaud. Grossière erreur. Dans la nature, on ne devient pas un crapaud aussi grand et aussi gras sans disposer de solides défenses contre les prédateurs, et *Bufo marinus* avait lui aussi développé sa botte secrète : une glande qui, derrière chaque œil, sécrétait de la bufoténine, une substance toxique. (Et aussi hallucinogène : il paraît que certaines personnes vont jusqu'à lécher ces crapauds pour se défoncer. Elles en meurent parfois. Il n'est pas interdit d'émettre l'opinion qu'elles le méritent.)

Bref, quand il mordit le crapaud, Roger eut droit à une solide ration de bufoténine. Heureusement pour lui, il la recracha au lieu de l'avaler, et, plutôt que de monter au Grand-Chenil-des-Cieux, il tomba simplement très malade. Il n'était pas astrophysicien, mais il comprit ce jour-là qu'il avait intérêt à s'abstenir de mordre le crapaud. Le crapaud le comprit également. Et chaque jour, pendant des heures, il trônait dans l'écuelle de Roger, mangeant à loisir son manger, pendant que Roger restait tapi à très exactement soixante-dix centimètres de distance, en grondant et en montrant les crocs. Cette activité de surveillance occupait l'essentiel de sa journée de travail, mais Roger ménageait tout de même dans son agenda de quoi remplir un certain nombre d'autres missions importantes, du style aboyer aux coups de sonnette, se pourlécher copieusement les parties intimes et saluer les humains qui s'aventuraient dans le jardin — au cas où ils auraient à manger.

Quand les deux hommes escaladèrent le mur ce soir-là, Roger vint joyeusement à eux et leur réserva un accueil amical en frétillant de la queue — ce qui les décida à ne pas l'abattre. S'étant assuré qu'ils n'avaient rien à manger pour lui, il repartit au trot vers son écuelle sur la terrasse et se remit à gronder face à son ennemi juré le crapaud. Ce n'était pas le moment de relâcher sa vigilance.

À quelques pas de Roger, de l'autre côté de la baie vitrée coulissante, Anna Herk et sa fille Jenny étaient assises côte à côte sur le canapé familial pour regarder *Friends*, qu'elles aimaient beaucoup toutes les deux. Elles riaient ensemble, et elles se raidirent ensemble quand elles entendirent Arthur Herk entrer à pas traînants dans leur dos. Il traîna les pieds jusqu'au bar et, pour la quatrième fois de la soirée, se remplit à ras bord un grand verre de vin rouge. Tenant son verre à la main, et tanguant discrètement, il se planta juste derrière Anna et Jenny. Elles sentirent sa présence, mais continuèrent de fixer l'écran.

— Comment vous faites pour regarder une merde pareille ?

Jenny, qui adressait rarement la parole à son beau-père, resta muette. Cherchant à garder un ton calme, Anna répondit :

— On aime bien cette série, Arthur. Si elle ne te plaît pas, tu n'es pas obligé de regarder.

— Je regarde ce que j'ai envie de regarder, fit Herk.

Anna fut tentée de lui faire remarquer que cette déclaration, dans le contexte actuel, manquait quelque peu de cohérence, mais elle se ravisa. Pendant une poignée de secondes, tout le monde se contenta de regarder les personnages de *Friends* — zéro pour cent de matière grasse, cent pour cent de plastique et d'esprit — en train de s'adonner à leur occupation favorite, le persiflage sur canapé.

— Ces mecs sont des pédales, lâcha Herk.

Anna et Jenny ne relevèrent pas.

— Ouais, dit Herk, des tarlouzes de première, c'est ce que j'ai lu.

— Tiens, il sait lire ? souffla Jenny à voix basse, sans cesser de regarder droit devant elle.

— Qu'est-ce que tu viens de dire ? demanda Herk en faisant le tour du canapé.

Anna tendit un bras devant sa fille.

— Arthur, laisse-la tranquille.

— *Qu'est-ce que tu viens de dire ?* répéta Herk, face à Jenny, en dodelinant du crâne et en renversant un peu de vin.

Jenny continua de regarder droit devant, comme si elle voyait à travers son beau-père. Elle aurait voulu pouvoir passer de l'autre côté de l'écran de télé, devenir un personnage de *Friends*, vivre au milieu de gens drôles et sympa plutôt qu'avec ce pochetron qui ne pouvait pas l'encadrer et qui frappait sa mère.

— Arthur, intervint Anna, sachant pertinemment qu'il allait lui faire payer son audace en temps et en heure, fiche-lui la paix !

Herk se tourna vers Anna, le crâne toujours dodelinant, le regard vague et injecté de sang. Anna avait peine à croire que cet homme ait pu un jour lui paraître séduisant. Il fit un pas dans sa direction, en renversant un peu plus de vin. Anna ne quittait pas des yeux sa main droite — celle qui ne tenait pas le verre. Herk surprit son regard, ferma le poing et fit mine de lui balancer un coup. Anna sursauta. Herk apprécia. Il fit semblant de la frapper une deuxième fois, puis se détourna, prit la télécommande.

— Voyons ce qu'il y a d'autre.

Et il changea de chaîne.

Dehors, à la limite de la terrasse, dans la nuit moite, deux hommes épiaient les Herk à travers la baie vitrée tout en s'évertuant à repousser les moustiques. L'un d'eux était armé d'un fusil. Ils s'appelaient Henry et Leonard, et on leur avait offert vingt-cinq mille dollars chacun, plus le voyage aller-retour en première classe, tous frais payés, à partir de leur pimpante banlieue résidentielle du New Jersey, pour tirer sur Arthur Herk à balles réelles.

Henry et Leonard avaient été recrutés par la société Penultimate SA, de Miami, où Arthur Herk était cadre moyen. Penultimate était une des plus grosses entreprises de bâtiment et de travaux publics du sud de la Floride. Spécialisée dans les marchés publics, elle réalisait des bénéfices colossaux. La formule du succès de Penultimate était simple : un management agressif, une discipline de fer au sein du personnel, et une pratique systématique de la fraude. La société mentait avec un aplomb extraordinaire sur ses qualifications techniques, proposait des devis absurdement sous-évalués pour remporter les appels d'offres et accumulait ensuite des dépassements de budget astronomiques. Elle pouvait se permettre ce genre de procédé parce qu'elle versait de généreux dessous-de-table à certains membres de l'exécutif local. Elle était aussi efficace en matière de corruption municipale qu'incompétente dans la construction proprement dite. Dans les cercles politiques, on savait qu'on pouvait toujours compter sur Penultimate pour faire tout ce qu'il ne fallait pas faire. Et dans le sud de la Floride, une réputation de ce genre était inestimable.

Bien entendu, des problèmes pouvaient survenir. Il y avait eu la fois où Penultimate avait remporté un très gros appel d'offres pour construire une prison dans le centre de Miami. Cette prison était censée recevoir un système de portes électroniques dernier cri — le fin du fin en matière de sécurité —, et une chose était sûre, les contribuables avaient bel et bien financé un système dernier cri. En revanche, ce qui avait été effectivement installé n'était qu'un bricolage semi-aléatoire de matériels incluant, en guise d'élément central, des mécanismes d'ouverture de porte de garage particulier qu'on trouvait en grande surface à quatre-vingt-dix-neuf dollars et quatre-vingt-dix-sept cents l'unité. Du coup, lors d'un vilain orage survenu peu de temps après la mise en service de la prison, un certain nombre de ces portes s'ouvrirent simplement d'elles-mêmes, abandonnant aux détenus le choix de décider, en leur âme et conscience, s'ils souhaitaient rester en prison.

Cent trente-deux prisonniers, sur un total de cent trente-sept, choisirent la liberté. Ce fut un gros pataquès : une horde de repris de justice, dont certains étaient des assassins, se retrouva lâchée dans les rues du centre de Miami, bientôt poursuivie par des bataillons frénétiques de policiers et de journalistes. Le point d'orgue fut atteint quand la capture d'un prisonnier en fuite fut retransmise en direct, sur le réseau national, au journal du soir de NBC. Au moment où l'évadé était poussé à l'arrière d'un fourgon de police, un reporter lui lança :

« Qui a organisé l'évasion ?

— Y a eu besoin d'organiser que dalle, mec ! C'est juste ces putains de portes qui s'sont ouvertes ! »

Même selon les critères de Miami, l'affaire fut accueillie comme une bavure majeure. Sous l'intense pression des médias, Penultimate expliqua, retranchée derrière un pare-feu efficace d'avocats haut de gamme, que c'était exclusivement la faute des... sous-traitants. Les huiles, qui ne tenaient pas particulièrement à ce que Penultimate ait des ennuis, presque tous ayant palpé à un moment ou à un autre de leur ascension politique, se jetèrent sur cette explication comme une bande de chiens de prairie sur une côte de porc. Bien sûr ! C'était ça ! La faute à ces maudits sous-traitants !

Malheureusement pour la justice, la plupart des principaux sous-traitants concernés avaient soit fui le pays, soit trouvé la mort — le plus souvent dans un accident de pêche. L'enquête finit par s'essouffler, et l'affaire dégénéra en un bourbier nauséabond de plaintes et de contre-plaintes qui n'avait pas l'ombre d'une chance d'être asséché avant la fin de la présente ère géologique. Tout le monde s'en désintéressa peu à peu, et Penultimate recommença à rafler des appels d'offres.

L'un d'eux concernait un immeuble de parking de six étages dans le centre-ville qui finit par coûter, au fur et à mesure des dépassements de budget, près de quatre fois le devis originel. Chaque rallonge fut approuvée quasiment sans discussion par les responsables politiques. Ils furent invités à se fendre d'un discours lors de l'inauguration du parking — qui heureusement eut lieu à l'extérieur du bâtiment, ce qui fit qu'il n'y eut que deux blessés quand toute la partie centrale de l'édifice s'effondra *pendant* la cérémonie inaugurale.

Là encore, on cria au scandale ; là encore, il y eut des dépositions et des audiences ; et là encore, un doigt accusateur finit par être braqué sur — on est si mal assisté de nos jours ! — ces fumiers de sous-traitants. Qui naturellement, à ce stade des opérations, avaient commencé à disparaître plus vite que les invités du week-end dans un roman d'Agatha Christie. Et Penultimate continua de croître, de prospérer et de jouir de sa réputation d'entreprise à laquelle il fallait vraiment être stupide pour s'opposer.

Il apparut qu'Arthur Herk, outre le fait qu'il était alcoolique et enclin aux violences conjugales, était également stupide. Afin d'éponger une dette de jeu, il déroba cinquante-cinq mille dollars dans les caisses de Penultimate. Ses supérieurs, qui étaient experts ès malhonnêtetés en tous genres et nettement plus futés que lui, découvrirent son larcin sur-le-champ. Ils considéraient le détournement de fonds comme une violation gravissime des principes de l'entreprise, passible de mort.

Penultimate fit donc appel à des sous-traitants spécialisés, Henry et Leonard — les deux hommes qui attendaient à présent dans la nuit moite, à l'extérieur de la baie vitrée de la salle de télévision de la maison Herk. À mi-voix, ils étaient en train d'évoquer leur emploi du temps.

— Si on le fume tout de suite, dit Leonard, ça nous laisse le temps d'attraper le vol de vingt-trois heures quarante pour Newark.

— Je peux pas le fumer tout de suite, dit Henry. Il est trop près des gonzesses.

C'était Henry qui tenait le fusil ; les attributions de Leonard consistaient essentiellement à faire le chauffeur et à lui tenir compagnie.

— Si tu le crèves pas vite fait, souffla Leonard, c'est moi qui vais crever. À cause de ces putains de moustiques.

Il se frappa le poignet, où il laissa une tache de sang et de bouillie d'insecte de la taille approximative d'une pièce de vingt-cinq cents.

— Putain, vise-moi ça ! Il était gros comme ce putain de clebs.

— Elle, dit Henry, sans cesser de surveiller la famille Herk de l'autre côté de la baie vitrée.

— Elle ? répéta Leonard. Qui, elle ?

— Ton moustique. C'était une femelle.

Leonard examina attentivement la tache sur son poignet, chercha Henry des yeux.

— Comment tu peux savoir ça, putain ?

— Une émission sur *Découvertes*, expliqua Henry. Il paraît que c'est seulement les moustiques femelles qui te sucent le sang.

Leonard considéra de nouveau la tache.

— Salope, grogna-t-il.

— Ce qu'ils n'ont pas expliqué, reprit Henry, c'est de quoi se nourrissent les moustiques mâles.

— Tu te fais du souci pour eux ?

— Non, je me fais pas de souci pour eux. C'est juste que...

— Tu veux peut-être que j'aille leur acheter une pizza ? Je pourrais la déposer ici, dans cette foutue jungle, pour leur éviter de crever la dalle, c'est ça que tu veux ?

— Je me demandais juste ce qu'ils bouffent. Vu qu'ils ne sucent pas le sang... C'est tout.

— Peut-être qu'ils se sucent les uns les autres, dit Leonard.

Henry hocha la tête dans le noir. Leonard se sentit encouragé :

— *Oh mon zzzzouzzzzou*, siffla-t-il en zézayant à la façon d'un moustique. *T'azzz un d'zzzes dards, zz'est zzzéant !*

Henry partit d'un fou rire silencieux, et le canon de son fusil tressauta plusieurs fois dans la pénombre.

Dans le séjour, Arthur Herk zappait méthodiquement, sans se lasser, d'une chaîne à l'autre. Il le faisait en partie parce que l'instinct du changement de chaîne est profondément inscrit dans le code génétique mâle, et en partie parce qu'il savait que sa femme et sa belle-fille détestaient ça.

Pendant plusieurs minutes, Anna et Jenny assistèrent sans réagir à ce salmigondis d'images afin de ne lui donner aucune satisfaction. Puis Jenny fit entendre un soupir et se leva. En s'adressant à Anna, elle dit :

— Je monte dans ma chambre, où c'est quand même moins... je ne sais pas, *débile*. Bonsoir, maman.

Herk continua de zapper. Anna dit :

— Je crois que je vais faire rentrer Roger et me coucher aussi.

Herk cessa de zapper et la regarda. Anna connaissait ce regard. Elle n'avait plus qu'à espérer qu'il piquerait du nez dans le salon. Qu'il ne réussirait pas à trouver le chemin de la chambre. Elle quitta le canapé.

Dehors, Henry chuchota :

— Elles s'en vont.

— Elles s'en vont, chuchota Matt.

Andrew et lui, après avoir eu droit à un accueil chaleureux mais bref de la part de Roger, s'étaient faufilés jusqu'à leur actuel poste d'observation — derrière une grosse plante en pot installée en bordure de la terrasse, à une dizaine de mètres d'Henry et de Leonard.

— Qu'est-ce qu'on fait ? demanda Andrew.

— Je crois qu'elle va faire rentrer le clebs. Dès qu'elle ouvre la porte-fenêtre, on fonce, je descends Jenny, et toi, tu es témoin.

— Je préfère être témoin d'ici. Au cas où son vieux nous tirerait dessus.

— Avec quoi? La télécommande? Il faut que tu viennes avec moi pour que Jenny voie que tu es témoin.

— Il a forcément un flingue quelque part. On est à Miami.

Matt ne trouva rien à redire. D'un ton brave qui n'était pas l'exact reflet de ses sentiments, il murmura :

— Allez, ramène-toi.

Et il se mit en devoir de traverser la terrasse en direction de la baie vitrée. Andrew le suivit à regret, en retrait de quelques pas.

Henry et Leonard ne repérèrent pas tout de suite les deux adolescents ; ils regardaient à l'opposé, absorbés par le spectacle d'Anna qui s'approchait de la baie vitrée.

— Elle a du chien, remarqua Leonard.

— La ferme, fit Henry.

Il leva son fusil et régla son viseur sur Arthur Herk tout en réfléchissant à la manière dont il allait s'y prendre. Si Herk restait seul dans la salle, devant la télé, ce serait simple comme bonjour. Mais il s'agissait d'être prêt au cas où il se lèverait et suivrait les pétasses. Leonard ne tenait pas à tirer tant que les gonzesses seraient dans le secteur — mais s'il fallait le faire, il le ferait.

Anna Herk atteignit la baie vitrée, la débloqua, la fit coulisser, et appela :

— Roger, mon grand, viens par ici...

Sur ce, une série d'événements se produisit en succession extrêmement serrée :

1) Roger, qui venait à l'instant, grâce à ses neuf neurones en état de marche, d'aboutir à la conclusion que ses chances de se procurer à manger étaient meilleures à l'intérieur de la maison avec les humains qu'à l'extérieur face au Crapaud Ennemi, délaissa son poste de guet et, tel un missile velu tiré en rase-mottes, passa dans l'entrebâillement de la baie vitrée de la salle de télévision.

2) Matt, sur ses talons, se précipita vers l'ouverture en

brandissant son SquirtMaster 9 000 ultra-réaliste. Il avait prévu de crier « HÉ, JENNY ! » mais, comme il était passablement nerveux, son cri se contracta en « HENNY ! ».

3) Voyant une silhouette surgir de la nuit et se ruer vers elle avec un borborygme incompréhensible, Anna hurla.

4) Deux pas en arrière, apercevant la silhouette à son tour, Jenny joignit sa voix à celle de sa mère.

5) Arthur Herk, entendant ce double hurlement féminin, lâcha la télécommande. Roger fondit dessus pour voir si c'était à manger.

6) Dehors, dans la nuit humide, Leonard lâcha un « Mais qu'est-ce que c'est que ce merdier ? » scandalisé.

7) À peu près au moment où Leonard formulait son interrogation, Henry, qui avait un don pour traiter les informations et faire des choix rapidement, d'où le fait que c'était lui qui tenait le fusil et non son acolyte, décida que, quel que soit le motif de la présence de cet autre type armé, c'était à lui, Henry, qu'il revenait d'effacer Arthur Herk, et qu'il avait intérêt à le faire tout de suite.

8) Pendant que le malfrat faisait son choix, Matt franchissait le seuil, contournait la hurlante Mme Herk et braquait son SquirtMaster 9 000 sur Jenny hurlante.

9) Arthur Herk, voyant débouler un type armé, quitta le canapé d'un plongeon et atterrit à plat ventre devant la télévision, ce qui était plutôt une bonne initiative, car...

10) ... moins d'un dixième de seconde plus tard, la balle crachée par le fusil d'Henry fendit le volume d'air qui avait été occupé jusque-là par le crâne d'Arthur et perfora l'écran de quatre-vingt-huit centimètres du téléviseur familial, lequel implosa avec un *crac* bref et brutal qui réduisit à néant, dans un éclair bleuté, l'image impeccablement lisse du télé-évangéliste de service.

11) Arthur Herk, au son de la déflagration, se mit à labourer furieusement le sol avec ses mains et ses genoux

et rampa, tel un alligator, jusqu'à la sortie du séjour puis dans le couloir menant à la chambre de Nina.

12) Anna Herk, n'écoutant que son instinct maternel et ravalant sa propre peur pour protéger son bébé, se jeta sur Matt par-derrière. Celui-ci se retrouva précipité en avant contre Jenny, de telle façon que tous trois s'écroulèrent en une sorte de sandwich humain, avec Matt dans le rôle de la garniture, coincé entre les deux femmes qui l'accablaient de coups en hurlant toujours aussi fort.

13) Au fond du couloir, Nina, ayant entendu des hurlements, une déflagration, puis encore des hurlements, entrouvrit sa porte et vit Arthur quitter sa position accroupie et se précipiter vers elle dans le couloir avec un rictus d'animal enragé. Elle claqua la porte, qui se rouvrit violemment lorsque Arthur l'enfonça. Persuadée qu'il voulait la violer, Nina rebondit sur son matelas, passa en vol plané à travers la fenêtre ouverte, atterrit sur la pelouse et, tout juste vêtue de sa chemise de nuit bleue, s'enfuit folle de terreur dans la nuit, pieds nus et coudes au corps.

14) Au bord de la terrasse, Leonard et Henry entendirent une sirène et, sans échanger un mot, entreprirent promptement et très professionnellement de mettre les bouts.

15) Une dizaine de mètres sur leur droite, Andrew, moins professionnellement mais à peu près aussi promptement, fit de même.

16) Dans l'écuelle de Roger, le crapaud, qui n'avait pas atteint la position qu'il occupait actuellement dans l'existence en se laissant distraire par des broutilles, continuait de mastiquer les croquettes.

Nina fut la première à atteindre le mur ; en fait, à cause des ténèbres qui régnaient sous l'énorme ficus, elle lui rentra carrément dedans. Avec un petit cri aigu de douleur, elle repartit en arrière et se retrouva directement sur la trajectoire de Leonard, lequel venait d'émerger d'un fourré à vitesse maximale pour un homme d'âge moyen et la percuta, arrachant à Nina un nouveau cri tandis qu'ils s'effondraient tous deux. La tête de Leonard heurta le mur, de plein fouet.

Trois secondes plus tard, Henry, haletant, jaillit du fourré à son tour et s'arrêta net en découvrant deux silhouettes entrelacées et geignantes allongées par terre, au pied du mur. Fléchissant les genoux, il s'en approcha après avoir retourné son fusil entre ses mains pour l'utiliser comme une batte.

— Leonard ? Leonard ?

L'une des deux silhouettes geignantes entreprit, lentement, de se redresser. Ce n'était pas Leonard. Henry leva son fusil et banda ses muscles, prêt à frapper. Il se trouvait dans cette pose quand Puggy lui atterrit dessus. Henry s'écroula et lâcha son fusil, que Puggy, immédiatement relevé, ramassa.

Puggy n'avait jamais tiré au fusil ; il n'avait d'ailleurs jamais eu de fusil entre les mains. Il décida donc de faire comme les mecs à la télé — en collant l'œil dans le prolongement du canon. Il recula de quelques pas et le pointa dans la direction générale du tueur.

S'il y avait eu davantage de lumière, et si Henry n'avait pas eu la nuque et l'épaule droite vrillées de cuisants élancements, il aurait peut-être remarqué qu'indépendamment de l'identité et des motivations du petit mec trapu qui venait de lui piquer son fusil, le cran de sûreté était toujours en place, et aussi que son doigt n'était pas sur la détente. S'il avait été dans son état normal, Henry lui aurait servi un petit enchaînement de son cru — coup de pied chassé, roulade latérale, rétablissement dans la foulée et, pour finir, dégainage du petit pistolet qu'il gardait dans un étui attaché le long de sa jambe, juste au-dessus de sa cheville...

Mais Henry n'était pas dans son état normal, et il le savait, et la sirène était maintenant toute proche, et malgré son envie de savoir ce qui se passait, il se dit qu'il valait mieux continuer de tâcher de foutre le camp. En surveillant Puggy du coin de l'œil et en gardant ses mains bien visibles, il ramena très lentement les genoux sous son corps, puis ses pieds, et se releva. Puggy se contentait de l'observer.

— Je ne veux pas d'embrouilles, dit Henry.

— Moi non plus, dit Puggy.

Puggy ne voulait jamais d'embrouilles.

— Je vais simplement relever mon ami, là.

— Touchez pas à la fille.

La fille ?

— Non, non, dit Henry. Juste relever mon ami, d'accord ?

Il s'approcha à pas lents du mur et... bon sang, il y avait bel et bien une fille. Qu'est-ce qui se passait dans cette bicoque ? Il saisit l'épaule de Leonard et le secoua.

— Debout ! dit-il. Debout, bon Dieu !

Leonard se redressa légèrement, et sa vision commença à se préciser. Il vit d'abord Henry, qui le dominait de sa hauteur ; puis il vit une fille en chemise de nuit bleue, par terre, à côté de lui ; et enfin, il vit un petit mec trapu, avec un fusil. Sa tête lui faisait mal, il avait du sang plein les yeux, et la sirène mugissait vraiment très, très fort.

— Putain, qu'est-ce qui se passe ? demanda-t-il.

— Debout ! dit Henry.

En aidant Leonard à se lever, il sentit une atroce flèche de douleur lui traverser l'épaule.

Il regarda encore une fois le petit mec trapu, qui pointait toujours vaguement le fusil dans sa direction. Henry savait que ce mec n'était pas un pro. Il était sûr d'être capable de lui reprendre son fusil — il n'avait aucune envie de le lui laisser —, mais Leonard tremblait comme une feuille, et la sirène venait de se taire, ce qui signifiait que les flics étaient arrivés.

Henry guida Leonard vers le mur, cala une épaule sous son cul — nouvelle flèche de douleur — et le hissa vers le sommet ; ensuite, il escalada le mur à son tour. Il aida Leonard à rejoindre aussi rapidement que possible leur voiture de location et l'étendit sur la banquette arrière. Il s'installa au volant et quitta le quartier en surveillant régulièrement ses rétros et en réfléchissant à la façon dont il allait formuler son coup de fil.

3

Demandez au mâle de dix-sept ans lambda si ça lui plairait de se retrouver couché par terre, pris en sandwich entre deux jolies femmes — il vous répondra : « Je veux, oui ! » Mais pour Matt, ce ne fut pas une expérience sensuelle. Le problème, fondamentalement, était le suivant : s'il savait n'être qu'un lycéen facétieux et engagé dans un inoffensif jeu de rôles, ni Anna Herk, ni Jenny ne le savaient. Du coup, et alors qu'il ne voulait surtout pas leur faire le moindre mal, elles n'eurent aucun scrupule, elles, à cogner comme des malades.

Dans son dos, Anna Herk, qui s'entraînait régulièrement en salle, s'accrochait à lui comme une lamproie psychotique. Ses jambes en tenaille lui immobilisaient les bras le long du corps ; son bras droit lui enserrait la gorge et lui coupait quasiment la respiration. Elle se servit de son poing gauche pour lui marteler la nuque et lui hurla dans l'oreille gauche (bien que n'étant pas d'un naturel agressif ou hostile, elle fit des efforts désespérés pour le laisser croire) :

— LÂCHE-LA, FILS DE PUTE !!

Matt ne demandait pas mieux que de lâcher Jenny, dont le genou lui écrasait l'entrejambe et qui le griffait avec ses ongles aiguisés comme des cutters. Seulement voilà, Matt ne pouvait pas bouger avec sur le dos cette furie qui le maintenait plaqué contre sa fille tortilleuse, griffeuse et hurleuse, et aussi parce que son visage heurtait le carrelage chaque fois qu'Anna lui cognait sur la nuque ; son nez pissait le sang. Il tenta de s'expliquer, mais le seul son qu'il réussit à arracher au conduit comprimé de sa gorge fut un *garg* ambigu. À travers la brume de plus en plus épaisse qui menaçait de recouvrir définitivement sa lucidité vacillante, Matt perçut une présence velue contre sa joue droite. C'était Roger qui, après avoir évalué la situation et décidé de ce qu'il convenait de faire, s'était mis à lécher son sang.

Dans la rue, l'agent Monica Ramirez, de la police de Miami, qui bénéficiait, de la part de ses collègues mâles, perpétuellement béats d'admiration devant leur propre humour, d'un minimum de trois blagues par jour sur Monica Lewinsky, immobilisa sa voiture de patrouille devant la maison des Herk, dont l'adresse lui avait été communiquée par un voisin au 911 [1]. Elle abaissa sa vitre et entendit ce qui paraissait être un hurlement féminin. Après avoir engagé son véhicule dans l'allée, elle mit son pare-chocs avant contre le portail de sécurité en acier et appuya doucement sur l'accélérateur ; le portail, comme la plupart de ses semblables, céda sur-le-champ.

Monica remonta l'allée et descendit de voiture en même temps que son coéquipier, l'agent Walter Kramitz. Ils travaillaient ensemble depuis deux mois, et Monica le sentait en train de se préparer mentalement à l'inviter à sortir avec lui, ce qui signifiait que, de son côté, elle s'était préparée mentalement à lui dire non le plus déli-

1. Numéro d'appel d'urgence de la police aux États-Unis. *(N.d.T.)*

catement possible — la vérité brute étant qu'elle le trouvait un peu trop fasciné par ses propres biceps. En plus, il était marié.

Kramitz tenta d'ouvrir la porte d'entrée, qui était fermée de l'intérieur, pressa le bouton de sonnette et martela la porte en criant :

— Police !

Monica, qui ne s'attendait pas à ce que quelqu'un vienne ouvrir, dit :

— Je passe par derrière.

Et elle entreprit de contourner au trot le flanc gauche de la maison. Au moment où elle atteignait l'arrière, les hurlements s'amplifièrent, apparemment venus du secteur de la terrasse. À l'approche de la baie vitrée coulissante, qui était ouverte, Monica dégaina. De l'autre côté de la vitre, elle vit d'abord un enchevêtrement de pieds ; ensuite, elle vit plusieurs personnes en train de se battre par terre, du sang, et un fusil.

Elle franchit le seuil en tournant sur elle-même, brandit son pistolet et cria :

— Police ! Les mains en l'air, tout le monde !

(Monica ne disait jamais « Haut les mains ! » : elle jugeait la formule parfaitement ringarde.)

Les personnes qui se battaient par terre ne parurent pas l'entendre, mais Roger accourut immédiatement et, obéissant à un rite universel de l'amitié canine, lui enfonça profondément sa truffe dans l'entrejambe.

— Ça suffit ! cria Monica.

Cet ordre s'adressait à Roger, mais Anna Herk l'entendit, et, sans desserrer son étau autour de la gorge de Matt, elle tourna la tête, vit qu'une policière la tenait en joue et cessa de bouger.

— Écartez-vous ! ordonna Monica.

— J'habite ici, dit Anna.

— Écartez-vous quand même.

Anna roula sur le côté et cessa de peser de tout son poids sur Matt qui, enfin libre de ses mouvements, cessa de peser de tout son poids sur Jenny et porta les deux mains à son nez en sang. Jenny, en larmes, rampa vers sa mère.

— Ça va, ma chérie? demanda Anna.

Jenny hocha la tête.

Monica baissa lentement son pistolet.

— Bon, dit-elle à Anna. Je veux que vous m'expliquiez ce qui se passe ici.

Anna montra Matt du doigt :

— Cet énergumène a essayé de...

— HAUT LES MAINS! cria l'agent Kramitz.

Ayant renoncé à passer par l'entrée principale, il venait de franchir la baie vitrée coulissante, pistolet au poing.

— Ça va, dit Monica. La situation est sous contrôle.

— Ah bon, dit l'agent Kramitz, un peu déçu. Qu'est-ce qui s'est passé?

— La dame allait justement me le dire. Continuez, madame.

— Cet énergumène a essayé de nous tuer, reprit Anna.

Tous les regards convergèrent sur Matt.

— Non! s'écria-t-il. Ce n'est que moi! Matt Arnold!

Il écarta les mains de son nez sanguinolent afin qu'on puisse le voir.

— Je voulais juste tuer Jenny...

— Vous voyez?! s'exclama Anna.

— Non, non, non! dit Matt. Pas en vrai, je veux dire, c'est un jeu — le Killer. Au lycée. On est ensemble en cours de biologie! Jenny, dis-leur que c'est moi!

Tous les regards convergèrent sur Jenny, qui, à force de scruter Matt, était en train de s'apercevoir qu'effectivement, sous les flots de sang, il y avait un garçon du cours de bio. Elle avait bien vu qu'il la matait, même si, comme toutes les jolies filles, elle avait appris à avoir l'air de ne jamais voir qu'on la matait — alors qu'en fait elle le voyait à tous les coups.

— Qu'est-ce que tu fiches chez moi ? demanda-t-elle.

— Je suis censé te tuer, dit Matt.

— Vous voyez ? répéta Anna.

— Avec un fusil à eau, précisa Matt. C'est un fusil à eau.

Tous les regards convergèrent sur le fusil. L'agent Kramitz s'approcha et le ramassa.

— C'est un fusil à eau, confirma-t-il, de plus en plus déçu.

— Merde... lâcha Jenny. Alors, c'est ça ? Ce jeu débile ?

— Oui ! acquiesça Matt. C'est ce jeu !

— Mince, fit Jenny, avant d'ajouter, pour sa mère : C'est ce jeu de rôles, au lycée. Tu sais, on te donne le nom de quelqu'un, et tu dois l'asperger.

— Chez lui ? demanda Anna. La nuit ? Qu'est-ce que c'est que ce jeu ?

— Je suis désolé, dit Matt. Je ne pensais pas que...

— Il était TEMPS que vous arriviez, les gars ! lança Arthur Herk en émergeant du couloir.

Il était resté dans la chambre de Nina, jusqu'à avoir la certitude absolue que le danger était passé. Roger s'approcha au trot pour voir s'il apportait à manger, et vira de bord dès qu'Arthur lui eut décoché un coup de pied.

— Et vous êtes... ? commença Monica.

— Le *propriétaire* de cette maison, répondit Arthur.

— Heureux homme, dit Monica. Et vous vous appelez... ?

— Arthur Herk. Écoutez, je connais le maire, bordel, et je veux savoir pourquoi vous avez mis si longtemps à rappliquer !

— Primo, monsieur, nous sommes venus aussitôt après avoir reçu l'appel. Deuzio, ne me parlez pas sur ce ton.

— Parfaitement, *monsieur*, renchérit l'agent Kramitz.

Il espérait de tout son cœur qu'Arthur se laisserait aller à commettre un outrage à agent, ce qui lui permettrait enfin de menotter quelqu'un dans l'exercice de ses fonctions.

— Qu'est-ce que vous comptez faire de ça? lança Arthur en montrant Matt du doigt. Ce mec a débarqué ici avec un putain de fusil d'assaut! Il a essayé de nous tuer!

— Arthur, dit Anna. C'est un fusil à eau.

Arthur observa le fusil que tenait l'agent Kramitz. L'agent Kramitz pressa la détente, et un jet d'eau aspergea le carrelage. Roger s'approcha au trot pour le lécher.

— Vous avez bien fait de vous enfuir, Arthur, fit Jenny. Vous auriez pu vous faire asperger.

L'agent Kramitz ricana. Arthur se tourna brusquement vers Jenny.

— La ferme, petite pute!

S'ensuivit un lourd silence pendant lequel toutes les personnes présentes dans la pièce, à l'exception d'Arthur et de Roger, purent méditer à loisir sur l'amplitude de la connerie dudit Arthur.

— D'accord, dit enfin Monica, on va tirer ça au clair, et...

— MA TÉLÉ! beugla Arthur. IL M'A BOUSILLE MA TÉLÉ!

Tous les regards convergèrent sur la télé, réduite à une caisse noire, muette et béante, au pied de laquelle scintillait une litière de verre brisé.

— C'est pas moi! se défendit Matt.

— TU VAS ME PAYER ÇA ET TU VAS TE RETROUVER EN TAULE, PETIT CONNARD!

— C'est pas moi! C'est un fusil à eau...

— Il s'en fait davantage pour sa télé que pour nous, fit remarquer Jenny.

— JE T'AI DIT DE FERMER TA PUTAIN DE GUEULE !

— Monsieur, dit Monica, en se demandant intérieurement pourquoi elle se farcissait toujours ces querelles domestiques à la noix plutôt que des bons petits meurtres bien limpides, je vous demande de vous calmer afin que nous puissions...

— CETTE MAISON EST À MOI, BORDEL DE MERDE !

— Oui, monsieur. Et ces menottes sont à moi. Et si vous ne vous calmez pas, vous allez bientôt les porter.

— Parfaitement, monsieur, dit l'agent Kramitz en faisant un pas en avant.

— Bon, reprit Monica, je veux que vous me racontiez ce qui s'est passé, depuis le début, et un par un, à commencer par monsieur le tueur en herbe ici présent, ajouta-t-elle en désignant Matt d'un coup de menton.

— Ben, commença Matt, Andrew et moi, on attendait dehors avec le fusil à eau, et...

— Qui est Andrew ? interrogea Monica.

Matt, s'apercevant qu'il était en passe de commettre *le* péché mortel du lycéen — dénoncer un camarade —, répondit :

— Personne.

— Andrew n'est personne ? Donc, vous étiez dehors avec votre fusil à eau et un ami imaginaire ?

— Oui. Je veux dire, non.

Monica esquissa le geste de se masser la tempe, se rendit compte qu'elle avait toujours son pistolet à la main, le rengaina.

— D'accord, dit-elle. Donc, vous êtes dehors avec personne. Et après ?

— La maman de Jenny ouvre la baie vitrée, je fonce à l'intérieur pour asperger Jenny, et...

Bourdonnement de sonnette.

— C'est la porte d'entrée, dit Anna.

— Agent Kramitz, demanda Monica, vous pouvez aller voir qui c'est ?

L'agent Kramitz, avec un regard pour Arthur, quitta le séjour.

— Donc, dit Monica à Matt, vous foncez pour l'asperger, et...

— Et Mme Herk me saute dessus, et du coup, moi, je saute sur Jenny. Enfin, je veux dire...

Matt et Jenny rougirent en même temps.

— Je suis désolée, dit Anna. Je croyais que vous... Je n'avais pas compris. Ça va aller ?

— C'est juste un saignement de nez, dit Matt. Vous faites de la muscu, ou quoi ?

— Je vais vous chercher une serviette, dit Anna.

— Non, j'y vais, dit Jenny qui, en fait, trouvait Matt plutôt mignon.

— Serviette mon cul ! intervint Arthur. Ce saligaud est entré ici par effraction, il m'a niqué ma télé, et moi, je porte plainte et je lui fous un procès au cul...

L'agent Kramitz réintégra le séjour.

— Cet homme dit que son fils est ici.

Sur ses talons parut Eliot Arnold, vêtu d'un short et d'un tee-shirt du Miami Fusion Football Club. Il écarta la truffe de Roger de son entrejambe d'un air franchement anxieux et alla droit à Matt.

— Matt, ça va ?

— Ouais, dit Matt. C'est rien qu'un saignement de nez, p'pa. Je suis désolé. J'aurais jamais cru, je veux dire... Je suis vraiment désolé.

— C'est votre fils ? s'enquit Monica.

— Oui. Je m'appelle Eliot Arnold. Je viens d'être prévenu par Andrew, l'ami de Matt. Il m'a dit qu'il y avait eu un problème ici, et j'ai sauté dans un taxi.

— Ah, fit Monica. L'ami imaginaire !

— Pardon ?

— Laissez tomber.

Arthur Herk s'approcha d'Eliot, bien trop près, et lâcha :

— Vous avez un avocat ?

— Pardon ?

— Vous avez intérêt à avoir un putain d'avocat. Votre fils m'a niqué ma télé. Une Sony quatre-vingt-dix-neuf centimètres !

— Quatre-vingt-huit, corrigea Jenny, de retour avec une serviette.

— Salope ! dit Arthur.

— Quelqu'un pourrait m'expliquer ce qui s'est passé, s'il vous plaît ? demanda Eliot.

— J'essayais juste de tuer Jenny, dit Matt, et sa mère m'est tombée dessus.

— Bonsoir, dit Anna, avec un petit salut de la main pour Eliot. Je suis Anna Herk. Je n'avais pas l'intention de lui faire mal.

— Bonsoir, dit Eliot en lui rendant son salut. Je suis navré. Je croyais que c'était... je veux dire, vu la façon dont Matt m'en avait parlé, juste un jeu.

— Hé ! lâcha Anna, avec un geste fataliste. Les jeunes...

— Oui, opina Eliot. Les jeunes...

Il venait de se rendre compte que les yeux d'Anna étaient extrêmement verts.

— Votre fils est mûr pour la taule, grommela Arthur Herk en se dirigeant vers le bar.

— Monica ? lança l'agent Kramitz.

— Quoi ?

— Venez jeter un coup d'œil là-dessus.

L'agent Kramitz, accroupi devant la télé et de nouveau ravi d'être sur cette affaire, montrait du doigt quelque chose à l'intérieur de l'ouverture béante, là où se trouvait peu auparavant un tube cathodique. Monica le rejoignit et vit un petit orifice parfaitement circulaire au fond de la caisse de plastique. En regardant derrière le poste, elle vit un orifice de la même taille dans le mur. Elle passa de l'autre côté du mur, dans la salle à manger ; il y avait un orifice semblable, et encore un autre dans le mur opposé, au fond de la pièce.

— Bon Dieu ! dit-elle.

Elle regagna le séjour.

— D'accord. Revenons sur ce qui s'est passé, et cette fois, on va tâcher d'inclure la partie où quelqu'un a tiré sur la télé.

Arthur Herk, en train de se servir un verre, redressa brusquement le menton.

— Tiré sur la télé ? répéta Anna. Personne n'a tiré sur la télé !

— C'est un *fusil à eau !* plaida Matt.

— Écoutez, dit Monica. Il y a un impact de balle dans le mur, là, et je veux savoir, tout de suite, comment... Attendez une minute.

Monica se détourna, rejoignit la fenêtre voisine de la baie vitrée coulissante et resta immobile, le regard fixe. Eliot, Matt, Anna, Jenny et l'agent Kramitz s'approchèrent pour voir ce qu'elle regardait. Elle regardait un petit orifice parfaitement circulaire dans la vitre.

— Mince ! fit Jenny.

— C'est un impact de balle ? demanda Eliot.

— Ça y ressemble, dit Monica.

— Comme si une balle avait traversé la pièce ? demanda Matt. Pendant qu'on était dedans ?

— Mince ! répéta Jenny.

Anna la prit dans ses bras.

Au bar, Arthur Herk pâlit.

— Matt, dit Monica, quand vous étiez dehors avec votre ami imaginaire, vous avez vu quelqu'un d'autre ?

— Non.

— Madame Herk, est-ce que quelqu'un d'autre habite ici à part votre fille et votre mari ?

— Eh bien, dit Anna, il y a juste... Mon Dieu, où est passée Nina ?

Nina sentit une odeur de bière. Ce n'était pas une odeur désagréable ; en fait, elle lui rappelait son père, quand il rentrait tard du travail le vendredi soir et qu'il la prenait sur ses genoux et lui chantait des chansons, avec dans son haleine l'odeur douceâtre de la *cerveza*.

C'était la même odeur, mais ce n'était pas son père ; c'était quelqu'un d'autre, avec une voix différente, une voix moins grave, qui disait :

— Ça va ? Mam'zelle ? Mam'zelle ? Ça va ?

Nina souleva les paupières, et elle vit un homme, mais elle ne cria pas, parce que cet homme ne lui faisait pas peur. Il avait une barbe et un regard sombre et triste, un peu comme celui de Roger, le chien, et elle vit dans ce regard que son âme était sombre et triste et qu'il ne lui ferait pas de mal.

Puggy trouvait que Nina était belle. Juste belle, comme un ange en chemise de nuit bleue, ou ces femmes de la télévision. Il n'arrivait pas à croire qu'une femme aussi belle puisse être dans son arbre. Il savait — il en était sûr — qu'elle était à la source de la musique de flûte, parce que cette musique était aussi belle qu'elle. Il n'avait jamais vraiment aimé aucune femme, ni même jamais vraiment parlé à aucune femme, mais il croyait aimer beaucoup cette femme-ci.

— Ça va ? répéta-t-il.

— *Si*, souffla Nina. Oui.

De l'espagnol, pensa Puggy. Il était prêt à mourir pour cette femme.

— Qu'est-ce qui s'est passé ? demanda-t-elle en se palpant précautionneusement le front, où s'épanouissait une grosse bosse.

— C'est ce mec, il vous est rentré dedans.

— *Señor Herk*, dit Nina. Il me court après.

Puggy détesta illico ce señor Herk, qui qu'il soit par ailleurs.

— J'ai le fusil.

— Fusil ?

Elle prononça *foussi*. Puggy trouva que c'était une très belle façon de prononcer. Il aurait voulu que cette femme reste toute la vie dans son arbre, à lui prononcer des choses.

— Le fusil de l'autre mec, dit Puggy. C'est moi qui l'ai.

— L'autre ?

— Ils étaient deux. Ils sont partis.

Nina jeta un regard circulaire. Elle reposait sur une surface dure et plane, comme un plancher de bois, mais elle était à l'air libre, entourée de branchages.

— On est où ?

— Dans mon arbre.

Nina se redressa légèrement, constata qu'il avait dit vrai.

— Enfin, il est pas vraiment à moi. Mais j'habite dedans.

— Comment j'arrive ici ?

— Je vous ai fait monter, dit Puggy, en se rappelant la douce chaleur de ce corps jeté en travers de son épaule. J'espère que j'ai pas... je veux dire, je...

— Non, non. Bien fait. Vous aider moi. *Muchas gracias*. Merci.

Elle sourit. Ses dents étaient très blanches.

Puggy n'avait jamais été aussi heureux de sa vie, jamais, même quand il était gosse et que son papa, qui était encore là, l'avait emmené à la kermesse des pompiers et lui avait payé des tours en auto tamponneuse, encore et encore, pendant que lui s'envoyait des bières en rigolant et qu'il refilait des pièces au mec des autos tamponneuses en disant « Allez, encore un tour ! ». C'était le meilleur souvenir de sa vie, mais là, c'était encore mieux, avec cet ange beau comme à la télé qui lui souriait.

— Nina ! appela une voix surgie de l'obscurité, du côté de la maison.

— *Ay Dios*, dit Nina. *La señora !*

Nina, pensa Puggy.

— Je dois y aller, dit Nina.

— Nina ! appela la voix.

— Nina, répéta Puggy, juste histoire d'essayer.

Nina parut apprécier.

— Et vous ? Votre nom ?

— Puggy.

— Puggy, répéta-t-elle.

Elle prononça *Poggey*. Puggy crut qu'il allait s'envoler.

— NINA ! appela la voix, un peu plus pressante et un peu plus proche.

— Je dois partir, dit Nina.

— D'ac.

Puggy était habitué à ce que les gens doivent partir. Il tendit la main, Nina la prit, il l'aida à se relever, elle sentit sa force. Elle espéra que sa main ne lui paraîtrait pas trop rêche. C'était une main de travailleuse.

Mais Puggy apprécia le contact de sa main, et il adora la façon dont elle serra la sienne, fermement, tandis qu'il l'aidait à descendre sur la branche inférieure, en la suivant de peu, et ainsi de suite jusqu'au sol. Il sauta à terre, et ils se retrouvèrent face à face. Ils faisaient exactement la même taille.

— NINA ! appela la voix, qui venait de leur côté.

— Je crois pas qu'ils sachent que j'habite dans leur arbre, dit Puggy.

— D'ac, dit Nina.

Elle ne dirait rien.

— Nina... dit Puggy, cherchant désespérément une façon de lui dire qu'il l'aimait.

— Oui ?

— Je suis souvent là.

— D'accord.

Elle lui toucha le bras, laissa sa main dessus une seconde. Puis elle se détourna et partit, d'un pas légèrement incertain, vers cette voix qui l'appelait, tandis que Puggy la regardait, et sentait toujours sa main sur son bras.

Henry ne voulait pas passer cet appel de son portable. La première cabine publique qu'il trouva était sur Grand Avenue, à Coconut Grove. Ce n'était sans doute pas l'endroit le plus sûr de la planète pour un Blanc d'un certain âge portant une Rolex au poignet — c'était précisément le cas d'Henry.

Leonard, toujours dans les vapes et affligé d'un sérieux mal de crâne, resta dans la voiture, en travers de la banquette arrière. Henry sortit, inséra dans l'appareil une pièce de vingt-cinq cents et une autre de dix, puis composa le numéro inscrit sur le bout de papier qu'il tenait. Depuis un terrain vague situé de l'autre côté de la quatre-voies, trois jeunes gens l'observaient.

Il n'y eut qu'une sonnerie.

— Alors ? fit une voix à l'autre bout du fil.

— Il y avait un autre tireur, expliqua Henry.

Après une pause, la voix demanda :

— Qu'est-ce que ça veut dire ?

Les trois jeunes gens entreprirent de traverser Grand Avenue, très nonchalants, en direction d'Henry.

— Ça veut dire qu'il y avait un autre tireur ! Voilà ce que ça veut dire.

— Qui ça ? demanda la voix.

— Je m'étais dit que vous le sauriez peut-être.

Au milieu de l'avenue, les trois jeunes gens se déployèrent en éventail, un sur la gauche d'Henry, un sur sa droite, le troisième de face. Ils marchaient toujours aussi nonchalamment.

La voix au bout du fil :

— Ça n'a rien à voir avec nous, en tout cas... Le boulot est fait ?

— Non.

— C'est l'autre qui s'en est chargé ?

— Non.

— Vous êtes en train de me dire qu'il y avait un autre tireur, en plus de vous, et que notre client est quand même reparti sur ses deux jambes ?

Les trois jeunes gens venaient de faire halte à deux mètres cinquante d'Henry, en formation triangulaire.

— Ne quittez pas une seconde, dit Henry.

Il laissa tomber le morceau de papier sur lequel était inscrit son numéro de téléphone, se pencha comme pour le ramasser. Au lieu de quoi, il sortit un pistolet de l'étui qu'il portait à la cheville, se releva et braqua le canon sur un des trois jeunes gens — celui qu'il jugea être le chef parce qu'il se tenait en avant des autres, sans compter qu'il portait un pantalon encore plus bouffant que ses acolytes. Henry haussa les sourcils à son intention — manière de dire : « Hé, pas maintenant, les gars, d'accord ? »

Le chef eut un hochement de tête approbateur, autant pour le flingue que pour l'attitude cool du mec qui le tenait. Il tourna les talons et retraversa nonchalamment Grand Avenue, suivi par les deux autres.

— Allô ? fit la voix au bout du fil.

— Votre client n'est pas reparti sur ses deux jambes, dit Henry. Il a plutôt filé à quatre pattes en voyant l'autre tireur débouler au galop comme Geronimo — sauf que Geronimo s'est fait sauter sur le râble par la femme de votre client, et que les flics ont rappliqué tout de suite après.

Henry préférait laisser de côté, pour le moment du moins, l'épisode du petit mec trapu dans l'arbre et de son fusil perdu.

Le combiné resta un moment muet.

— Il faut qu'on parle, reprit enfin la voix.

— Vous l'avez dit.

L'inspecteur de police Harvey Baker arriva sur place et demanda aux Herk, de plusieurs manières différentes, s'ils avaient une idée de la raison pour laquelle quelqu'un aurait pu vouloir leur tirer dessus. Anna n'en avait aucune. Arthur avança l'hypothèse que ça devait être un coup de ces saletés de gosses, étant donné que les gosses d'aujourd'hui ont tous un flingue. L'inspecteur Baker ne parut pas croire qu'Arthur lui disait tout ce qu'il savait. Il fit remarquer que les policiers ne pouvaient pas protéger les citoyens si les citoyens ne coopéraient pas avec eux. Arthur rétorqua qu'il ne croyait même pas les flics capables de se protéger la bite avec leurs mains. L'inspecteur Baker développa sur-le-champ un fort lien affectif avec l'auteur du coup de feu, quelles que fussent son identité et ses motivations.

Nina ne lui fut pas plus utile. L'inspecteur Baker, aidé par Monica pour la traduction simultanée, lui fit très clairement comprendre qu'il ne s'intéressait pas à la légalité ou non de son séjour aux États-Unis — mais Nina ne voulait pas avoir affaire avec la police. Elle se contenta de dire qu'après avoir entendu du bruit elle avait sauté par la fenêtre, couru à travers le jardin et heurté le mur. Elle n'avait rien vu, rien entendu. *Nada*.

L'inspecteur Baker se dit que cette affaire allait probablement grossir le nombre de celles où quelqu'un faisait usage d'une arme à feu sans que quiconque réussisse à découvrir ni qui ni pourquoi — une catégorie d'affaires assez courante à Miami. Pour rassurer Anna Herk, il fouilla vaguement le jardin, assisté par Roger, mais ne trouva aucun indice — il ne s'attendait pas à en trouver, d'ailleurs. Il déclara ensuite aux Herk qu'il allait continuer à enquêter sur le coup de feu, et tout le monde comprit qu'il n'allait pas continuer son enquête.

L'inspecteur Baker décida aussi de ne pas mettre Matt en garde à vue, en partie grâce au plaidoyer d'Anna Herk, qui était vraiment gênée de lui avoir mis le visage en sang. En revanche, l'inspecteur Baker fit remarquer à l'adolescent que rôder de nuit dans les jardins à Miami avec un objet qui ressemblait à s'y méprendre à un vrai fusil d'assaut était, sans vouloir l'offenser, vraiment très con. Matt assura à l'inspecteur qu'il retiendrait la leçon.

À peine les policiers furent-ils repartis qu'Arthur se tourna vers Eliot :

— Maintenant, vous et votre gosse à la con, je vous conseille de foutre le camp d'ici — et de pas y revenir.

— Tout le plaisir a été pour moi, répondit Eliot.

— Je vous raccompagne, proposa Anna.

Eliot et elle partirent vers l'entrée, avec Matt, Jenny et Roger sur les talons.

Sur le seuil, Matt dit :

— Je vais chercher la caisse, P'pa. (Et, à Jenny :) Tu as déjà eu envie de savoir ce qu'on ressent quand on roule en Kia ?

— C'est le rêve de ma vie, répondit Jenny.

Ils partirent ensemble, suivis par Roger — au cas où ils iraient chercher à manger.

— Ce sens du sarcasme... soupira Eliot. Je me demande d'où ils tiennent ça.

— Sûrement pas de leurs parents, sourit Anna.

— Écoutez... Je regrette vraiment ce...

— Non. C'est moi qui regrette d'avoir fait mal à Matt, et surtout, je regrette que mon mari soit aussi crétin.

— Ma foi, dit Eliot, il est probablement perturbé par cette histoire de balle.

— Non, dit Anna. C'est un crétin.

Eliot se contenta de la regarder un long moment, parce que, sur le fond, il était d'accord avec elle. Et surtout, elle avait des yeux *stupéfiants*.

— Bon, écoutez, dit-il enfin, s'il y a quelque chose que je puisse... enfin, pas pour votre mari, bien sûr, je veux dire, mais pour la balle, si je peux...

— Vous savez, je l'ai épousé alors que Jenny était toute petite. Mon premier mari m'avait laissée sans rien, j'avais dû emménager dans un appartement sordide, et je n'avais pas de travail. Arthur ne buvait pas autant, à l'époque, et il avait l'air... stable, je suppose, et je... j'étais désespérée.

— Diantre ! lâcha Eliot.

— Je ne sais vraiment pas pourquoi je vous raconte tout ça...

— Pas de problème, dit Eliot, ravi qu'elle lui raconte tout ça.

— Je passe mon temps à regarder dans l'annuaire la liste des avocats spécialisés dans le divorce. Il m'arrive même de composer leur numéro mais, dès qu'ils répondent, je raccroche parce que... Je veux dire, j'ai envie de le faire, et je sais que je dois le faire, mais je connais aussi Arthur, et je sais qu'il sera aussi salaud que possible. Il va chercher à nous faire du mal, à Jenny et à moi. Et je ne peux pas m'empêcher de nous revoir dans cet appartement sordide...

— Diantre ! répéta Eliot, en se demandant ce qu'elle penserait de son appartement à lui.

— Je suppose que vous me trouvez pathétique ?

— Non !

— Je suis désolée. Je ne m'épancherai plus, c'est promis.

— Hé, quand vous voudrez !

— Merci.

Elle lui toucha l'avant-bras. *Ouah-oh !*

Ils restèrent immobiles un moment, un peu mal à l'aise, mais n'osant ni l'un ni l'autre rompre le charme, quand soudain...

I want your sex pootie !
I want your sex pootie !

Précédée par un ouragan de basses, la Kia s'engagea dans l'allée trop vite — comme toujours quand Matt était au volant — et s'immobilisa avec un soubresaut. Jenny en émergea, suivie par Matt, qui tenait un CD à la main.

— Tu veux que je te le prête ? demanda-t-il.

— D'accord, dit Jenny. Merci. J'adore les Seminal Fluids.

En réalité, elle avait déjà ce disque — elle ne l'empruntait que pour pouvoir le lui rendre, et donc reparler avec lui. Au moment où elle prit le CD, leurs mains se frôlèrent. *Ouah-oh !*

— Je conduis, annonça Eliot.

Matt ne discuta pas, ce qui indiqua à son père soit qu'il était en train de tomber amoureux, soit qu'il couvait une commotion cérébrale.

Tout le monde resta figé devant la Kia pendant une seconde ou deux.

— Bon, dit Eliot à Anna. Au revoir !

— Au revoir, dit Anna à Eliot.

— Au revoir, dit Jenny à Matt.

— Au revoir, dit Matt à Jenny.

— Couché ! dit Jenny à Roger, qui s'était dressé sur ses pattes de derrière et cherchait à vérifier si le CD se mangeait.

Tandis qu'ils repartaient en voiture, Eliot opta pour le mode « sermon parental » :

— Écoute, Matt, tu...

— Je sais.

— Eh bien, tu ferais mieux de ne...

— *Je sais.*

— D'accord, mais ta mère...

— P'pa, je t'ai déjà dit *je sais.*

— Bon. D'accord.

Ils se replièrent dans le silence, chacun laissant ses pensées s'imprégner de réminiscences de la soirée. Chez les Herk, Anna, Jenny et Nina faisaient de même, et Puggy aussi, dans son arbre. Dans toutes ces têtes, ces réminiscences étaient étonnamment plaisantes, surtout si l'on considérait que la soirée en question avait commencé par ce qui ressemblait de près à une tentative de meurtre.

Arthur Herk avait une idée assez précise des identités respectives du commanditaire et de la cible de cette tentative de meurtre, et ses pensées à lui n'étaient pas particulièrement plaisantes. Après avoir réfléchi à la situation, il prit sa décision. Il se servit un verre de plus et composa un numéro sur le téléphone depuis le bar du séjour.

— C'est moi, dit-il à la personne qui décrocha à l'autre bout de la ligne. Ouais.

Il avala une rasade d'alcool, arrêta son regard sur l'impact de balle et reprit :

— Écoutez, il me faut un missile.

4

— Il faudrait qu'elle soit plus penchée que ça, dit le Client Infernal. Pour qu'on voie mieux ses rotoplots.

— Bonne idée, plus de rotoplots, opina Eliot, en feignant de prendre mentalement note.

Il était beaucoup trop lessivé pour polémiquer. La nuit avait été longue : il avait ramené Matt chez sa mère à deux heures du matin, et il s'était fait passer un savon de trois quarts d'heure par son ex-femme. Patty n'était pas du genre à passer des savons à qui que ce soit, mais elle savait reconnaître une bourde parentale quand elle en voyait une.

«Tu le savais? s'était-elle écriée. Tu *savais* qu'il allait tenter de s'introduire chez des inconnus avec un fusil, de nuit, à Miami, et tu l'as laissé faire?

— C'était un fusil à eau», plaida Eliot.

Patty écarquilla tellement les yeux qu'il crut un instant qu'ils allaient gicler de leurs orbites et rebondir sur le carrelage de la cuisine. Elle avait toujours été beaucoup plus douée qu'Eliot pour se comporter comme une adulte; ce qui expliquait pour une bonne part l'échec de leur mariage.

Ensuite, Eliot ne trouva pas grand-chose d'autre à dire. Il se contenta de rester planté là et de recevoir son savon

— parce qu'il savait que Patty était dans le vrai : il avait fait preuve d'une incompétence paternelle flagrante en laissant leur fils s'empêtrer dans une situation aussi dangereuse. Il avait aussi (elle le lui rappela à mi-voix, pour éviter que Matt entende) cinq mois de retard en ce qui concernait le versement de sa pension alimentaire.

« Je suis désolé, dit Eliot en repartant. Je t'assure que je fais tout ce que je peux.

— Je sais, répondit Patty. C'est bien ce qui m'inquiète. »

Sur le chemin du retour, dans sa voiture, Eliot dressa le bilan de sa situation : comme mari et comme père, il avait tout raté ; son agence de pub n'était qu'une farce ; il n'avait pas la moindre perspective d'avenir... et il roulait en Kia. Obligeant ses neurones, contre leur tendance naturelle, à fonctionner sur le mode pragmatique, il tenta d'accoucher d'un plan logique et réalisable afin de remettre de l'ordre dans sa vie, et son cerveau lui proposa : *suicide*. Il allait se fendre d'une lettre d'adieux — drôle, mais en même temps profondément émouvante —, il mettrait un slip propre, il se jetterait du balcon minuscule de son minuscule appartement, il tomberait en piqué sur le parking — en visant la Pontiac TransAm 1987 de l'empaffé du 238, qui laissait sa chaîne Death Star à fond toute la nuit —, et *ploc*, en un clin d'œil, adieu les ennuis. Son assurance vie financerait les études supérieures de Matt. À son enterrement, les gens évoqueraient certains de ses meilleurs articles et parleraient de lui comme d'un être « tourmenté » mais brillant.

Ces pensées firent un bien fou à Eliot jusqu'au moment où il se rendit compte qu'il avait beaucoup trop le vertige pour pouvoir sauter de son balcon. Il n'arrivait même pas à regarder par-dessus le garde-fou quand il s'y faisait griller des saucisses. Sans compter qu'il n'était pas assuré sur la vie. Aussi décida-t-il de continuer à tout rater.

Il réintégra son appartement peu après trois heures du matin et consacra les quatre tours de cadran suivants à s'imbiber de café noir et à préparer son affiche pour la bière Hammerhead, qu'il devait absolument présenter le matin. Il s'était promis de trouver une idée tellement originale, imaginative, créative et évidente que le Client Infernal lui-même ne pourrait que s'incliner devant son génie. Mais vu l'heure tardive et son état de fatigue, il décida de s'en tenir au concept des gros nichons.

— Je suis une pute, se marmonna-t-il plusieurs dizaines de fois pendant son travail. Et alors ? Ça te pose un problème ?

Et c'est ainsi que le lendemain matin, quand le Client Infernal entra dans le bureau d'Eliot, avec trois quarts d'heure de retard, sans se donner la peine de frapper ni de refermer la porte derrière lui, il lut, sur un chevalet, en grosses lettres, les mots :

ÉCLATEZ-VOUS AVEC HAMMERHEAD !

Ce texte chapeautait une illustration bidouillée par Eliot sur son ordinateur en associant plusieurs images pompées sur le Net. Elle représentait un modèle masculin huileux, musclé et aguicheur, debout sur un horsbord, qui se voyait offrir une bière Hammerhead par un modèle féminin vêtu d'un bikini épais comme une séquence d'ADN et tendu par deux seins aux allures de ballon de volley dont l'artificialité sautait aux yeux.

Les images n'étaient pas à la même échelle — parce que Eliot ne maîtrisait pas très bien son logiciel graphique et que, incapable de remettre la main sur ses lunettes de lecture, il n'avait pas pu consulter le manuel. Du coup, par rapport à la fille, le modèle masculin paraissait ridiculement petit — une fouine huileuse, musclée et aguicheuse ; pris individuellement, les seins du modèle féminin étaient plus volumineux que sa tête. C'était une création d'une nullité sidérale et, comme il fallait s'y attendre, le Client Infernal, hormis le fait qu'il aurait voulu encore plus d'exposition rotoplastique, la trouva formidable.

— Vous voyez ? dit-il à Eliot. Vous voyez la différence ?

— Eh bien, je...

— Des NICHONS ! Au lieu d'un POISSON ! Vous voyez ? Vous entendez ce que je vous dis ?

— Eh bien, ce...

— Demandez à un mec de choisir entre des nichons et un poisson, et voyez ce qu'il vous répondra ! coupa le Client Infernal, haussant progressivement le ton.

— Je suppose que...

— IL RÉPONDRA DES NICHONS !

L'expert-comptable du bureau voisin se pointa sur le seuil du bureau, passa cinq bonnes secondes à fusiller Eliot du regard et repartit en claquant la porte derrière lui.

— Bien, dit Eliot, puisque nous sommes d'accord sur le concept, il est temps de parler de l'affichage, mais d'abord...

— Elle est du coin ? interrogea le Client Infernal en vrillant un index boudiné sur la fille aux rotoplots surdimensionnés.

— Non, se hâta de répondre Eliot. Elle vit... elle vit en, euh... en Uruguay.

— En Uruguay ? Ah bon, ils ont des roberts de ce calibre, en Uruguay ?

— C'est bien connu. On dit souvent « l'Uruguay, le Saint du Sein Mondial ». Écoutez, je crois qu'il faudrait qu'on parle de votre, enfin je veux dire, de ma rémunération, parce que...

— C'est loin, l'Uruguay ? demanda le Client Infernal.

Ça fait partie de ce bazar, là, comment ça s'appelle déjà ?... l'Europe ?

— Non, c'est en Amérique latine. Ce qu'il y a, c'est que je vous ai déjà adressé plusieurs factures, mais...

— En Amérique latine ? répéta le Client Infernal, en fixant la fille cachée derrière ses seins avec un intérêt renouvelé. Vous êtes en train de me dire que cette pouffe est une espingouine ?

— Écoutez, il faut vraiment qu'on parle de ma...

— Combien ? lâcha le Client Infernal, sans cesser de fixer la vallée siliconée ouverte devant lui.

— Eh bien, dit Eliot, comme il n'y a pas eu d'acompte, je veux dire, si, il y en a eu un, enfin, je vous ai envoyé une facture, mais vous n'avez jamais, je veux dire, à moins que ça vienne d'arriver dans ma boîte, mais...

— Combien ? redemanda le Client Infernal en se tournant vers Eliot.

— Voici, dit Eliot, tendant une facture.

Le Client Infernal la lut.

— Douze cents dollars ?

— Eh bien, dit Eliot, tâchez de vous rappeler que...

— Douze cents dollars ?

Le Client Infernal avait beau dépenser plus de douze cents dollars par mois pour se faire défriser les poils, il prenait un vrai plaisir à regarder les gens avoir besoin de son argent. Chez lui, c'était presque sexuel.

— Eh bien, dit Eliot, c'est très raisonnable, je veux dire, si vous comparez avec ce que la plupart des...

Eliot cessa de parler sans avoir été interrompu parce que, à sa stupéfaction, le Client Infernal entreprit de sortir son carnet de chèques, puis son stylo. C'était un stylo boudiné. Le Client Infernal, percevant le fol espoir d'Eliot, rédigea son chèque avec une exquise lenteur ; il le détacha lentement de son carnet et le tapota à plusieurs reprises contre sa paume boudinée, en fixant Eliot dans le blanc des yeux, avant de le lui tendre.

Eliot le lut et dit :

— C'est un chèque de quatre cents dollars ?

— Laissez-moi vous demander un truc. Qui a eu l'idée ?

Le bras boudiné du Client Infernal se tendit en direction du chevalet.

— Eh bien, dit Eliot, il s'agit avant tout d'un investissement en temps qui...

— QUI A EU L'IDÉE DES NICHONS ?

Dans le couloir, une porte claqua ; Eliot sut d'emblée que c'était l'expert-comptable, en train de quitter son bureau pour aller se plaindre au syndic de l'immeuble.

— Vous, répondit-il.

— Vous voyez un poisson sur cette affiche ?

— Non.

— Voilà comment je vois ça, dit le Client Infernal. Je vous ai apporté le concept. C'est MON concept.

Eliot fixa le chèque, puis l'affiche grotesque, puis de nouveau le chèque. Il fixa le chèque pendant de longues secondes. Quand il répondit enfin, ce fut sans lever les yeux.

— D'accord.

Le Client Infernal ébaucha un sourire boudiné et se retourna vers l'affiche.

— Des roberts de ce calibre, dit-il, en secouant la tête. Chez une espingouine.

Puis, sans dire au revoir ni refermer derrière lui, il s'en fut.

Eliot fixait toujours le chèque.

— Je suis une pute, déclara-t-il à sa table.

Le téléphone sonna, et Eliot envisagea un instant de ne pas répondre, parce que c'était probablement le syndic qui l'appelait pour lui faire remarquer que (a) il dérangeait les autres locataires, et que (b) il avait deux mois de loyer en retard. Mais ça pouvait aussi être Matt. Il décrocha le combiné.

— Eliot Arnold, lâcha-t-il, circonspect.

— Bonjour, répondit une voix de femme. (Le cœur d'Eliot fit un bond.) Ici Anna Herk. C'est moi qui ai fait saigner votre fils.

— Oh, bonjour !

— Comment va Matt ? Mieux, j'espère ?

— Oh, très bien. Il est jeune.

— Je regrette, dit Anna.

— Ce n'est rien, dit Eliot, ça lui passera — enfin, si personne ne lui tire dessus entre-temps.

— Non, pouffa Anna, je veux dire, je regrette de lui avoir sauté dessus. Et je regrette aussi de vous avoir ennuyé avec mes malheurs hier soir. Je n'aurais pas dû.

— Vous avez fait ce qu'il fallait faire. Matt n'aurait pas dû se trouver là.

— Enfin, bref, dit Anna, si je vous appelle, à part pour vous dire encore une fois que je suis désolée, c'est parce que... vous n'auriez pas perdu une paire de lunettes de lecture ?

— En fait, si.

— Monture en corne ?

— Exact.

— Fabriquée à Taiwan ?

— Quatre dollars quatre-vingt-quinze chez Ecker.

— Dans ce cas, dit Anna, je ne les ai pas vues.

Eliot rit.

— Si, ajouta-t-elle aussitôt, je les ai retrouvées dans le salon, et je voudrais vous les rapporter.

— Ce n'est pas la peine, dit Eliot. Je veux dire, ce ne sont que des...

— Vraiment, j'insiste.

Ouah-oh !

— Entendu.

— Vous êtes dans le Grove, n'est-ce pas ?

— Oui.

— J'ai justement quelques courses à y faire dans l'après-midi, et je me demandais si je ne pourrais pas passer vous les rendre.

Eliot balaya du regard son bureau exigu, sale et miteux, dont l'élément le plus remarquable était la fille tout en seins.

— Eh bien... Si, je veux dire, si vous n'avez pas déjeuné, nous pourrions, je veux dire, nous pourrions peut-être prendre quelque chose ?

— Vous me proposez de déjeuner avec vous ?

— Enfin, je ne voulais pas, je veux dire, si vous préférez.

— Ça me paraît être une excellente idée.

Ouah-oh !

— Vous connaissez le Taurus ? demanda-t-il.

— Bien sûr !

— Est-ce qu'une heure vous irait ?

— C'est parfait.

— Formidable ! Alors, on se retrouve là-bas.

— D'accord, à tout à l'heure !

— À tout à l'heure.

Eliot raccrocha et considéra le téléphone en pensant : *Un rancard ! Ça alors !*

Dans la foulée, il pensa : *C'est une femme mariée, elle te rapporte simplement tes lunettes, et tu n'es qu'un raté.*

Ce qui ne l'empêcha pas de se sentir absurdement heureux tandis qu'il refermait la porte de son bureau à clé puis — ayant emprunté l'escalier de service afin d'éviter le syndic — se dirigeait vers sa banque pour encaisser illico le chèque du Client Infernal et avoir de quoi régler le déjeuner.

Henry et Leonard retrouvèrent leur contact de Penultimate SA dans un restaurant hors de prix de Brickell Avenue, le Dunley, décoré pour ressembler à un club pour messieurs de la haute, bardé de boiseries en chêne et de faux tableaux anciens. Le Dunley était très prisé des hommes d'affaires qui aspiraient à impressionner leurs clients en leur payant un steak de la taille d'un poney de Shetland.

Leur contact de Penultimate était un certain Luis Rojas, dont le titre était « directeur des opérations spéciales ». Ils s'installèrent dans un coin, à côté d'une bruyante tablée de quatre avocats en train de parler clubs de golf. Henry et Luis Rojas discutaient à mi-voix ; Leonard, encore dans les vapes après son contact avec le mur de la propriété Herk, se contentait de mastiquer.

— Mon employeur est préoccupé, glissa Rojas à Henry.

— Vraiment ? fit Henry en tranchant son steak.

— Oui. Il est très inquiet, et il aimerait savoir quand vous avez l'intention de finir le travail.

— Moi aussi, j'aimerais savoir certaines choses. Par exemple, qui est ce type qui se balade avec un fusil ? Et qui est cet autre type tombé des arbres et que je me suis pris sur le coin de la gueule ?

— Quel type tombé des arbres ?

— C'est bien ce que je vous demande. Vous nous faites venir, vous nous racontez que c'est un boulot tout simple, comme les autres fois. Du billard, selon vous. Aucun système de sécurité. Et moi, qu'est-ce que je vois sur place ? Geronimo qui déboule au grand galop, et dans la foulée, Tarzan qui me tombe sur le paletot.

— Sans compter la fille, dit Leonard entre deux mastications.

— La fille ? demanda Rojas.

— Dans le jardin, au pied du mur... avec Tarzan, précisa Leonard. Une fille.

Rojas s'accorda un instant de réflexion.

— Écoutez, dit-il. Comme je vous l'ai dit, mon employeur est préoccupé, il tient beaucoup à ce que vous finissiez ce travail. Et il s'intéresse aussi à l'identité de ces autres personnes, à la raison pour laquelle quelqu'un d'autre chercherait à... s'impliquer. Alors, nous aimerions être informés de tous les éléments que vous pourriez mettre au jour — en plus d'effectuer le travail proprement dit.

À la table voisine, les quatre avocats sirotaient du cognac et étaient en train d'allumer des cigares.

— D'accord, dit Henry, en découpant un autre morceau de steak. On veut bien faire le travail, et on veut bien voir ce qu'on arrivera à vous trouver sur Geronimo et Tarzan. Mais vous, dites à votre employeur — petit un — qu'on va avoir besoin de temps pour fouiner dans le secteur et inspecter les arbres, vous comprenez ? Et que — petit deux — les prix vont flamber.

Les avocats lâchaient à présent d'énergiques bouffées ; un nuage de fumée compacte était en cours de formation au-dessus de leur table.

— Combien ? demanda Rojas.

— Excusez-moi un instant, dit Henry en posant sa fourchette.

Il décolla de sa chaise, s'approcha de la table voisine et resta debout, en position d'attente, jusqu'à ce que les quatre avocats aient cessé de discuter et levé les yeux sur lui.

— Messieurs, dit Henry, ça ne vous dérangerait pas d'éteindre vos cigares ?

L'avocat situé à sa gauche immédiate — l'avocat A — pencha la tête et prit une mine exagérément interrogatrice, comme s'il n'avait pas bien entendu.

— Je vous demande pardon ?

— Je vous ai demandé, dit Henry, si ça ne vous dérangerait pas d'éteindre vos cigares.

— Pour être franc, si, répondit l'avocat A. Ça me dérangerait.

Cette repartie fit sourire les avocats B, C et D.

— Si je vous pose la question, dit Henry, c'est parce que, même si cette idée ne vous a peut-être jamais effleurés, quand vous allumez ces machins, tout le monde est obligé de respirer votre fumée. Je suis à la table d'à côté, j'ai commandé un faux-filet de bison qui m'a coûté vingt-sept dollars cinquante, et là, c'est à peu près comme si je mastiquais un cigare...

— Écoutez, mon brave, dit l'avocat B. Un, il n'y a aucun règlement qui interdise de fumer dans ce restaurant. Et deux, vous dépassez largement les bornes.

— D'accord, dit Henry. Un, je ne suis pas votre brave. Deux, je ne suis pas en train de vous parler de règlement. Je vous parle de bonnes manières. Il n'y a aucun règlement qui m'interdise de péter sur votre hors-d'œuvre, mais je ne le fais pas, parce que c'est malpoli. Ça vous gâcherait un peu le repas, pas vrai ? Je dis simplement que si moi, je n'enfume pas votre déjeuner, vous n'avez pas à enfumer le déjeuner des autres. Alors, encore une fois, je vous le demande gentiment, s'il vous plaît, éteignez vos cigares, d'accord ?

— Vous voulez rire ? demanda l'avocat C, assis à l'opposé.

— Oh que non !

— Putain mais je rêve ! lança l'avocat C à ses trois confrères. Vous avez déjà vu un connard de cette envergure, les amis ?

— Écoutez, mon brave, dit l'avocat D à Henry. On a payé notre repas, et il se trouve qu'on aime fumer le cigare, et si vous n'appréciez pas, ça nous fait une belle jambe.

— Exactement, *mon brave*, renchérit l'avocat A.

Il tira sur son cigare et, l'ayant pris entre le pouce et l'index, tourna la tête vers Henry et lui souffla une dense bouffée de fumée à la figure. Henry ne broncha pas.

Après avoir fini de souffler, l'avocat A dit :

— Écoutez, mon brave, si vous alliez plutôt aaahhhh...

L'avocat A ne réussit pas à achever d'expliquer à Henry où il ferait mieux d'aller, ni pour quoi faire, parce que Henry lui avait posé une main sur l'épaule et qu'il s'était mis à serrer. Il n'avait absolument pas l'air de forcer, mais l'avocat A, tout à coup, était comme tétanisé.

— Aaahhhh... dit-il encore.

De sa main libre, Henry prit le cigare de l'avocat A et le trempa dans son verre de cognac. Les autres avocats s'agitèrent sur leur chaise, comme s'ils étaient sur le point de se lever pour passer à l'action, mais Henry les toisa par ordre alphabétique — B, C et D —, et ils restèrent là où ils étaient.

Ayant relâché l'avocat A, qui porta aussitôt une main à son épaule en geignant, Henry fit un quart de tour de table jusqu'à l'avocat B, qui sursauta violemment lorsqu'il le soulagea avec douceur et fermeté de son cigare, avant de le tremper dans son verre de cognac. Les avocats C et D éteignirent leur cigare sans avoir besoin d'assistance.

— Messieurs, je vous remercie, dit Henry.

L'avocat D, le plus éloigné, lui lança :

— Vous venez de commettre une agression, est-ce que vous vous en rendez compte ?

— Je sais, reconnut Henry, en secouant la tête. Mais dans certains cas, rien ne vaut la loi du plus fort.

Il regagna sa table, s'assit et se remit à découper son steak.

— Dites à votre employeur, glissa-t-il à Rojas, que ça lui coûtera dix briques de mieux. Par tête.

Rojas fit mine de réfléchir — bien que ce chiffre correspondît tout à fait à celui qu'il avait déjà en tête.

— Entendu, dit-il. Tâchez simplement de vous souvenir que mon employeur tient à ce que ceci soit réglé le plus tôt possible.

— Croyez-moi, dit Henry, on ne tient pas à moisir dans ce bled.

— Tu l'as dit, conclut Leonard entre deux mastications.

Puggy fut réveillé par la voix de l'ange.

— Puggy, appela-t-elle, tout bas. *Poggey.*

Puggy roula sur le ventre et étira le cou par-dessus le bord de la plate-forme. C'était bien elle, en uniforme bleu, le regard levé. Elle sourit en voyant apparaître le haut de sa tête. Elle était belle. De son arbre, Puggy vit qu'elle avait toutes ses dents.

— Je vous apporte un petit quelque chose à manger, lui dit-elle. *Ounpétiquelquéchossamanneché.*

Puggy commença à descendre de l'arbre mais, ayant entendu Nina glousser, il remonta dare-dare sur sa plate-forme et enfila son pantalon avec force contorsions. Ensuite seulement, il descendit pour de bon.

— Salut, dit-il en touchant terre.

Dommage qu'il n'ait pas de brosse à dents.

— Pour vous, dit-elle, en lui tendant une assiette en carton sur laquelle était posé un sandwich.

De la dinde sur une tranche de pain blanc, avec de la mayonnaise, de la laitue et des rondelles de tomate. Jamais personne n'avait préparé pour Puggy un repas aussi sophistiqué.

— Merci pour aider moi, dit Nina.

Puggy admira le fabuleux sandwich — il y avait aussi une serviette pliée —, puis Nina.

— Écoute, dit-il. Je t'aime.

— Tu es en train de me dire, demanda à Matt l'organisateur du Killer, Evan Hanratty, que c'est sa mère qui t'a mis une branlée ? Sa *maman* ?

Ils se trouvaient dans le gymnase de Southeast High School qui, de onze heures un quart à treize heures trente-cinq, était reconverti en annexe du réfectoire — ce qui impliquait que la bouffe y avait un goût encore plus prononcé de chaussettes sales que dans une cantine normale.

— Elle m'a sauté dessus par-derrière, dit Matt. Et elles étaient deux. Et j'allais quand même pas taper sur des meufs...

— Apparemment, de leur côté, elles n'ont pas eu trop de scrupules, remarqua Evan en lorgnant la lèvre inférieure de Matt.

— Il faut dire que j'ai été remarquablement soutenu par mon témoin, fit Matt.

— Hé, intervint Andrew, traite-moi de cinglé si ça te chante, mais moi, quand quelqu'un se met à flinguer, je me tire.

— Vous êtes sûrs qu'il y a eu un coup de feu, les mecs ? s'enquit Evan.

— T'aurais dû voir la télé, répondit Matt. On aurait dit, tiens, des molécules de télé.

— Merde ! lâcha Evan.

Tous trois méditèrent un moment sur ce qui venait d'être dit.

— Alors ? dit Matt. Le meurtre de Jenny, ça compte pas ?

— Pas question, dit Evan. Il faut l'asperger. C'est la

règle. Si on commence à refiler des points aux gens qui se roulent par terre, ça sera vite le bordel.

— Au fait, en parlant de se rouler par terre, demanda Andrew, c'était comment ?

— Ouais, renchérit Evan. C'était comment ? Je veux dire, si jamais la mère de Jenny est à peu près aussi canon que Jenny...

— Elle l'est, dit Andrew.

— Alors, c'était comment ? insista Evan.

— La ferme ! dit Matt.

— Hé, je te pose juste la question ! T'es pas obligé de...

— Je veux dire : la ferme, voilà Jenny, dit Matt.

Aucun doute, Jenny s'approchait. C'était inhabituel, parce que Matt, Andrew et Evan étaient assis dans le secteur du gymnase traditionnellement occupé par les Mecs Branchés Qui ne Participent pas aux Activités Scolaires et Qui ont Tendance à se la Péter. Jenny, elle, était toujours assise dans le secteur des Jolies Filles Très Demandées ; en général, les filles de ce secteur n'étaient vues dans aucun autre secteur — sauf, à l'extrême rigueur, celui des Titulaires de l'Équipe Première et / ou Délégués de Classe.

— Salut, dit Jenny à Matt.

— Salut, répondit Matt.

— Ça te fait mal ? demanda-t-elle, indiquant la lèvre de Matt.

— Pas vraiment.

— Peut-être que ça irait mieux si tu l'embrassais, dit Evan.

— La ferme ! dit Matt. (Puis, à Jenny :) Et chez toi, ça va ?

— Ma mère est encore toute retournée par le coup de la balle, répondit Jenny. Mais d'après l'inspecteur de police, c'est sûrement un fêlé qui a fait le coup. Il s'apprêtait à nous braquer, et tu l'as fait fuir.

— Mon héros... s'exclama Andrew, prenant une voix de tête et mimant un début de pâmoison.

— La ferme ! dit Matt.

— Écoute, reprit Jenny. Je voulais te dire trois trucs. D'abord, merci. Deuxièmement, re-merci pour le CD des Fluids. Je l'adore.

— Tu lui as donné ton CD des Fluids ? s'étrangla Evan.

— Pas de doute, remarqua Andrew, il veut son *sex pootie*.

— La ferme ! dit Matt.

— Et troisièmement, reprit Jenny, je suis vraiment, vraiment désolée de ce qui s'est passé hier s...

— Non, dit Matt. Ça va, je t'assure, c'est...

— ... et je voulais que tu saches que si tu veux m'asperger, je t'attendrai à CocoWalk ce soir, vers huit heures, devant la boutique Gap. D'accord ?

— D'accord, dit Matt.

— À plus, dit-elle, faisant demi-tour et repartant vers le secteur des Jolies Filles Très Demandées.

Les trois garçons l'accompagnèrent du regard.

— Ouah-oh ! fit Andrew.

— Si tu veux m'asperger... dit Evan. *Si tu veux m'asperger !*

— La ferme ! dit Matt.

Eliot attendait Anna sur la terrasse aménagée devant le Taurus, un bistrot vénérable, au décor patiné, essentiellement fréquenté par une clientèle de vieux résidents rondouillards et désireux de fuir la faune de jeunes célibataires à ventre plat qui gravitaient en général autour des bars clinquants de l'autre bout de Main Highway.

Il tuait le temps en observant deux clients vétérans de l'établissement, non loin d'une file de bouteilles de bière vides qui était le signe d'un vendredi bien rempli, en train de jouer au jeu de l'anneau. Aussi loin que remontaient les souvenirs de la clientèle, il y avait toujours eu un anneau de métal au bout d'une cordelette attachée à la branche d'un des arbres de cette terrasse ; le but du jeu consistait à lancer l'anneau de telle sorte qu'en remontant au bout de sa corde il aille s'accrocher autour d'un clou qui faisait saillie tout au bord du toit du Taurus. Les deux bonshommes s'adonnaient à ce sport depuis plus d'une heure avec l'intensité et la concentration d'une paire de neurochirurgiens. Ils attrapaient le clou quasiment à chaque lancer, et faisaient ensuite comme si c'était la moindre des choses.

— Personnellement, je n'y arriverai jamais, dit la voix d'Anna dans le dos d'Eliot.

— Salut ! dit-il en se retournant. Moi non plus. Je crois que ça tient à la quantité de bière absorbée.

— Vous venez souvent ici ?

— Oui. J'ai même participé une fois au concours de sarbacane.

— Il y a un concours de sarbacane ?

— Tous les lundis soir.

Anna rit, ce qui incita un des lanceurs d'anneau, lequel était à un stade crucial de sa prise d'élan, à lui jeter un coup d'œil peu amène par-dessus son épaule. Anna baissa le ton et demanda :

— Le concours a lieu dans la salle ?

— Ce serait téméraire. Non, on tire ici même, sur la terrasse, en buvant énormément. Il s'agit d'atteindre des cibles placées à quelques pas du trottoir, où vont et viennent d'innocents civils.

— Mieux vaut le savoir, dit Anna. Et vous avez fait bonne figure ?

— Je n'ai jamais atteint aucune cible — ni aucun civil

non plus, à ma connaissance. Cela dit, il faisait sombre. Mais je n'ai entendu aucun cri. On déjeune ?

— Oui.

Ils entrèrent dans la salle et choisirent une table proche de la fenêtre. Anna rendit à Eliot ses lunettes afin qu'il puisse lire le menu. Ils commandèrent tous deux un sandwich au poisson et un thé glacé.

— Alors, demanda Eliot, la police a trouvé quelque chose ?

— Non, et je ne m'attends pas à ce qu'elle trouve quoi que ce soit. Je suis sans doute un peu naïve ; je me suis imaginé qu'ils inspecteraient tout à la loupe, vous voyez le genre ? En quête d'indices !

— D'empreintes digitales ! De fibres à analyser !

— Oui. Mais en fait, c'est plutôt le genre : « Bon, d'accord, quelqu'un a essayé de vous tirer dessus. Où est le problème ? »

— Dites, ça doit faire quelque chose de ne pas savoir qui a fait le coup...

— Ni s'il reviendra.

— Vous le pensez ?

— Je n'en sais rien. Mais j'ai l'impression que mon mari sait quelque chose qu'il ne veut pas me dire. Il a un comportement bizarre — même pour lui. Il est parti en pleine nuit et, ce matin, il n'était toujours pas rentré. Ce qui me va d'ailleurs très bien, même si je vous promets de ne pas recommencer à m'appesantir sur ce sujet.

— Aucun problème, dit Eliot. Appesantissez-vous tant que vous voudrez.

D'une certaine façon, il ne lui déplaisait pas du tout qu'elle s'appesantisse là-dessus.

— Non, dit-elle. Assez parlé de moi. Parlons plutôt de vous. Que faites-vous dans la vie ?

— Je suis dans la publicité.

— Quel genre de publicité ?

— Eh bien, aujourd'hui, par exemple, j'ai pondu une pub à rotoplots.

— Une pub à quoi ?

— À rotoplots. Du genre « des rotoplots à gogo ».

— Ah...

— Il vaudrait peut-être mieux que vous vous appesantissiez sur votre mariage.

— Non, je préfère que vous me racontiez la pub à rotoplots.

Eliot lui raconta la bière Hammerhead et le Client Infernal. Il lui raconta l'expert-comptable qui le haïssait. Il lui raconta son ascension et sa chute dans l'univers de la presse. Il lui raconta comment Patty et lui s'étaient connus à la fac et étaient tombés amoureux. Ils sortaient tout le temps danser, et puis Matt était né et ç'avait été un bonheur merveilleux, même s'ils n'allaient plus danser autant qu'avant, mais ils s'étaient promis de recommencer, très bientôt, dès que Matt serait un peu plus grand, sauf qu'ils ne l'avaient jamais fait, et qu'au bout d'un moment ils avaient arrêté de parler d'aller danser, et à vrai dire ils avaient arrêté de parler d'un tas de choses, et ils ne faisaient plus l'amour que quand ni l'un ni l'autre n'arrivait à trouver sur-le-champ une excuse valable pour ne pas le faire, ce qui arrivait très rarement, vu que n'importe quelle excuse faisait l'affaire, à commencer par « je suis vraiment trop crevé ce soir », ce qui était leur cas à tous les deux, tous les soirs. Il lui raconta leur lente et douloureuse glissade sur la pente du divorce, son sentiment de culpabilité, et aussi la compréhension dont Matt avait fait preuve, et comment cette compréhension avait encore accru son sentiment de culpabilité. Il lui raconta sa Kia.

— Et maintenant, à vous.

Elle lui raconta qu'elle avait été mariée deux fois, la première à un garçon avec qui elle était sortie pendant ses deux dernières années à l'université de Floride, un garçon qui était capitaine de l'équipe de tennis et qui venait d'une famille très riche et qui était si incroyablement beau que tout le monde, et surtout sa mère, lui avait enfoncé dans le crâne qu'elle serait folle de ne pas l'épouser, parce qu'ensemble ils formaient un Si Beau Couple.

— Le mariage s'est formidablement bien passé, sans l'ombre d'un problème, jusqu'à la deuxième heure de la réception à peu près, quand ma demoiselle d'honneur m'a confié aux toilettes que mon mari venait de lui fourrer sa langue dans la bouche jusqu'aux amygdales. Ce mec était tout simplement incapable de garder sa quéquette dans son caleçon. Un peu comme Bill Clinton, mais sans la politique intérieure.

Elle s'était cependant accrochée à lui, raconta-t-elle, parce que sa mère lui avait dit qu'elle devait Faire en Sorte que Leur Mariage Tienne.

— Le hic, dit-elle, c'est que pendant que j'essayais de faire en sorte que notre mariage tienne, lui essayait de se faire toutes les femmes des comtés de Dade et de Broward — et, le plus souvent, il y parvenait. N'épousez jamais un homme incroyablement beau.

— Je tâcherai de m'en souvenir, promit Eliot.

— Donc, après la naissance de Jenny — ça devait être à peu près la cinquantième fois qu'il mettait trois heures pour rentrer après avoir raccompagné la baby-sitter chez elle —, j'ai demandé le divorce. C'est alors que j'ai compris que sa famille était devenue très riche en ne laissant jamais personne, au grand jamais, toucher un centime.

— Vous n'aviez pas d'avocat ?

— Si, bien sûr, j'avais un avocat. Mais tout s'est passé comme si mon ex-mari, lui, avait la Cour suprême. Donc, en gros, il a gardé l'argent, et moi, j'ai gardé Jennifer. D'où il s'ensuit que nous avons échoué dans cet appartement minable, d'où il s'ensuit qu'Arthur m'a paru être un type bien — sujet sur lequel je vous promets de ne pas recommencer à m'appesantir.

Le déjeuner se prolongea le temps de quatre thés glacés. À la sortie du Taurus, Eliot et Anna furent abordés par deux vétérans du Viêt-nam sans domicile fixe ; ils boitillaient à travers le Grove en suppliant les passants de leur refiler un peu de monnaie, et certains jours, c'était encore plus lucratif que d'aider les touristes à se garer. Eddie commençait même à entrevoir dans cette reconversion une vraie possibilité d'ascension sociale.

— Hé, mec, lança-t-il à Eliot ; vous aiderez bien un pauvre vétéran du Viêt-nam ?

— Désolé, répondit Eliot, qui connaissait Eddie pour l'avoir déjà croisé dans le Grove.

— Va te faire foutre ! Et vous, jolie madame ? demanda Eddie à Anna. Vous me donnez un petit quelque chose ?

Snake se mit la main à l'entrejambe et dit :

— Moi, je veux bien te donner quelque chose, poulette !

Anna et Eliot passèrent leur chemin.

— Dire que les gens ont le culot d'affirmer que le romantisme se perd, soupira Anna.

Arrivée devant sa voiture, elle dit :

— Merci pour le déjeuner.

— Tout le plaisir a été pour moi. Vous voulez reprendre mes lunettes, histoire qu'on remette ça ?

Anna fit entendre un petit rire, mais ne répondit pas. Elle se mit à chercher ses clés dans son sac à main.

— Vous me trouvez incroyablement beau ? demanda Eliot.

Elle releva la tête et scruta attentivement ses traits.

— Non.

— Ouf !

Elle rit, le regarda de plus belle. Ses yeux étaient les plus verts du monde.

— Au fait, reprit-elle, j'adore danser.

— Putain... dit Eddie en regardant Eliot et Anna s'éloigner. C'est dur de croire que les blaireaux traitent les vétérans comme ça, après tout ce qu'on a fait pour ce pays.

— On a fait que dalle, objecta Snake. On n'est pas des vrais vétérans.

— Ouais, mais eux le savent pas, dit Eddie. D'ailleurs, je te parie que j'aurais été vétéran si j'avais eu l'âge.

— On m'a dit qu'il fallait avoir été au moins, attends, jusqu'en quatrième.

— C'est pas le problème. Le problème, c'est que tous ces foutus blaireaux sont des ingrats. (Il cracha un glaviot brunâtre sur le trottoir.) Putain, on s'est pas fait trois dollars, aujourd'hui !

— Parlant de ça, dit Snake, y a un truc que j'ai bien envie de faire...

Eddie attendit la suite.

— Tu te rappelles le petit enfoiré du Jackal ? dit Snake. Celui qui m'a niqué la cheville ?

— Ouais.

— Il paraît qu'il y bosse certains soirs.

— Et alors ?

— Et alors, je vais lui faire une petite visite.

— Chais pas, mec. Je tiens pas trop à m'embrouiller encore avec ce barman et sa putain de batte de base-ball.

— Sa batte lui servira pas à grand-chose si on a un flingue.

— On n'a pas de flingue.

— Je connais un mec qui peut nous en avoir un.

Eddie réfléchit un instant.

— Chais pas, dit-il. Pourquoi on se contenterait pas de choper cet enfoiré à la sortie ?

— Parce que la caisse est à l'intérieur.

Eddie observa Snake.

— Alors, dit-il, c'est pas vraiment pour l'enfoiré.

— Si. C'est pour l'enfoiré. Et aussi pour le barman. Et aussi pour la caisse. D'une pierre trois coups.

Eddie réfléchit et dit :

— Je m'y connais que dalle en flingues.

— Justement, i' s'rait temps que t'apprennes, dit Snake. Vu que t'es un vétéran...

5

Quand le mec fit son entrée au Jolly Jackal, Puggy était assis au bar, en train de regarder une rediffusion du *Jerry Springer Show*[1]. Il était question de maris qui souhaitaient que leurs femmes se rasent le duvet de la lèvre supérieure. La position des femmes était que ce duvet est naturel ; la position des maris était que d'accord, c'est naturel, mais c'est surtout *moche*. Les femmes étaient en train de rétorquer que s'ils voulaient du moche, leurs maris n'avaient qu'à se regarder dans le miroir, parce qu'ils n'étaient pas franchement en position de faire de l'ombre à Brad Pitt. Dans un camp comme dans l'autre, tout le monde pesait au bas mot cent vingt kilos. Jusqu'à présent, il n'y avait pas eu de bagarre, mais Puggy sentait bien, à la façon dont Jerry Springer commençait à s'éloigner du plateau pour rejoindre le public, que ça n'allait plus tarder.

Le mec qui fit son entrée au Jolly Jackal portait une mallette, et Puggy se figura qu'il allait rejoindre le fond pour parler avec le barbu, John. D'habitude, c'était ce que faisaient les mecs à mallette.

Puggy n'était peut-être pas le piquant le plus pointu du

1. Célèbre talk-show quotidien de la télévision américaine. *(N.d.T.)*

porc-épic, mais il avait bien compris que le Jolly Jackal n'était pas un bar ordinaire. Peu de clients y venaient pour boire : au nombre de bières consommées, le numéro un était, les doigts dans le nez, Puggy en personne, et il ne les payait pas. Au Jolly Jackal, Puggy avait remarqué que l'action avait lieu au fond, à la table où était assis John. Deux ou trois fois par jour, un mec — voire plusieurs — entrait pour discuter avec John. Tous les deux ou trois jours, Leo le barman appelait Puggy dans l'arrière-salle fermée à clé, celle avec les caisses, et ils transportaient en grognant et en soufflant une caisse ou deux de l'arrière-salle à la Mercedes — ou à une fourgonnette, ou parfois à un petit camion de location —, à moins que ce ne soit l'inverse.

Puggy ne savait toujours pas ce qu'il y avait dans ces caisses. Si on lui avait demandé de deviner, il aurait dit de la came, même si ça lui paraissait un peu lourd pour de la came. Mais, fondamentalement, sa position était qu'aussi longtemps qu'on le laisserait mater la télé et siffler des bières à l'œil, ça ne le tracasserait pas plus que ça de savoir ce qu'il y avait dans ces caisses, ni qui étaient vraiment John et Leo.

John et Leo, qui s'appelaient en réalité Ivan Chukov et Leonid Yudanski, étaient russes. Ils s'étaient connus en 1986, alors qu'ils servaient tous les deux comme techniciens de maintenance dans une division de l'armée soviétique dont la mission était de protéger et de défendre — ce qui impliquait d'occuper et, le cas échéant, d'écraser — la République socialiste soviétique du Grzkjistan.

Ce n'était pas une mission facile. La République socialiste soviétique du Grzkjistan était un pays lointain, rude, montagneux, extrêmement tribal, dont l'économie était fondée sur la vengeance. Les Grzkjistanis passaient leur vie adulte à échafauder et à mettre en œuvre des complots sophistiqués pour s'entre-tuer et s'entre-mutiler au nom de querelles amères et vieilles de plusieurs siècles, dont la plupart avaient pour origine une histoire de chèvres.

Le seul groupe humain que les Grzkjistanis haïssaient plus que leurs compatriotes était celui des étrangers — ce qui voulait dire que les soldats russes étaient à peu près aussi appréciés qu'une épidémie de gale. La fraternisation entre les deux cultures était officiellement bannie, mais, de temps à autre, un soldat essayait tout de même de s'accoupler avec une Grzkjistani. Ceci exigeait un niveau de libido stupéfiant, parce que, après des siècles et des siècles d'endogamie, la femme grzkjistani moyenne était à peu près, sur le plan de l'attrait physique, à égalité avec la chèvre grzkjistani moyenne.

Néanmoins, ces liaisons survenaient à l'occasion, et quand elles étaient découvertes, ce qui arrivait inévitablement, l'armée savait d'expérience qu'il valait mieux évacuer illico le soldat concerné, pour éviter de le retrouver, tôt ou tard, nu et ligoté contre un rocher — à l'exception de ses parties intimes, qui resteraient systématiquement introuvables.

Aussi la plupart des soldats chargés de protéger la République du Grzkjistan choisissaient-ils sagement de remplir leur mission en restant confinés à leurs baraquements, où ils se saoulaient autant qu'il était humainement possible. Ivan et Leonid occupaient une position privilégiée dans la mesure où leur statut de techniciens de maintenance leur donnait accès à de gros fûts remplis de solvants et autres liquides qui, ingérés par voie orale, étaient à même de vous klaxonner sérieusement la gueule. Malheureusement, certaines de ces substances chimiques pouvaient aussi vous liquider de façon définitive un système nerveux central ; l'astuce était de savoir exactement ce qui pouvait être consommé sans trop de risque, et selon quelle posologie. Ivan et Leonid ayant fini par développer une compétence considérable dans cette branche de la maintenance, ils mirent sur pied un joli petit commerce en procurant des boissons récréatives à leurs camarades en échange d'argent, de cigarettes, de vidéocassettes porno, etc. Ivan était le cerveau — très doué pour organiser et négocier —, Leonid était le bras — très doué pour maintenir les clients dans la queue, si nécessaire en leur fracturant la boîte crânienne. Au fur et à mesure que leur affaire prospérait, le mot se répandit que quand on avait besoin de quelque chose — et pas seulement de quelque chose à boire — Ivan et Leonid étaient les gens qu'il fallait voir.

Un jour de 1989, un type vint carrément de Moscou pour leur rendre visite. Vêtu de beaux atours d'une coupe impeccable, il se présenta comme un homme d'affaires, ce dont Ivan et Leonid déduisirent à bon escient qu'ils avaient affaire à un mafieux. Cet homme leur fit une proposition alléchante : il était prêt à leur offrir des dollars américains, en liquide, et tout ce qu'il demandait en échange, c'était quelques mitrailleuses qui — bien que n'étant pas techniquement la propriété d'Ivan et de Leonid — ne faisaient fondamentalement rien d'autre que d'attendre d'être mises au rancart.

C'est ainsi qu'ils gravirent un échelon dans la course à la reconnaissance sociale et que, de traficoteurs, ils devinrent marchands d'armes. À un moment idéal : l'Union soviétique était en train d'imploser, et Moscou avait du mal à nourrir — et encore plus à payer — ses troupes stationnées au loin. Dans des avant-postes aussi reculés que le Grzkjistan, la discipline et la moralité — sans même parler des contrôles d'inventaire — étaient virtuellement inexistantes. Ivan et Leonid découvrirent qu'à partir du moment où on réglait en dollars américains on pouvait se procurer à peu près n'importe quel type de matériel militaire. Vous souhaitez des mitrailleuses ? Par ici, si vous voulez bien me suivre ! Un char ? Faites votre choix, camarade !

Ivan et Leonid avaient un don pour dénicher et revendre la propriété de l'armée, et leur nouveau négoce eut tôt fait de prospérer. À l'expiration de leur temps de service, ils quittèrent l'armée mais maintinrent leur réseau de contacts à travers le toujours plus chaotique complexe militaire soviétique. Ils étendirent leur clientèle, parfois en se rendant à l'étranger ; ils en vinrent à traiter avec des gouvernements, des terroristes, des révolutionnaires, des organisations paramilitaires, des chefs religieux et des détraqués de tout poil et de tous les coins du monde — par exemple de l'Idaho.

Sur le marché des ventes d'armes internationales, Ivan et Leonid se taillèrent une parfaite réputation de flexibilité en matière de service à la clientèle. À la différence de certains concurrents nettement plus importants — en particulier le gouvernement américain —, ils ne vous infligeaient pas un parcours du combattant bureaucratique, et ils faisaient les kilomètres supplémentaires qu'il fallait pour vous rapporter tel ou tel article un peu dur à trouver. Par exemple, quand un groupuscule marxiste jamaïcain baptisé Front uni du Peuple chercha à échanger une solide quantité de marijuana à haute teneur en THC contre un sous-marin militaire, Ivan réussit à mettre sur pied une transaction complexe impliquant — outre la marine soviétique — le gouvernement du Paraguay, les Cruds (un gang de Chicago) et l'Église de Scientologie. Cette transaction culmina, six mois plus tard, avec la livraison d'un sous-marin russe de la Seconde Guerre mondiale plus ou moins bien révisé, le *Vrmsk*, que le Front uni du Peuple s'empressa de rebaptiser *Puissant-Lion-des-Mers*. Il apparut par la suite que le Front uni du Peuple avait nettement plus de zèle que de compétences nautiques, et le *Puissant-Lion-des-Mers*, alors qu'il plongeait pour sa première mission révolutionnaire — une attaque lancée au large du port de Kingston contre le *Goofy*, un paquebot de croisière flambant neuf affrété par la société Disney —, coula comme une enclume. Cet incident n'eut pas de répercussion négative pour Ivan et Leonid. Ils étaient dans la vente, pas dans la formation.

À la fin des années quatre-vingt-dix, tandis que l'économie russe fondait comme neige au soleil, Ivan et Leonid décidèrent de transférer leurs activités à l'étranger, et ils s'établirent dans le sud de la Floride. Ils avaient visité la région pendant qu'ils travaillaient à la vente du sous-marin, et ils avaient été séduits par la douceur du climat. Ils appréciaient aussi le port et l'aéroport, qui faisaient preuve d'une grande hospitalité envers les hommes d'affaires internationaux ; en traitant avec les bons interlocuteurs, on pouvait y faire transiter à peu près n'importe quoi, probablement jusqu'à des esclaves, sans avoir à répondre à l'insupportable litanie de questions des douanes. Les armes passaient comme des lettres à la poste. Ivan et Leonid prenaient toujours leur pied au moment de franchir le poste de contrôle de l'aéroport, quand ils voyaient un personnel aigri en uniforme mal coupé fouiller les sacoches à ordinateur Toshiba des experts-comptables pendant que, juste sous leurs pieds, dans les tunnels de fret, des caisses bourrées d'armes capables d'éventrer un immeuble défilaient aussi vite que la nourriture dans le tube digestif d'une oie.

Ivan et Leonid, qui se faisaient maintenant appeler John et Leo, devinrent propriétaires du Jolly Jackal. Ils trouvèrent amusant de se retrouver, pour la deuxième fois, dans la branche des boissons récréatives. Le bar fournissait une excellente couverture à leurs véritables activités : toutes sortes de gens pouvaient y entrer et en sortir à toute heure, et aucun officiel ne risquait de s'intéresser à ce qui se passait dedans aussi longtemps qu'ils arroseraient les inspecteurs de la municipalité. Le seul inconvénient quand on possédait un bar, à leur sens, c'était que des gens, quelquefois, entraient avec l'intention vraie de se payer un coup à boire. Leo réussit cependant à maintenir ce flux d'importuns à un niveau minimal via une combinaison de mauvais services et de coups de batte occasionnellement administrés à la clientèle.

Miami se révéla un marché formidable : à croire que tout le monde y était en quête d'engins de destruction. Vous aviez les gros bras professionnels des cartels de la drogue, qui avaient besoin d'armes capables de cracher des milliers de balles à la minute pour compenser leur exécrable visée. Vous aviez les truands locaux, avides de flingues capables de coller une trouille bleue aux citoyens ; et les citoyens, qui s'efforçaient de s'aligner sur les truands locaux. Vous aviez les chasseurs, qui, à en juger par le calibre des fusils qu'ils s'achetaient, avaient dans le collimateur des daims qui ne se déplaçaient qu'en fourgon blindé. Vous aviez les « collectionneurs » et les « enthousiastes », qui vivaient dans des caravanes à trois mille dollars truffées de lance-grenades à sept mille dollars. Vous aviez un flot sans fin d'hommes de l'ombre représentant une variété invraisemblable de mouvements révolutionnaires, contre-révolutionnaires, contre-contre-révolutionnaires et contre-contre-contre-révolutionnaires des quatre coins des Caraïbes et de l'Amérique latine — et qui, pour leur part, cherchaient presque toujours à se procurer des armes à crédit.

Mais leur meilleur client sur place, et de loin, était une boîte locale qui était toujours sur les rangs pour acheter des armes sérieuses coûtant la peau des fesses — du genre de celles qu'employaient les vraies armées pour livrer de vraies guerres. John et Leo n'avaient aucune idée de la raison pour laquelle quelqu'un à Miami pouvait avoir besoin d'une telle puissance de feu, et d'ailleurs, ils s'en fichaient. L'important, à leurs yeux, c'était que chaque fois ou presque qu'ils mettaient la main sur une arme sérieuse, cette boîte la leur achetait, sans pinailler, et en liquide.

L'homme chargé de leur apporter le liquide était justement celui qui entra au Jolly Jackal avec une mallette pendant que Puggy regardait les couples de Jerry Springer se crêper le chignon à propos du duvet de la lèvre supérieure. Leo, debout derrière sa caisse enregistreuse, salua l'homme d'un coup de menton au moment où il passait devant lui. John se leva de sa table et l'accueillit à mi-voix :

— Bonjour, monsieur Herk.

Il s'agissait en effet d'Arthur Herk, détourneur de fonds, cogneur d'épouse et propriétaire légal de l'arbre de Puggy. La société où travaillait Arthur — Penultimate SA, spécialiste de la construction de bâtiments défectueux — était le gros client de John et Leo. La raison pour laquelle Penultimate achetait des armes — qui était aussi, de fait, la raison d'être de Penultimate —, c'était qu'elle projetait de prendre le contrôle de Cuba à la mort de Fidel. Un certain nombre d'organisations du sud de la Floride — sans parler de celles de Cuba — nourrissaient une ambition identique. Le moins qu'on puisse dire en ce qui concernait l'après-Castro, c'était que Cuba ne manquerait pas de candidats à la succession.

Arthur était porteur de valises chez Penultimate. C'était même quasiment ce à quoi se réduisait son rôle de cadre moyen : l'acheminement des dessous-de-table et autres versements illicites. Il avait toujours raisonnablement rempli ses fonctions mais quelques mois plus tôt il avait perdu le contrôle du montant de ses dettes de jeu. Un jour, à la sortie de son bureau, il avait trouvé deux hommes en train de l'attendre sur le parking ; ils l'avaient informé que, sauf remboursement d'une somme d'argent très précise dans les vingt-quatre heures, ils se verraient dans l'obligation de lui trancher un doigt — et sans anesthésie. Ils avaient poussé Arthur vers l'arrière de leur voiture, ils avaient ouvert le coffre, et ils lui avaient fait jeter un coup d'œil à l'intérieur. Un sécateur y était posé. Arthur avait mouillé son pantalon.

Il avait alors commencé à détourner un peu de liquide sur ses dessous-de-table — juste de quoi garder ses dix doigts jusqu'à la semaine suivante. Il espérait — un espoir absurde d'authentique minable — que, d'une façon ou d'une autre, les sommes manquantes passeraient inaperçues, ou que le blâme serait rejeté sur quelqu'un d'autre. Bien entendu, il n'en fut rien. Les chefs d'Arthur se gardèrent de lui dire quoi que ce soit : ils ne voulaient surtout pas le pousser à se réfugier dans les bras de la police. Ils le laissèrent continuer ses livraisons tout en faisant discrètement venir Henry et Leonard du New Jersey pour mettre un terme à la situation. Leur intention était de faire croire à un contrat exécuté à l'initiative de la mafia du jeu — rien à voir avec Penultimate.

Le soir de l'assassinat de son Sony quatre-vingt-huit centimètres, Arthur comprit que c'était lui qui était visé, et que le tueur, quelle que fût son identité, avait été recruté par Penultimate. Mais, lorsqu'il entra au Jolly Jackal, John et Leo ne savaient rien de cette affaire. De leur point de vue, Arthur était le représentant officiel d'un excellent client, et ils l'accueillirent donc avec courtoisie — même si, comme à peu près tous ceux qui avaient affaire à lui, ils le considéraient comme un parfait connard.

— Vous boire quelque chose ? demanda John.

— Vodka, répondit Arthur.

Arthur avait toujours envie de boire quelque chose.

John lança une phrase en russe à Leo, qui apporta un

verre de vodka. Arthur le prit, engloutit son contenu, le reposa, se pencha vers John. Ses yeux étaient injectés de sang, sa voix râpeuse.

— Comme je vous l'ai dit au téléphone, il me faut un missile.

— Je vois, dit John. Pour vous ? Missile personnel ?

— Qu'est-ce que ça peut vous foutre ?

C'était une question judicieuse. La réponse n'intéressait pas réellement John. Il était simplement curieux car Arthur, jusque-là, n'avait jamais parlé d'armes — et encore moins passé commande de ce genre d'article. Il ne faisait qu'apporter l'argent de Penultimate.

— Il faut vraiment missile ? demanda John.

— Pourquoi, c'est un problème ?

— Malheureusement, dit John, en ce moment, nous pas avoir missile. Missile est très difficile à trouver.

C'était la vérité. Le marché des missiles était pour l'heure très restreint : quelqu'un les raflait tous. Selon les dernières rumeurs, c'était soit l'Irak, soit Microsoft.

— Alorrrs, dit Arthur, en roulant les « r » à la russe comme John, j'espèrrre que vous allez vous rrrremuer le cul pourrr me rrrrapporrrrter quelque chose.

John, ayant perçu le sarcasme, envisagea un bref instant de faire raccompagner Arthur à la sortie par Leo. Mais John était un homme d'affaires, et le client était roi.

— Comment vous vouloir utiliser cette arme ? s'enquit-il.

— Cherrrchez pas à savoirrr comment je l'utiliserrrai, singea Arthur. Contentez-vous de me fourrrnirrr du bon matérrriel.

Arthur n'avait pas l'intention d'utiliser le missile comme une arme. Il ne connaissait rien aux armes. S'il voulait un missile, c'était parce qu'il projetait de sauver sa peau en allant trouver les fédéraux et en leur déballant tout ce qu'il savait de Penultimate — les contrats, les pots-de-vin, le Jolly Jackal, tout ce qu'il pourrait se rappeler ou même inventer. Dans les délires de son cerveau tétanisé par la panique et saturé d'alcool avait germé l'idée que le moyen le plus sûr pour obtenir l'attention des fédéraux serait de se pointer chez eux avec un véritable missile russe...

— Vous payer combien? demanda John.

Arthur poussa sa mallette en travers de la table.

— Dix mille. Vous pouvez compter.

Arthur avait lui-même compté le contenu de cette mallette un peu plus tôt. Elle contenait alors quinze mille dollars en coupures de vingt, mais Arthur en avait soustrait cinq mille pour lui — cinq cents dans son portefeuille, le reste dans ses poches de pantalon. Il aurait dû délivrer ces quinze mille dollars deux jours plus tôt à un officiel du comté de Dade censé accorder sa voix à Penultimate dans l'attribution d'un marché portant sur la construction de quatorze abribus — dont chacun finirait par coûter aux contribuables du comté, d'un dépassement à l'autre, le prix d'un luxueux trois pièces à Key Biscayne.

John ouvrit la mallette, jeta un coup d'œil à l'intérieur et la referma. Il soupesa la situation tout en fixant le dessus de la mallette. D'un côté, cette transaction puait l'embrouille. Le connard qui lui faisait face ne jouait visiblement pas dans la bonne division. D'un autre côté, l'argent était l'argent. Et si l'abruti ne se souciait pas plus que ça de savoir ce qu'il achetait, il devait y avoir moyen non seulement de ramasser un peu de fric, mais aussi de se débarrasser d'un problème gênant.

— D'accord, dit John. Nous peut-être avoir matériel qu'il vous faut.

Il précéda Arthur dans le couloir jusqu'à l'arrière-salle, actionna les serrures, ouvrit la porte. Il se rendit dans un coin au fond de la pièce et attrapa la poignée de ce qui ressemblait à une valise revêtue de métal argenté, un peu plus grande qu'un modèle à roulettes classique. Il la tira jusqu'à la porte, la coucha sur le flanc, ouvrit les quatre gros fermoirs, souleva le couvercle. L'intérieur, garni de mousse jaune, contenait un boîtier métallique noir avec une inscription dans un alphabet étranger et une rangée de commutateurs électriques. À côté du boîtier, auquel il était relié par une série de fils électriques, reposait un cylindre d'acier qui ressemblait vaguement à une poubelle.

— Qu'est-ce que c'est que ce putain de bazar? demanda Arthur.

— Bombe.

— On dirait une poubelle!

— Ça être bombe.

— Comment ça marche?

— Vous suivre instructions, répondit John, en montrant du doigt l'inscription étrangère.

— Je suis censé rire?

— Non.

— Qu'est-ce qui me dit que c'est une bombe? Qu'est-ce qui me prouve que je ne suis pas en train de payer dix plaques pour une poubelle?

— Regardez, répondit John, imperturbable.

Arthur, mû par son instinct mâle, se pencha sur la valise et fronça les sourcils en examinant son contenu, à la façon exacte dont des millions de mâles froncent les sourcils en examinant les appareils ménagers, la plomberie, les moteurs de voiture, et autres objets mécaniques auxquels ils ne comprennent strictement rien. Au bout de quelques secondes, comme s'il avait trouvé de quoi apaiser son scepticisme masculin, il se redressa et déclara :

— D'accord.

John acquiesça solennellement. Il rabattit le couvercle de la valise, la referma à clé, et appela Puggy pour la transporter jusqu'à la voiture d'Arthur.

John était satisfait. Leo et lui entreposaient fréquemment des articles dangereux dans l'arrière-salle et, jusque-là, aucun d'eux ne leur avait causé l'ombre d'un souci. Mais celui-là était différent. C'était la première fois qu'un engin qu'ils gardaient là-dedans le rendait vraiment nerveux. Il était sacrément content de le voir s'en aller.

À huit heures moins le quart du soir, Matt, debout devant le magasin Gap de CocoWalk, dans le centre de Coconut Grove, attendait Jenny pour pouvoir la tuer. Son témoin — Andrew — venait d'entrer chez un glacier, de l'autre côté de la rue, pour s'acheter un milk-shake. Matt était bien trop excité à l'idée de revoir Jenny pour avoir faim.

Afin de ne pas attirer l'attention sur lui dans cette galerie commerciale à ciel ouvert extrêmement fréquentée, Matt avait laissé son SquirtMaster 9 000 à la maison, et il s'était muni à la place d'un JetBlast Junior de type arme de poing en plastique noir. Bien que considérablement plus limité en termes de capacité et de rayon d'action, il devait pouvoir faire l'affaire. À intervalles réguliers, Matt retirait partiellement le pistolet à eau de sa poche pour vérifier qu'il ne fuyait pas. Il ne voulait surtout pas avoir l'air du mec qui a pissé dans son froc.

À aucun moment Matt ne s'aperçut qu'il était observé depuis le niveau supérieur par un homme trapu, aux cheveux clairsemés, assis à la terrasse d'un bar, le Fat Tuesday[1], qui servait des boissons alcoolisées douceâtres, aux couleurs vives, tirées d'une batterie de distributeurs en plastique transparent dont chacun était affublé d'un nom plus stupide que les précédents, du genre « Tire-ta-Colada ». L'homme s'appelait Jack Pendick. Cet après-

1. Mardi Gras. *(N.d.T.)*

midi-là, il venait de perdre sa place de vendeur chez un lunetier, après qu'une cliente de trop se fut plainte de ses tentatives flagrantes d'apercevoir ce qu'il y avait sous son corsage pendant qu'ils se penchaient tous les deux pour examiner le présentoir.

De toute façon, Jack n'était pas heureux dans la vente. Il avait toujours rêvé de faire carrière dans le maintien de l'ordre. À deux reprises, il s'était porté candidat pour entrer au département de police de Metro-Dade, mais, chaque fois, il avait été recalé en raison d'un profil psychologique qui le décrivait comme — en termes profanes — un demeuré. Il restait cependant hanté par l'idée de combattre le crime et, tandis qu'il engloutissait la dernière lampée de son troisième verre d'un breuvage vert iridescent baptisé « Forge cérébrale de Vulcain », toute son attention était focalisée, à la manière d'un rayon laser, sur l'adolescent suspect qui faisait le pied de grue à l'étage inférieur.

Jack, qui avait assisté à de nombreuses émissions policières à la télé, était persuadé de disposer d'un sixième sens qui l'avertissait chaque fois qu'un crime était sur le point d'être commis. Et ce sens le titillait en ce moment. Le petit branleur du niveau inférieur avait l'air très nerveux, et il avait vérifié plusieurs fois un objet dans sa poche — objet que Jack, au terme d'une surveillance attentive, avait identifié comme étant — *Tiens, le voilà qui recommence !* — un pistolet ou un revolver.

Le petit branleur s'apprêtait à passer à l'acte. Jack le savait.

En son for intérieur, Jack entendit les premières mesures de LA chanson. C'était son thème musical personnel — le thème de Jack, le Combattant du Crime ; il l'avait entendu pour la première fois dans son épisode archi-préféré de sa série archi-préférée, *Miami Vice*. Et voilà qu'elle résonnait de nouveau sous son crâne, la voix de Phil Collins, qui chantait :

I can feel it comin'in the air tonight
Oh Lawd... [1]

Jack, tout en observant son suspect en train de se préparer à commettre un quelconque crime, sentit lui aussi que c'était dans l'air — que sa chance était venue, enfin, d'entrer en scène ; de prouver qu'il n'était pas un minable ; de devenir un héros ; de démontrer au monde, et surtout à la direction du magasin de lunettes, de quel bois il se chauffait. Il enfouit la main droite dans sa poche et y sentit la rigidité lisse, froide et rassurante du revolver qu'il s'était offert une semaine plus tôt au Salon de l'Arme blanche et à feu de Coconut Grove. De la gauche, il fit signe à la serveuse de lui remettre une Forge cérébrale de Vulcain.

Neuf pâtés d'immeubles plus loin, Henry et Leonard étaient assis dans leur voiture de location, à quelques longueurs de capot de l'entrée du Jolly Jackal. Ils avaient filé Arthur Herk jusque-là, et ils attendaient qu'il ressorte pour reprendre la filature. Un programme sportif passait à la radio.

« Où sont passés les supporters des Gators ? demandait l'animateur. Vous autres, les Gators, vous vous bousculez pour appeler quand vous GAGNEZ, mais maintenant que vous avez PERDU, vous vous dégonflez ! »

— Les Gators ? s'enquit Leonard. C'est quoi, ce bazar ?

— Du foot, dit Henry. Universitaire.

1. « Je sens que c'est dans l'air ce soir / Oh Seigneur... » *(N.d.T.)*

— Les cons... fit Leonard, qui n'envisageait pas une seconde de s'investir dans quelque activité violente que ce soit à moins d'être payé pour le faire.

L'animateur prit un appel téléphonique.

« Je suis supporter des Gators. Et je vous appelle.

— Et qu'est-ce que vous avez à nous dire ?

— Vous venez de dire qu'on se dégonfle, alors moi, j'appelle.

— Ouais, d'accord, et qu'est-ce que vous avez à nous dire ?

— Je vous dis que je suis là. Et que je vous appelle.

— C'est tout ? Vous appelez pour dire que vous appelez ?

— Vous venez de dire qu'on se dégonflait.

— Parce que c'est vrai que vous vous dégonflez. Toute la semaine, j'ai eu des supporters des Gators à l'antenne ; en train de la ramener, et maintenant, ils se planquent.

— Eh bien, moi, je vous appelle.

— D'accord, bon, qu'est-ce que vous voulez dire ?

— Ce que je veux dire, c'est que vous avez dit qu'on se dégonflait, alors je... »

Henry secoua la tête, coupa l'autoradio.

— Foutu pays, dit-il.

— Tu l'as dit, acquiesça Leonard.

Ils restèrent assis en silence pendant quelques minutes, fixant tous deux le néon borgne et crasseux du Jolly Jackal, qui projetait son « ACKAL » clignotant dans la nuit.

— Qu'est-ce qu'il vient fiche ici ? lâcha Leonard. Les mecs comme lui, avec une grosse bicoque, un bon taf, et de la thune à gogo, qu'est-ce qu'ils peuvent bien avoir à foutre dans ce genre de trou à rats ?

— Bonne question.

— Si on allait le chercher pour lui faire cracher la réponse ?

Henry secoua la tête.

— Pas encore. Je veux d'abord voir ce qu'il fabrique.

— Dommage. Parce que si tu me laissais deux minutes avec lui et ça (il retira l'allume-cigare de son logement), je t'assure qu'il nous raconterait tout ce qu'on a envie de savoir. Il chanterait comme ce mec, là, Luciano Calamari.

— Pavarotti.

— Aucune importance. Il chante, pan, on le fume, et on saute dans l'avion de Newark. Plus de moustiques, plus de mecs dans les arbres, plus de Gators, plus de...

— La ferme ! coupa Henry.

Leonard suivit son regard et vit deux hommes, dont l'un traînait la patte, s'approcher de la porte du Jolly Jackal. Dans le halo violacé de l'ACKAL, Henry et Leonard virent que leur visage était masqué sous ce qui ressemblait à un bas de femme. L'estropié tenait un flingue.

— On dirait que c'est l'heure de l'apéro, commenta Leonard.

Andrew, en tirant sec sur la paille qui émergeait de son épais milk-shake au chocolat, rejoignit Matt devant la boutique Gap. Les haut-parleurs basse fidélité du glacier, sur l'autre trottoir, vomissaient la voix d'un Elvis dans la fleur de la jeunesse :

I'm proud to say she's my buttercup
I'm in love... I'm all shook up ![1]

Andrew, écartant à contrecœur les lèvres de sa paille, dit :

— Tu te vois être *fier* de dire qu'une fille est ton bouton d'or, toi ?

1. « Je suis fier de dire qu'elle est mon bouton d'or / Je suis amoureux... Je suis tout retourné ! » *(N.d.T.)*

Matt médita en silence sur la question qui venait de lui être posée.

— Du style, reprit Andrew, tu veux la présenter à des gens, et tu fais : «Et elle, c'est mon bouton d'or!» Hé, Matt, t'as pissé dans ton froc, ou quoi?

— Merde! grommela Matt, en baissant les yeux sur son treillis qui, comme c'était la règle pour les garçons de dix-sept ans, était trop grand de six tailles et ne couvrait que le tiers inférieur de son arrière-train.

Le JetBlast Junior avait effectivement fui, créant une grosse tache sombre et mouillée sur le côté droit du bas-ventre de Matt.

— Merde! répéta Matt.

— V'là Jenny, dit Andrew.

— *Merde*! répéta Matt.

Il tira violemment sur le bas de son tee-shirt et tenta de le rabattre sur la tache.

— Salut! dit Jenny.

— Salut! dit Matt, en vrillant le bas du corps afin de soustraire la tache au champ de vision de son amie.

— C'est un pistolet à eau, ce truc dans ta poche, ou tu es juste content de me voir?

Andrew aboya de rire et cracha une bouchée de milk-shake sur le trottoir. Matt tenta de lui expédier un coup de poing, mais il manqua sa cible.

— Alors, dit Jenny, où est-ce qu'on fait ça? Il ne faut pas plus d'un témoin, non? Ici, il y a comme qui dirait un léger surnombre.

— Je me disais qu'on aurait pu aller par là, répondit Matt en gesticulant en direction de Grand Avenue. Y a un parking derrière le magasin Woolworth.

— D'accord, dit Jenny.

— Écoute, dit Matt, je me demandais si, après t'avoir tuée, au cas où t'aurais rien de spécial à faire, je veux dire...

— Ce qu'il veut dire, coupa Andrew, en reculant dans la foulée pour esquiver la seconde tentative de coup de poing de Matt, c'est qu'il serait fier de dire que tu es son bouton d'or.

— Matt, déclara Jenny d'un ton solennel, ce serait un honneur pour moi d'être ton bouton d'or.

Ouah-oh.

— D'accord, rétorqua Matt, tout aussi solennel. Mais avant, je dois te tuer.

Ils se mirent en marche vers Woolworth. Matt faisait de son mieux pour maintenir sa tache hors de vue de Jenny, mais à part ça, il se sentait bien près d'elle, très à l'aise. En quittant le bruit et la lumière de CocoWalk, les trois adolescents ne remarquèrent pas la silhouette râblée de Jack Pendick, le Combattant du Crime, qui les pistait d'une démarche incertaine, vingt-cinq pas en retrait, la main sur son pistolet de poche, tandis que la complainte nasillarde de Phil Collins emplissait sa cervelle en fusion et qu'il se préparait mentalement à affronter ce qui était dans l'air ce soir.

6

— J'y vois que dalle, avec ce foutu machin ! dit Eddie.

Snake :

— Avance quand même, bon Dieu !

Ils étaient devant l'entrée du Jolly Jackal, chacun avec un collant sur la tête. Snake s'était coiffé de la jambe gauche, et la droite pendouillait sur son torse. Eddie s'était recouvert le crâne de la région pelvienne, de sorte que les deux jambes de son collant lui pendouillaient dans le dos — ce qui lui donnait l'apparence d'un grand lapin effarouché.

— On aurait dû prendre une couleur plus claire, dit Eddie :

— On a pris ce qu'on a pris.

Ils s'étaient procuré ces collants au Woolworth de Coconut Grove. Ils n'avaient pas eu le temps de bien choisir parce que Snake les avait fauchés pendant qu'Eddie détournait l'attention du personnel en simulant une attaque. Snake avait raflé les deux premiers paquets venus — des collants de maintien noirs.

— Ça serait pas pire si je m'étais foutu un seau sur la gueule, dit Eddie.

— Contente-toi de faire ce que je t'ai dit. T'as le sac ?

— J'ai ce putain de sac, répondit Eddie en posant la

main sur un sac de supermarché roulé en boule sous la ceinture de son bermuda.

La mission d'Eddie consistait, pendant que Snake braquerait le barman, à remplir le sac avec l'argent de la caisse, d'abord les gros biffetons, puis les petits, et pour finir, s'ils avaient le temps, la mitraille.

— D'accord, dit Snake en inspirant profondément. Rappelle-toi, tu dis plus un mot une fois qu'on sera là-dedans. Et surtout, tu dis pas mon nom. Et pas de connerie.

— Si tu veux mon avis, dit Eddie, c'est ce plan à la con qui est une connerie.

— On verra bien où c'est qu'elle est, la connerie, dit Snake, en crispant les doigts sur la crosse de son flingue et en poussant la porte du bar.

— Bon, dit Matt, tu veux que je tire où ?

Jenny, Andrew et lui avaient emprunté une rue transversale dans Grand Avenue et se trouvaient à présent sur un parking mal éclairé derrière le Woolworth. Il y avait là une vingtaine de voitures, mais personne d'autre qu'eux.

— Tu devrais peut-être tirer ton coup entre ses jambes, suggéra Andrew. Genre couple, quoi.

— La ferme ! lâcha Matt. (Et à Jenny :) Si tu veux, je te tire dans la main.

— D'accord, dit Jenny.

Elle était touchée que Matt se soucie de l'endroit où il allait lui tirer dessus.

— D'accord, dit Matt. Andrew, prépare-toi à être témoin.

— Oui, SERGENT ! beugla Andrew, en se penchant en avant et en fronçant les sourcils pour bien montrer à quel point il prenait sa mission au sérieux.

Jenny tendit le bras droit, la paume vers Matt, la main offerte. Matt n'arrivait pas à croire qu'une fille puisse être aussi belle. Il leva son JetBlast Junior en le tenant à deux mains, à bout de bras, comme dans les séries télévisées. Il visa la main de Jenny et se prépara à presser la détente.

— HAUT LES MAINS ! cria une voix rauque.

Cela venait de la rue transversale. Les trois adolescents se retournèrent en même temps pour voir une forme râblée en émerger à pas pesants.

— HAUT LES MAINS ! cria de nouveau la forme râblée.

Puis la forme émit un *pop*, et le pare-brise d'une voiture à côté de Matt éclata en un délire de fissures.

— Putain de merde, il nous tire dessus ! dit Andrew.

— Viens ! cria Matt.

Il saisit le bras de Jenny et, l'entraînant dans son sillage, s'élança vers l'autre bout du parking.

— Andrew ! jeta-t-il par-dessus son épaule. VIENS !

Andrew se mit à courir sur les traces de Matt et de Jenny.

— HAUT LES MAINS ! hurla de nouveau la forme râblée.

Il y eut un nouveau *pop*.

Matt continua de courir, entraînant toujours Jenny, qui murmurait en courant « monDieu-monDieu-monDieu-monDieu », un « mon Dieu » par foulée. Il y eut un autre *pop*, suivi d'un *ploc* quasi simultané quand la balle frappa quelque chose tout près d'Andrew, qui fit un plongeon latéral pour se réfugier derrière une voiture. Matt et Jenny atteignirent le bout du parking, passèrent à travers une haie touffue et se retrouvèrent dans un terrain vague obscur, envahi de hautes herbes et jonché d'ordures. Ils foncèrent tout droit dans le noir en trébuchant presque à chaque pas.

Sur le parking, Andrew, toujours accroupi derrière son auto et paralysé de terreur, entendit la forme râblée se rapprocher à pas pesants. Elle faisait du bruit en respirant.

— HAUT LES MAINS ! HAUT LES MMMHHHMPH...

La forme râblée venait de trébucher sur un rebord de béton. Elle s'effondra aussi lourdement qu'un sac de cent kilos de saindoux. Le revolver lui échappa des mains, glissa par terre avec un tintement métallique et s'immobilisa juste devant Andrew. Andrew, privilégiant par habitude l'action au détriment de la réflexion, prit le revolver, se releva d'un bond et partit coudes au corps vers la rue transversale, après avoir contourné la masse affalée et gémissante de Jack Pendick, le Combattant du Crime.

Quand Snake poussa la porte du Jolly Jackal, celle-ci percuta de plein fouet Leo, qui se trouvait juste de l'autre côté, prêt à l'ouvrir pour Puggy — qui portait la lourde valise contenant la bombe d'Arthur. Derrière Puggy venait Arthur, qui avait une main sur ses clés de voiture, au fond de sa poche, prêt à ouvrir le coffre de sa Lexus. Derrière Arthur venait John, qui portait la mallette.

La violence du choc repoussa Leo contre Puggy, qui trébucha vers l'arrière et lâcha sa valise sur les orteils d'Arthur. Arthur poussa un hurlement, partit en arrière et heurta John, qui tomba à la renverse, buta contre une chaise et atterrit par terre, en lâchant sa mallette.

Snake, surpris de voir autant de monde, brandit son flingue, l'agita en un mouvement plus ou moins circulaire, et dit :

— PERSONNE NE UMMPH...

Il fit soudain un grand pas en avant. Eddie, qui le talonnait, venait de lui rentrer dedans.

— Fais gaffe, bon Dieu ! grommela Snake.

— J'y vois que dalle, murmura Eddie.

— Ta gueule, dit Snake. (Et à l'intention de Leo, Puggy, John et Arthur :) Les mains en l'air, tout le monde !

Tout le monde mit les mains en l'air — sauf John, qui était couché par terre à côté de la mallette et qui les tendit plus ou moins à l'horizontale.

Sur l'écran de télé, deux fortes femmes à duvet cognaient ensemble sur un homme aux longs cheveux graisseux à qui il restait environ soixante pour cent de sa dentition d'origine.

— Bon, dit Snake. Pour commencer...

Il s'approcha de Puggy, qui tenta de reculer, les yeux vrillés sur le flingue. Snake — du pied gauche, celui que Puggy n'avait pas cassé — lui décocha un grand coup de sandale dans les roustons. Sans un bruit, Puggy s'écroula au sol, en portant les deux mains à son entrejambe. Snake lui expédia un coup de pied dans la figure. Puggy leva les mains pour se couvrir le visage et se recroquevilla le plus loin possible de Snake. Snake lui mit un coup de pied dans le dos, et encore un autre, après quoi il s'éloigna en disant :

— On verra la suite plus tard. (Il braqua le flingue sur Leo et cria :) Ouvre ton tiroir-caisse ! Laisse les mains bien en vue. Si tu essaies d'attraper ta batte de base-ball, je te fume ta putain de cafetière.

Leo, prenant soin de garder les mains en l'air et le regard sur le flingue de Snake, contourna le bar à reculons et arriva devant la caisse enregistreuse. La main gauche toujours en suspens, il appuya sur une touche. Le tiroir-caisse s'ouvrit.

— C'est bon, dit Snake en gratifiant Eddie d'un coup de coude. Va chercher le blé.

Eddie, les bras en avant à la façon de Boris Karloff dans *La Momie*, s'avança à tâtons jusqu'à sentir le comptoir sous ses doigts. Il entreprit de le longer en se dirigeant au toucher.

— Tu pourrais pas te magner un peu, nom de Dieu ? demanda Snake.

— La prochaine fois, je prendrai le flingue, répondit Eddie.

De la main droite, il écarta de son menton la ceinture renforcée du collant, histoire de voir où il mettait les pieds. Il contourna le bar, rejoignit la caisse, regarda à l'intérieur du tiroir.

— Putain de merde ! fit-il.

— Prends d'abord les gros biffetons, dit Snake.

— Deux de un... J'prends tout ?

— Qu'est-ce que tu me chantes, putain ? s'énerva Snake.

— Je te chante qu'il y a deux biffetons là-dedans, et que c'est tous les deux des un dollar...

— Il doit y avoir plus, dit Snake.

— Ouais, y a plus. Y a bien, on dirait, un bon dollar cinquante en petite monnaie.

Snake entreprit de réfléchir.

— Je mets tout dans le sac ? demanda Eddie en agitant son sac de supermarché.

Snake braqua son flingue sur Leo et dit :

— Où est la thune ?

Leo haussa les épaules.

— Affaires pas bonnes, répondit Leo avec son accent russe.

— T'as planqué la thune quelque part, dit Snake. Tu veux te faire descendre ?

— Non, répondit Leo.

— Tu me refiles pas la thune, dit Snake, c'est sûr que tu te fais descendre.

Sur l'écran de télé, l'homme aux cheveux graisseux venait d'arracher le débardeur d'une des fortes femmes à duvet, révélant deux seins aussi énormes que flasques. Conformément aux règles de la décence télévisuelle, les mamelons étaient dissimulés par un brouillage électronique.

Toujours au sol, John dit :

— J'ai argent.

Snake le regarda.

— Où ça ?

— Portefeuille, dit John. Dans pantalon. Je donne à vous.

Snake braqua son flingue sur la figure de John.

— T'as intérêt à ce que ça soit bien un larfeuille.

John, d'un geste lent, plongea sa main droite dans sa poche de pantalon, en sortit un portefeuille de toile bon marché, le fit glisser par terre en direction de Snake. Snake le ramassa de sa main libre et en compta le contenu du pouce. Ce qui ne lui prit pas un temps considérable, vu que le portefeuille contenait un billet de dix, un de cinq et trois de un.

— Dix-huit foutus dollars ? dit Snake. Putain mais c'est quoi, ce rade à la con ?

— Affaires pas bonnes, répéta Leo.

— Pas bien situé, précisa John.

— Tu veux le sac pour mettre les dix-huit dollars ? proposa Eddie.

— Tu la fermes pas, rétorqua Snake, c'est toi que je descends.

Puis Snake se remit à réfléchir. Il arriva à la conclusion qu'il se tramait quelque chose dans ce rade — ces quatre mecs plantés juste à côté de la porte — mais il ne parvint pas à décider quoi. Il étudia les quatre mecs un peu plus attentivement. Son regard s'immobilisa sur Arthur. Il remarqua qu'Arthur était bien sapé et qu'il portait une montre en or.

— Toi, dit Snake, indiquant Arthur avec son flingue. File-moi ta montre.

Arthur retira sa montre et la lança à Snake, qui l'attrapa au vol et l'approcha le plus près possible de son collant pour y jeter un coup d'œil. Ça ressemblait à de l'or. Snake se sentit aussitôt ravigoté.

— Maintenant, dit-il, file-moi ton larfeuille.

Arthur retira son portefeuille de sa poche arrière et le lança à Snake, qui l'ouvrit du pouce et vit une liasse de billets de vingt. Il empocha le portefeuille en continuant de regarder Arthur. Snake était en train d'assembler les morceaux du puzzle. Un mec bien sapé, avec une grosse liasse de liquide, dans un rade aussi merdique... Pas de doute, ce mec était un dealer. Peut-être même un gros bonnet de la came. Ce qui voulait dire que...

— Y a quoi là-dedans ? demanda-t-il à Arthur, en montrant la valise.

— Une bombe.

— C'est ça, dit Snake.

— Je vous jure ! glapit Arthur, qui avait été un cafteur de classe mondiale à l'école. C'est une bombe ! Ces types sont russes, et ils vendent des bombes !

Snake regarda John. John leva les yeux au ciel pour bien lui montrer à quel point l'idée était ridicule.

— Bombe, ricana-t-il. *Pfft !* Pas bombe ici ! Être bar.

— Être bar, renchérit Leo.

Snake regarda la valise. À la télé, Jerry Springer était en train d'expliquer que, dans un couple, il fallait faire des compromis.

— Eddie, dit Snake, ouvre la valise.

— Putain, Snake, t'as dit mon nom, là !

— Ouais, ben toi aussi t'as dit le mien, espèce de con !

— Snake, c'est pas un nom. C'est juste un surnom.

« Avant de critiquer les autres, disait Jerry Springer, il vaudrait mieux que nous regardions dans la glace notre... »

Snake fit feu sur Jerry Springer, qui se désintégra en une gerbe instantanée d'éclats de verre. Tout le monde, Snake compris, sursauta au son de la détonation. Arthur fit entendre un bruit qui tenait du pleurnichement. C'était la première fois que Snake tirait sur quoi que ce soit, et il était joliment surpris d'avoir atteint sa cible, soudain réduite à une brèche fumante dans la caisse en plastique noir du téléviseur. Il décida d'y voir la preuve qu'il était parfaitement apte à exercer son nouveau métier, et il se sentit tout de suite beaucoup mieux.

— S'il te plaît, dit Snake à Eddie, *ouvre cette foutue valise.*

En marmonnant quelque chose, Eddie se découvrit le bas du visage et contourna lentement le bar en sens inverse jusqu'à la valise, qui reposait sur le flanc. Il tripota les fermoirs et réussit enfin à les ouvrir. Une main sur le couvercle, il leva les yeux vers Snake.

— Et si c'était une bombe ?

— Ouvre, dit Snake.

Avec une grande circonspection, Eddie souleva le couvercle et regarda à l'intérieur.

— C'est quoi ? demanda Snake.

— J'en sais foutre rien. C'est pas de la thune, ça je peux te le dire.

Snake s'approcha et scruta le contenu de la valise. Lui non plus ne savait pas ce que c'était que ce truc. Un genre de poubelle ? Mais il savait que c'était forcément un truc important. Ça, il en était certain. Peut-être que c'était un truc pour mettre de la came. Ou peut-être des émeraudes ; quelqu'un lui avait dit un jour que les gros bonnets de la drogue ont toujours des émeraudes. Quoi que ce soit, Snake flaira l'occasion, lui qui avait toujours vécu comme un salopard de dernière catégorie, de prendre du galon, de faire enfin quelque chose de sa minable existence, et de devenir un salopard haut de gamme. Mais comment devait-il s'y prendre? Il savait qu'il avait intérêt à réfléchir — et pas qu'un peu. Il braqua son flingue sur Leo, derrière le bar.

— Sers-moi à boire, dit-il.

Leo lui servit une vodka et posa le verre sur le comptoir. Snake l'attrapa et voulut le boire cul sec, mais, comme il avait un collant sur la figure, le gros de la vodka dégoulina sur le devant de son tee-shirt. Toujours à terre, John ricana. Snake fit volte-face et braqua son flingue sur lui.

— Tu trouves ça drôle?

— Non, dit John.

— Bon, dit Snake. Voilà ce qu'on va faire. (Il regarda Arthur.) T'as une caisse?

Arthur hocha la tête.

— Là, dehors?

Arthur hocha de nouveau la tête.

— File-moi les clés.

Arthur lui lança les clés.

— Bon, dit Snake. Eddie, je veux que tu...

— Arrête de dire mon nom, putain!

— D'accord, Monsieur X, referme cette valise. On va faire un tour. Toi, tu viens avec nous, ajouta Snake en braquant son flingue sur Arthur.

— C'est pas moi qu'il faut emmener! s'écria Arthur. C'est les autres! Les Russes! Ils vendent des missiles! Il y a dix mille dollars dans cette mallette!

— La ferme, trouduc, siffla Snake, braquant son flingue sur lui.

Arthur la ferma.

— Bon, Ed... toi, reprit Snake. Prends la valise.

Eddie prit la poignée et tenta de soulever la valise. Elle bougea à peine.

— Elle est vachement lourde.

— À croire qu'il faut vraiment que je me tape tout le boulot, soupira Snake.

Il s'approcha à son tour et tira sur la poignée de la valise et, putain, c'était vrai, elle était incroyablement lourde. Snake réfléchit un instant. Et se rappela qui portait la valise à son entrée.

Il balança un coup de pied à Puggy, toujours replié par terre en position fœtale, espérant se faire oublier.

— Prends la valise ! lui ordonna Snake.

Lentement, Puggy se leva. Un filet de sang jailli de son nez lui coulait sur la joue. Il souleva la valise d'une main et attendit la suite.

Snake se tourna vers Leo.

— Toi, dit-il. Repasse par ici et va t'asseoir à côté de ton pote.

Avec prudence, Leo contourna le bar. Quand il passa devant lui, Snake lui flanqua un grand coup sur le crâne avec le canon de son flingue. Snake pensait que ça l'assommerait et qu'il tomberait par terre, les yeux fermés, parce que c'était ce qui arrivait aux mecs de la télé chaque fois qu'on leur flanquait un coup sur le crâne avec le canon d'un flingue. Au lieu de ça, le coup partit, la balle se ficha dans le plafond, Leo se pencha vers l'avant en portant une main à sa nuque, et il fit :

— Aïe !

Snake, faisant comme si c'était exactement l'effet recherché, dit :

— Ça t'apprendra à cogner sur les gens avec ta batte. Bon, maintenant, assieds-toi là avec ton pote.

Leo s'assit par terre à côté de John.

De sa voix la plus menaçante, Snake lança à la cantonade :

— Écoutez-moi bien, les connards. Si vous essayez d'appeler les flics quand on sera partis, je vous jure que ma prochaine balle vous trouera le crâne.

La menace manquait de logique, mais John et Leo décidèrent de s'abstenir d'en faire la remarque. Eddie arriva à tâtons et s'approcha aussi près que possible de Snake de façon à ce qu'ils puissent avoir un petit dialogue en aparté — un collant-à-collant.

— On va où, putain ? murmura-t-il.

— Chez ce mec, murmura Snake, en indiquant Arthur.

— Pourquoi on fait ça ? murmura Eddie.

— Parce que, répondit Snake, ce mec est un gros bonnet, et on le tient par les couilles, et il a un truc intéressant dans sa valise, et on va découvrir ce que c'est, et je te parie qu'il a un tas d'autres trucs intéressants chez lui.

Snake savait, grâce à *Miami Vice*, que les gros bonnets vivaient dans de grandes villas ultramodernes où ils planquaient des fortunes en came et en biffetons. Avec aussi plein de filles canon qui raffolaient des durs à cuire sans foi ni loi.

— Snake, murmura Eddie, on a le larfeuille de ce mec, et on a les dix-huit dollars de l'autre mec. Foutons le camp d'ici.

— Pas question, siffla Snake. C'est notre chance. On va pas la laisser filer. Et c'est pas maintenant que tu vas te débiner.

— Putain ! fit Eddie en secouant la tête, ce qui fit onduler ses jambes de collant d'avant en arrière.

Snake attrapa la poignée de la porte et ouvrit. Il braqua son flingue sur Puggy et Arthur.

— Bougez-vous !

Arthur dit :

— Écoutez, je suis pas celui qu'il vous faut, il vous faut ces deux mecs, là, c'est des Russes, et ils ont dix m...

Arthur recula brusquement en voyant Snake s'avancer vers lui, le flingue levé.

— Je t'ai déjà dit de la fermer, trouduc !

Il fallait être dur avec ces foutus gros bonnets ; c'était le seul moyen de se faire respecter.

— D'accord, maintenant, on y va.

Ainsi sortirent-ils du Jolly Jackal — d'abord Arthur, traînant le pied sur lequel Puggy avait fait tomber la valise ; puis Puggy, portant de nouveau la valise ; puis Snake, avec son flingue ; puis Eddie, qui agitait toujours ses oreilles de grand lapin effarouché.

Quand la porte se fut refermée sur eux, il y eut un moment de silence au Jolly Jackal. Puis John, assis par terre à côté de la mallette contenant les dix mille dollars en espèces, dit à Leo :

— *Kakimi chertyami oni viigrali holodnuyu voinu ?*

Ce qu'on pourrait grosso modo traduire par : « Comment ces connards ont-ils fait pour gagner la guerre froide ? »

Eliot était assis sur son canapé, regardant une rediffusion de la série *Buffy contre les vampires* et grignotant des chips piochées directement dans leur sachet, quand le téléphone sonna.

— Allô ?

— Salut... C'est Anna. Je vous dérange ?

— Pour être franc, dit Eliot, j'étais en train de travailler sur un projet de campagne à six chiffres pour un client hyper important.

— Oh, je suis désolée, s'exclama Anna, je...

— Ce n'est pas vrai, coupa Eliot. Je regarde une rediff de *Buffy contre les vampires* et je grignote des chips piochées directement dans leur sachet.

— Ouah-oh ! J'avais bien entendu parler de la vie exaltante des célibataires, mais là...

— Et ce n'est pas tout. Après *Buffy*, je vais me connecter sur AOL pour voir si j'ai reçu un e-mail d'un de ces parfaits inconnus qui veulent à tout prix faire de moi un homme riche ou m'envoyer des photos d'eux à poil.

— Dans ce cas, je ne veux pas vous empêcher de...

— Non ! Empêchez-moi ! Empêchez-moi !

— Eh bien, je voulais vous dire, d'abord, merci encore pour le déjeuner.

— Hé, on remet ça quand vous voudrez ! Tout de suite, tiens ! Ça vous dirait qu'on déjeune tout de suite ?

Anna rit.

— J'adorerais, mais là, tout de suite, je m'efforce d'être une bonne mère, ce qui m'amène à la deuxième raison de mon appel. Je n'arrive pas à remettre la main sur Jenny. Elle était censée retrouver votre fils à CocoWalk pour ce jeu stupide, le Killer ou je ne sais quoi, et ensuite elle devait m'appeler pour que j'aille la chercher, mais comme je n'ai aucune nouvelle, je me demandais si Matt vous avait téléphoné.

— Bien sûr que non. Matt ne me téléphone que quand il a besoin de ma voiture. Ce qu'il a déjà fait en début de soirée, justement pour aller tuer Jenny. Il devrait être de retour, voyons... (Eliot consulta sa montre.) D'une minute à l'autre.

— Bon. Ça vous dérangerait de me prévenir quand vous aurez du nouveau ?

— Comptez sur moi, répondit Eliot, absolument ravi d'avoir un prétexte pour la rappeler.

— Je n'aime pas jouer les chaperons, dit Anna, mais après tout ce qui s'est passé ces derniers temps, je suis un peu inquiète. Et en général, Jenny n'oublie pas de m'appeler.

— Ma foi, dit Eliot, chaperonner fait partie du boulot de mère. Mais rassurez-vous, je suis sûr que les gamins vont bien. Je veux dire, ils sont à CocoWalk, avec plein de gens autour d'eux. Que pourrait-il leur arriver ?

— *MONDIEU-MONDIEU-MONDIEU...*

Jenny ânonnait sa prière pendant que Matt, trébuchant à chaque pas dans l'obscurité du terrain vague, la traînait par le bras à travers les herbes folles, le plus loin possible des *pop* du pistolet. Ils débouchèrent sur un trottoir bordant une rue étroite. Matt fit halte et regarda en arrière.

— Où est passé Andrew ? dit-il.

— Je n'en sais rien, dit Jenny. Oh, mon Dieu, et s'il avait été touché ?

— Putain... lâcha Matt. On devrait peut-être y retourner.

— Matt, il y a là-bas un mec en train de tirer. Avec un *revolver*. Il faut appeler la police.

Une voiture roulait justement vers eux. Matt courut sur la chaussée et se mit à agiter les bras au-dessus de sa tête.

— Stop ! hurla-t-il au chauffeur. Hé, s'il vous plaît, STOP !

Le chauffeur fit ce que la plupart des habitants de Miami auraient fait face à un énergumène en train de brailler au milieu de la chaussée : il klaxonna et appuya sur l'accélérateur. Matt n'eut que le temps de faire un bond pour éviter de se faire faucher. Il atterrit sur le trottoir à quatre pattes.

— Merci ! lança-t-il au pare-chocs arrière de la voiture, qui s'éloignait à grande vitesse.

— Ça va ? demanda Jenny.

— Ouais, dit Matt, en se relevant. Écoute, on va reprendre ma caisse. Je l'ai garée un peu plus haut, sur Tiger Tail, et si on ne trouve pas de cabine en chemin, on en cherchera une en bagnole.

— Du moment qu'on se tire d'ici, je suis d'accord, dit Jenny, en se retournant vers le parking.

Mi au sprint, mi au trot, ils avalèrent les trois blocs qui les séparaient de la Kia — sans repérer la moindre cabine.

Tandis qu'ils prenaient place à l'intérieur de la voiture, Matt dit :

— Tu sais où il y a un poste de police dans le coin?

— Si on allait plutôt chez moi? dit Jenny. Ma mère doit être très inquiète, à l'heure qu'il est. On appellera la police de là-bas.

Jenny avait besoin de sa maman.

— D'ac. Il faudra aussi appeler la mère d'Andrew.

Il démarra, et :

I want your sex pootie!
I want your sex pootie!

— Désolé, marmonna Matt en pressant le bouton d'arrêt de l'autoradio.

Il enclencha le levier de vitesse, et les deux adolescents partirent vers la maison de Jenny, tous deux très ébranlés et impatients de refiler la patate chaude à des adultes responsables.

Dans leur voiture de location garée devant le Jolly Jackal, Henry et Leonard attendaient que le braquage, dont ils estimaient qu'il ne les concernait en rien, ait pris fin pour qu'ils puissent continuer à filer Arthur Herk. Leonard était en train de raconter à Henry une blague sur une dame qui se faisait examiner par un docteur au fort accent chinois :

— Le docteur dit à la dame : « Madame, ie clois voil votle ploblème. » Alors, la dame fait : « De quoi s'agit-il, docteur? » Et le docteur : « Vous soufflil maladie d'Ed Zack. » La dame : « Oh, non! La maladie d'Ed Zack? C'est grave, docteur? » Et le docteur fait : « Ça oui, maladie d'Ed Zack êtle tlès glave. » Et la dame : « Qu'est-ce que c'est, au juste ?» Et le docteur : «Veut dile, madame, que votle tête êtle léplique Ed Zack de votle cul.»

Henry soupira.

— Tu piges? dit Leonard. «Votle tête êtle léplique Ed Zack de votle cul.» Ouah-oh! Où est-ce qu'ils vont chercher des trucs aussi déments?

Henry ralluma la radio.

«... Le fait est que tous les Gators passent leur temps à la ramener, mais qu'après, quand ils perdent, on ne les entend plus moufter.

— Eh bien, moi, je SUIS un Gator, OK? Je suis un Gator, et je vous parle en ce moment, alors, où est le problème?

— Le problème, c'est que vous n'avez pas appelé AVANT que j'aie dit qu'aucun Gator n'appelait. Et APRÈS, d'un seul coup, voilà tous les Gators qui se mettent à appeler.

— J'aurais pu appeler plus tôt. J'ai pas peur d'appeler.

— Mais vous ne l'avez pas fait. Vous m'appelez maintenant, mais AVANT que j'aie fait remarquer qu'aucun Gator n'appelait, aucun Gator n'a appelé, pas plus vous que les autres.

— D'accord, mais là, j'appelle, d'accord? Vous m'entendez au bout du fil, pas vrai? Je suis un Gator, et je...»

Henry coupa de nouveau l'autoradio.

— Ces mecs auraient bien besoin qu'on leur trouve une occupation, remarqua-t-il.

— Peut-être qu'ils devraient se branler plus souvent, dit Leonard. Si toutefois c'est possible.

— Sérieusement, dit Henry. Tu crois qu'un seul de ces connards serait capable de nommer le vice-président des États-Unis?

— Ah, ça... dit Leonard.

À dire vrai, il n'était pas tout à fait certain de pouvoir citer lui-même le nom du vice-président. Il savait que c'était un de ces mecs en costard, mais il ne savait pas lequel au juste. Le silence régna un moment dans la voiture, puis Leonard, qui avait un peu de mal avec les silences, dit :

— « Ça veut dile, madame, que votle tête êtle léplique Ed Zack de votle... »

— La ferme, coupa Henry.

La porte du Jolly Jackal venait de s'ouvrir. Arthur Herk sortait.

— Voilà notre oiseau, dit Henry. On dirait qu'il boite.

Puggy parut sur ses talons, avec la valise.

— Qui c'est, celui-là ? demanda Leonard.

— Je crois bien que c'est Tarzan, dit Henry en se redressant.

— Qui ça ?

— Le mec qui m'est tombé dessus du haut d'un arbre du jardin de notre oiseau, dit Henry.

— Qu'est-ce qu'il fout ici ? Et qu'est-ce qu'il y a dans cette valise ?

— Je te garantis qu'on va le découvrir.

Snake sortit en boitant, avec le flingue, suivi par Eddie.

— Riche idée, le collant sur la tronche, dit Henry. Ils auraient aussi bien pu prévoir un écriteau avec *Braqueur* écrit dessus.

Les quatre hommes rejoignirent la Lexus d'Arthur. Puggy, sur ordre de Snake, chargea la valise dans le coffre. Puis tout le monde monta à bord — Arthur au volant, avec Snake à sa droite ; Puggy et Eddie à l'arrière, avec Puggy du côté gauche, pour que Snake puisse le tenir à l'œil. Il y eut un moment de flottement, et la Lexus démarra. Cinq secondes plus tard, Henry embraya et la prit en filature.

— Tu crois qu'ils vont où ? demanda Leonard. Chez notre oiseau ?

— Ed Zack, répondit Henry.

7

L'agent Monica Ramirez, de la police de Miami, sentait parfaitement les vibrations boudeuses émises par son coéquipier, Walter Kramitz, tandis qu'ils patrouillaient en voiture sur Grand Avenue, vers l'ouest. Walter boudait à cause de ce qui s'était passé trois quarts d'heure plus tôt, lorsqu'ils avaient cassé la croûte au Burger King de la 27e Avenue.

Walter avait enfin abattu ses cartes. Monica avait senti que le moment approchait en le voyant exhiber ses biceps encore plus que d'habitude. Walter avait de très gros biceps, qu'il gonflait en faisant des centaines de pompes chaque jour. Il retroussa les manches courtes de sa chemise d'uniforme afin que la totalité de leur masse bulbeuse, veinée et mâle soit bien visible. Au Burger King, il tâcha d'en mettre plein la vue à Monica en les contractant chaque fois qu'il levait son hamburger vers sa bouche — comme s'il pesait vingt-cinq kilos.

— Au fait, dit-il avec une nonchalance calculée, je me disais qu'on pourrait peut-être passer un moment ensemble, vous et moi...

— Walter, on est tout le temps ensemble. On est ensemble, *en ce moment.*

— Vous savez bien ce que je veux dire.

Évidemment qu'elle savait bien ce qu'il voulait dire. Il voulait dire « envoyons-nous en l'air ». Monica s'était aperçue que c'était toujours ça que les mecs avaient en tête quand ils vous disaient : « On pourrait peut-être passer un moment ensemble. » Leur deuxième façon favorite de formuler cette offre était : « On pourrait peut-être un peu mieux se connaître. » Ce qu'ils avaient envie de connaître, c'était à quoi vous ressembliez sans vos vêtements. Mais ils étaient incapables de se jeter à l'eau et de vous dire de but en blanc : « Tiens, si on s'envoyait en l'air ? »

— Non, répondit Monica, je ne sais pas ce que vous voulez dire. Qu'est-ce que vous voulez dire, Walter ?

— Ce que je veux dire, eh bien, c'est qu'on est à peu près tout le temps ensemble dans cette voiture, et je me disais, tiens, on pourrait peut-être un peu mieux se connaître...

Monica soupira.

— Walter... Vous voulez qu'on s'envoie en l'air ?

Walter interrompit net sa manducation et fixa Monica en se demandant si c'était réellement en train d'arriver — si Monica était bel et bien en train de lui ouvrir les portes de la voie express vers le paradis, s'il venait par hasard de découvrir le trou de souris par lequel tous les mecs de l'univers rêvaient depuis la nuit des temps de se faufiler pour court-circuiter tout le bla-bla-bla et passer directement à l'acte. Il réfléchit intensément à la meilleure réponse à apporter à la question de Monica.

Et en fin de compte, il dit :

— Ouais.

— Et moi, rétorqua Monica, je ne veux pas m'envoyer en l'air avec vous.

Walter la regarda fixement. C'était un piège !

— N'y voyez rien de personnel, dit Monica. Vous êtes un bon partenaire, un bon policier. Mais vous êtes marié.

— Ce qu'il y a, c'est que ma femme et moi...

— Walter, ce qui se passe entre votre femme et vous n'est pas mon problème. Ça n'est pas mon problème si votre couple bat de l'aile. Ça n'est pas mon problème si votre femme ne vous comprend pas. Ça n'est pas mon problème si vous envisagez sérieusement une séparation. Tout ce que je vois, c'est que vous êtes marié et que je ne tiens pas à avoir une relation avec vous.

Monica était d'ailleurs contente que Walter soit marié, ce qui lui évitait d'avoir à développer les autres raisons pour lesquelles elle ne tenait pas à avoir une relation avec lui — sa profondeur intellectuelle, par exemple, qui équivalait approximativement à celle d'un pot de mayonnaise.

— Vous savez, dit Walter, beaucoup de femmes me trouvent pas mal du tout.

C'était la vérité. Les agents de police dans son genre, bien balancés, à gros bras et uniforme moulant, n'avaient guère de mal à trouver des femmes prêtes à les retrouver quelque part à la fin de leur service ; ou même, s'ils avaient un équipier compréhensif, pendant leur service.

— Je sais, Walter, dit Monica. Vous êtes un homme séduisant (*malgré ton crâne en forme d'enclume et le fait que tes biceps t'aient bouffé le cervelet*), mais vu que vous êtes marié et qu'on est censés travailler ensemble, sur le plan professionnel je crois simplement que ce n'est pas une bonne idée. Mais on fait toujours équipe, n'est-ce pas ? Et on reste amis, d'accord ?

— D'accord, répondit Walter.

En réalité, c'était pour lui une sentence dévastatrice. Walter venait de passer plus de deux mois à patrouiller en voiture à côté de cette femme, dont il était en mesure de dire qu'elle avait un corps superbe — corps qu'il crevait d'envie de voir délesté de son uniforme. Cette perspective, cette vision intérieure, lui avait fourni jusque-là un sens, un but, une raison d'avoir hâte de reprendre son service. Et voilà que tout était fini. Sauf qu'il allait devoir continuer à patrouiller à côté de cette femme, heure après heure, jour après jour. Et maintenant, il était censé faire quoi ? Lui faire la conversation ? Apprendre à la connaître ? Bon Dieu — quel gâchis !

Aussi, ce n'était pas une équipe heureuse qui patrouillait vers l'ouest sur Grand Avenue. Ni Monica ni Walter n'avait pipé mot depuis le départ du Burger King.

C'est Monica, au volant, qui repéra Andrew droit devant, au moment où il émergeait en courant de la rue transversale la plus proche du Woolworth, un revolver à la main.

— Individu armé à quinze heures, annonça Monica en écrasant le champignon. Prévenez le central !

Au moment où l'auto faisait un bond en avant, Walter attrapa le micro de la radio de bord. Devant eux, Andrew traversa le trottoir au sprint et s'élança sur Grand Avenue. Il vira à gauche, droit sur la voiture de patrouille. Monica pila, ouvrit sa portière, se coula sur le bitume et, accroupie, dégaina son Glock 40 semi-automatique. Walter, après avoir réclamé du renfort par radio, fit de même du côté droit. Les deux agents se redressèrent partiellement au ras de leur portière en pointant leur arme sur Andrew.

— Police ! cria Monica. Arrêtez-vous et posez cette arme, *immédiatement* !

— HAUT LES MAINS ! cria Walter.

Andrew s'arrêta et cligna des yeux dans le faisceau des phares de la voiture de patrouille.

— HAUT LES MAINS ! cria de nouveau Walter.

— Posez cette arme ! ordonna Monica.

— Elle est pas à moi, dit Andrew. C'est un mec qui nous a...

— Posez cette arme !

Andrew se plia en deux et déposa le revolver sur le

bitume. Le temps qu'il se redresse, Walter était sur lui. Il lui tordit les bras dans le dos et lui plaqua le visage contre le capot de la voiture de police. Monica ramassa précautionneusement l'arme — un 38 bon marché, le grand classique des samedis soir — et la déposa à l'intérieur de l'auto. Puis elle passa un appel radio pour signaler que le suspect était appréhendé.

Walter décrocha les menottes de sa ceinture. Il replia les bras d'Andrew un peu plus haut dans son dos.

— Ouille ! Écoutez-moi, s'il vous plaît ! Je ne suis pas le...

— La ferme, saligaud ! dit Walter, accentuant encore sa double clé au bras.

— Aïe ! S'il vous plaît, je suis pas...

— JE T'AI DIT DE LA FERMER !

Andrew la ferma. Il portait un pantalon kaki et un polo. Son nez saignait, et il était manifestement terrorisé. Aux yeux de Monica, il semblait à peu près aussi menaçant que Kermit la Grenouille.

— Agent Kramitz, dit-elle, peut-être qu'il n'est pas nécessaire de l'entraver tout de suite, si ?

Walter regarda Monica.

— C'est ce qu'on est censé faire dans ces cas-là, dit-il.

Il mourait d'envie d'étrenner ses menottes. Chez lui, parfois, quand sa femme était sortie, il s'entraînait à menotter une chaise à la table de la cuisine, mais il n'avait jamais menotté quelqu'un pour de vrai.

— Laissez-moi d'abord lui parler une minute, d'accord ? dit Monica.

Walter envisagea de s'opposer à sa coéquipière. Il se sentait nettement moins enclin à être arrangeant avec elle sur les procédures de police depuis qu'il savait qu'il ne la verrait pas nue. À contrecœur, il dit :

— D'accord.

Avec Walter juste à côté d'elle, prêt à bondir s'il le fallait, Monica informa Andrew de ses droits et lui demanda s'il avait compris. Andrew hocha la tête. Monica s'enquit ensuite de son identité.

— Andrew Ryan.

— D'accord, Andrew. Qu'est-ce que vous faisiez avec ce revolver ?

— Je l'ai ramassé là-bas, dit Andrew, avec un geste en direction de la rue transversale. Un mec nous a tiré dessus, il l'a laissé tomber, je l'ai ramassé et j'ai foutu le camp.

Walter ricana, histoire d'indiquer que lui, personnellement, n'était pas prêt à avaler ce genre de sornettes.

— Qui vous a tiré dessus, Andrew ? demanda Monica.

— Chais pas. Un gros type bizarre, qu'arrêtait pas de crier « HAUT LES MAINS » et de nous tirer dessus.

— Qui était avec vous ?

— Mes amis, Matt et Jenny.

Une synapse claqua dans le cerveau de Monica. *Andrew, Matt et Jenny*. Elle ne se rappelait pas au juste où elle avait entendu ces trois noms, mais elle savait qu'elle les avait déjà entendus.

— Qu'est-ce que vous faisiez là-bas ?

— Matt allait tuer Jenny, répondit Andrew.

— Il allait *quoi* ?

— Avec un *pistolet à eau*, dit Andrew. Ce n'est qu'un jeu.

— Bon sang ! lâcha Monica, qui venait soudain de se rappeler qui étaient Andrew, Matt et Jenny. Seriez-vous en train de parler de ce jeu — comment l'appelez-vous — le Killer ?

— Oui ! s'exclama Andrew. C'est ça ! Le Killer !

Monica soupira en se demandant pourquoi les gamins ne savaient plus se contenter des innocents plaisirs de la jeunesse, comme se torcher à la bière et se peloter dans les recoins sombres.

Une autre voiture de police arriva en renfort, sirène hurlante. Monica prit Walter à l'écart et lui dit :

— Laissons-leur le gamin et allons jeter un coup d'œil derrière le Woolworth, histoire de voir s'il y a vraiment eu quelque chose de ce côté-là.

Walter ricana.

— Vous croyez vraiment ce saligaud ?

— Je voudrais juste jeter un coup d'œil, d'accord ?

— D'accord, dit Walter, mais tout ce qu'on va trouver là-bas, c'est...

— POLICE !... À L'AIDE, POLICE !

Ce beuglement guttural venait d'être expectoré par la forme râblée de Jack Pendick, le Combattant du Crime, qui était en train d'émerger en tanguant de la rue transversale. Ayant repéré la voiture de patrouille, il zigzaguait dans sa direction.

— POLICE ! POLICE !

Il s'approcha sans cesser de crier et finit par crier à la figure de Monica, en l'aspergeant au passage d'un puissant effluve de rhum.

— POLICE !

— C'est exact, dit Monica, en plaçant une main sur sa poitrine et en le forçant gentiment à faire un pas en arrière, ce qui faillit le faire partir à la renverse. Nous sommes la police. Et vous, vous êtes qui ?

— Ils allaient la descendre ! cria Pendick.

— Qui ? demanda Monica.

— Les malfaiteurs ! expliqua Pendick. Ils l'ont emmenée derrière, là, avec un flingue, et... Hé ! Celui-là était avec eux !

Pendick plissa les yeux en regardant Andrew.

— Ouais ! cria-t-il. C'est un des malfaiteurs !

— C'était un pistolet à eau, crétin ! grommela Andrew.

— Et donc, vous... vous vous appelez ? s'enquit Monica.

— Jack Pendick.

— Donc, monsieur Pendick, vous avez vu ces personnes avec une arme, et après ?

— Je les ai filés, répondit fièrement Pendick. J'ai failli entrer dans la police.

— Un bon point pour vous, dit Monica. Vous portez une arme sur vous ?

— Un revolver, dit Pendick. Dans ma partie, j'en ai besoin.

— À savoir ? demanda Monica.

— Les lunettes de soleil, dit Pendick.

— Les lunettes de soleil ?

— Sauf que j'ai été viré, expliqua Pendick.

— Je vois, dit Monica, en se massant la tempe. Et où est votre revolver ?

— Je l'ai perdu là-bas, fit Pendick, avec un geste en direction de la rue derrière lui qui faillit lui faire perdre l'équilibre.

Monica ressortit le 38 de sa voiture et le lui montra.

— C'est votre revolver ?

Pendick le regarda en cillant à plusieurs reprises.

— Ouais ! C'est le mien ! J'peux le ravoir ? J'en ai besoin pour mon boulot...

— Pas tout de suite, dit Monica. Donc, vous avez suivi les malfaiteurs, et après, que s'est-il passé ?

— Il allait la descendre ! L'autre ! Il lui braquait un pistolet dessus !

— Un pistolet à eau, corrigea Andrew.

— Et là, j'ai crié « HAUT LES MAINS ! »

— Et après ? demanda Monica.

— Et après...

Pendick marqua une pause. Pour la première fois, dans les circonvolutions noyées d'alcool de sa maigre cervelle, il venait de sentir qu'il valait peut-être mieux faire attention à ce qu'il disait.

— Et après ? insista Monica.
— J'me rappelle pas, dit Pendick.
— Vous ne vous rappelez pas ?
— Non, répondit Pendick, secouant la tête avec une telle force qu'il chancela. Non-non-non-non.
Un groupe d'une douzaine de touristes, attiré par l'éclat des gyrophares, venait d'arriver de CocoWalk pour assister à l'action. L'un d'eux filmait la scène en vidéo. Des flics, des criminels, des armes à feu — *ça*, c'était enfin le Miami dont on leur avait rebattu les oreilles ! Enfin quelque chose à raconter, au retour.
Une poupée Barbie humaine — longues jambes, short moulant et débardeur minuscule, incapable de contenir une paire de seins exubérants et siliconés à quatre-vingt-quatorze pour cent — s'approcha de Walter :
— Qu'est-ce qui se passe, monsieur l'agent ?
— On a eu une petite fusillade, répondit Walter, d'un ton censé montrer qu'il ne comptait plus le nombre de fusillades où il avait déjà été impliqué. Mais ça y est, c'est réglé.
— C'est lui qui l'a fait ? demanda Barbie en montrant Pendick du doigt.
— C'est ce qu'on essaie de vérifier, dit Walter.
Il gonfla ses biceps autant que c'était possible sans être obligé de grogner de façon audible. La poupée Barbie humaine lui coula un regard indiquant clairement qu'elle comprenait — et appréciait — son effort. Elle pointa sur lui sa paire d'obus. Il y avait de l'amour dans l'air.
— Agent Kramitz... dit Monica.
— Quoi ? demanda-t-il, en se détournant à regret de la poupée Barbie.
— Vous pensez pouvoir garder le contrôle de la situation ici pendant qu'on va jeter un coup d'œil derrière ?
— Je m'en occupe, répondit Walter, qui reprit aussitôt sa contemplation des ballons captifs de Barbie.

Monica et les deux autres agents remontèrent la ruelle et passèrent une dizaine de minutes à inspecter le parking. Ils y trouvèrent un pare-brise étoilé autour d'un impact similaire à celui qu'aurait pu provoquer une balle ; ils y trouvèrent aussi une auto dont la portière arborait ce qui ressemblait à un impact de balle ; en revanche, ils n'y trouvèrent personne.

Le temps pour eux de revenir sur Grand Avenue, la foule de touristes avait enflé jusqu'à atteindre une centaine de membres. Dix ou douze Hare Krishnas l'avaient rejointe et manifestaient leur épanouissement spirituel en frappant leurs tambourins et en faisant des bonds. La poupée Barbie se tenait toujours très près de Walter, dont le visage était tout rouge d'avoir maintenu ses biceps en état de contraction maximale aussi longtemps. Plusieurs autres voitures de police étaient arrivées sur place. Était également arrivé l'inspecteur Harvey Baker, de la police de Miami, à qui Monica résuma la situation.

— Donc, dit Baker, vous me dites que c'est la deuxième fois que vous avez affaire à ces trois gosses en train de jouer avec un pistolet à eau et que, chaque fois, quelqu'un a débarqué au même moment pour tirer à balles réelles ?

— Apparemment, oui. Sauf que ce tireur-ci (Monica indiqua Pendick d'un coup de menton) n'arriverait même pas à toucher la planète sur laquelle il se tient.

— Tout de même, fit Baker, c'est une sacrée coïncidence, vous ne trouvez pas ? Un vrai tireur qui se pointe les deux fois ?

— C'est Miami.

— Bonne réponse, concéda Baker. D'accord, voilà ce qu'on va faire. Je vais embarquer ces deux-là, lui (il montra Pendick) et lui (il montra Andrew), histoire de tirer tout ça au clair.

— Je peux appeler ma mère ? demanda Andrew.

— Oui, dit Baker.

— Je veux appeler Comment-qui-s'appelle, intervint Pendick.

Il pensait à un avocat aperçu plusieurs fois dans une pub de la télévision locale, planté devant une bibliothèque de manuels de droit et affirmant en substance que toute victime de chute était habilitée à réclamer des dommages-intérêts.

— Qui ? demanda Baker.

— J'me rappelle pas, dit Pendick.

— Aucun problème, dit Baker, vous pouvez l'appeler.

— Tant mieux, dit Pendick, parce que j'ai des droits.

— Et comment, dit Baker. (Puis, à Andrew :) J'aimerais aussi parler à vos deux amis. Vous avez une idée de l'endroit où ils se trouvent ?

— Ils ont décampé quand ce mec s'est mis à tirer.

— Vous avez une idée de l'endroit où ils ont décampé ?

Andrew réfléchit un instant.

— À mon avis, ils ont repris la caisse de Matt et ils sont allés... je dirais soit chez le père de Matt, soit chez les parents de Jenny.

— Chez les parents de Jenny, décida Monica. C'est là que quelqu'un a tiré sur la télé l'autre soir, pas vrai ? Et c'est vous qui étiez dans le jardin avec Matt ?

— Ouais. Enfin, je veux dire, non.

— L'ami imaginaire, dit Monica en hochant la tête. (Et à l'inspecteur Baker :) Si j'allais faire un tour chez les parents de Jenny, histoire de voir si les gosses y sont ?

— Ça me paraît être une excellente idée, approuva Baker.

Monica lança un regard en direction de Walter, toujours en situation de verrouillage oculo-libidinal profond avec la poupée Barbie.

— Agent Kramitz, appela-t-elle. Vous êtes prêt à partir ?

— Ouais, répondit Walter. (Et, à Barbie :) Désolé, j'ai une intervention à faire. À plus tard.

Ses techniques d'investigation lui avaient permis de déterminer que Barbie était descendue à l'hôtel Doublefree, chambre 312, qu'elle partageait avec deux copines, mais que ça ne poserait pas de problème vu que les deux autres avaient prévu de passer la soirée à l'Orgasm, une disco de South Beach.

— Soyez prudent, dit Barbie, en posant une main sur son bras.

— Ne vous inquiétez pas pour nous, répondit Walter en transférant son effort de contraction du biceps au triceps. Nous sommes des professionnels.

Il pivota et, d'une démarche de professionnel, rejoignit la voiture de patrouille. En s'approchant de Monica, il lui glissa :

— Laissez-moi conduire, d'accord ?

Monica leva les yeux au ciel, lui remit les clés et s'installa côté passager. Walter offrit à la poupée Barbie un ultime aperçu de son bras hyper musclé, mit le contact et fit rugir le moteur. Il déclencha la sirène, et, avec un crissement de gomme totalement superflu, s'élança comme une torpille sur Grand Avenue.

Au bout d'une minute, Monica n'y tint plus :

— Walter, coupez cette fichue sirène !

Ayant jeté un coup d'œil dans le rétro pour s'assurer qu'ils étaient suffisamment loin de Barbie, il coupa la sirène.

— Au fait, dit-il, où est-ce qu'on va ?

— Garbanzo Street, là où on est déjà allés l'autre soir — cette maison où le gosse a débarqué avec son pistolet à eau au moment où quelqu'un d'autre dégommait la télé.

— Qu'est-ce qu'on va faire là-bas ?

— Voir si les deux autres gosses sont rentrés, répondit Monica. Matt et Jenny. L'inspecteur veut les entendre.

— Bon sang, on fait du ramassage scolaire, maintenant ? On aura tout vu.

Walter n'arrivait pas à croire qu'on l'entraînait loin d'une vraie scène de crime, avec une petite pépée bien chaude en prime, pour effectuer une mission aussi minable. Il n'était pas entré dans la police pour s'emmerder avec des mômes et des pistolets à eau. Il voulait de l'action.

Matt composa le code que lui avait donné Jenny, et le portail électronique qui bloquait l'allée de la maison Herk — tout juste réparé après avoir été forcé par la police — s'effaça en coulissant. Matt s'arrêta devant le garage. Jenny et lui descendirent de voiture et rejoignirent à pied l'entrée principale. Jenny, qui avait bien tenu le choc pendant tout le trajet, se mit à trembler comme une feuille quand elle inséra sa clé dans la serrure. Ayant enfin réussi à ouvrir la porte, elle se précipita dans l'entrée.

— M'man ! cria-t-elle. M'man, tu es où ?

— Jenny ? (La voix d'Anna venait du séjour.) Ça va, mon trésor ?

— M'man ! cria Jenny, en courant vers sa mère. On nous a tiré dessus ! Un type nous a tiré dessus, plusieurs fois !

Elle noua les bras autour de la taille d'Anna, secouée de violents sanglots.

— Qui ça ? demanda Anna en enlaçant sa fille. Qui vous a tiré dessus, mon trésor ? Où ?

Jenny sanglotait beaucoup trop pour pouvoir répondre. Matt entra à son tour dans le séjour.

— Que s'est-il passé ? lui demanda Anna. Qu'est-ce qui se passe, Matt ?

— On était dans le Grove... fit Matt. Pour jouer au Killer... J'allais tuer Jenny... Et quelqu'un s'est mis à nous tirer dessus.

— Avec un pistolet à eau ?

— Non, répondit Matt : Avec un pistolet-pistolet. À balles réelles.

— Mon Dieu ! s'écria Anna, horrifiée. *Qui ?*

— On n'en sait rien du tout, dit Matt. On aurait dit, je sais pas, un de ces cinglés...

— Oh mon Dieu ! dit Anna, serrant encore plus fort Jenny dans ses bras.

— On a décampé, dit Matt. Et on ne sait pas où est Andrew. Il faut prévenir la police.

— D'accord, dit Anna, faisant un effort pour se calmer. On va prévenir la police.

— Je peux appeler mon père d'abord ? demanda Matt.

— D'accord, appelle ton père, dis-lui que tu es ici, et après, on appellera la police.

— M'man, bégaya Jenny, j'ai eu tellement *peur*...

— Tout va bien, mon amour, murmura Anna en caressant la chevelure de sa fille. Tout va bien. Tu es à la maison, maintenant. Ici, tu ne risques plus rien.

Dehors, dans la rue, sur la banquette arrière de la Lexus, Snake vérifia dans le portefeuille d'Arthur Herk que l'adresse de son permis de conduire — 238 Garbanzo Street — correspondait à celle où Herk les avait menés.

— D'accord, dit-il une fois rassuré. Ouvre.

Herk composa le code électronique, et le portail s'effaça en coulissant. Snake demanda :

— Alors, chef, qui est-ce qu'on va trouver au nid ?

— Personne, répondit Arthur. Enfin, je veux dire, juste ma femme et sa gosse.

— C'est tout ? Rien que des meufs ?

Snake savait qu'en général les gros bonnets étaient protégés par un tas de porte-flingues.

— À ma connaissance, répondit Arthur.

— Ben t'as intérêt à ce que ce soit vrai, dit Snake, parce que, quand on va entrer, t'auras ce canon sur la tempe. Et si quelqu'un essaie de m'empapaouter, ta cervelle giclera sur le mur comme de la bolonaise.

— Écoutez, dit Arthur, vous avez pas besoin de me tuer. Vous n'avez qu'à prendre ce que vous voudrez, d'accord ? Prenez tout. *Tout.*

Snake réfléchit et dit :

— Ta femme... Elle est bonne ?

Arthur se retourna et regarda Snake dans les yeux.

— Extra, dit-il. Et sa fille aussi.

Buffy s'avançait à pas de loup dans le passage souterrain obscur et suintant, les poings crispés sur son épieu de bois, sachant qu'elle allait devoir anéantir la hideuse créature pour n'être pas anéantie par elle. La créature était tout près, Buffy le sentait.

Eliot aussi le sentait. Dans l'insoutenable tension du moment, il avait suspendu, temporairement, la mastication de ses chips. Les petites rondelles jaunes attendaient, en équilibre précaire sur sa langue.

Buffy repéra une brèche face à elle, sur sa droite, un trou percé dans le mur, bas et sombre. Elle s'arrêta devant, plongea le regard à l'intérieur, mais ses pupilles étaient incapables de percer les ténèbres. Elle savait pourtant que la chose était passée par là. Elle savait qu'elle allait devoir l'y suivre. Elle s'accroupit et, brandissant fermement son épieu, entreprit de se faufiler dans l'obscurité, quand soudain...

DRINNNG !

Eliot sursauta, et recracha des éclats de chips sur son short.

— Bon Dieu ! grogna-t-il en décrochant le téléphone. Allô ?

— On nous a tiré dessus et il faut qu'on prévienne la police.

— Matt? Ça va?

— Oui, mais il faut qu'on prévienne la police.

— Tu es où?

— Chez Jenny. Je l'ai ramenée avec la Kia.

— Comment ça, on vous a tiré dessus? Tu veux dire avec un pistolet à eau?

— Non, P'pa! Avec un vrai flingue!

— *Qui ça?*

— Un mec. Andrew a disparu, et on ne sait pas où il est, et je dois raccrocher pour qu'on prévienne la police.

— D'accord. Tu appelles la police, et moi, je saute dans un taxi à la seconde et j'arrive.

Eliot raccrocha, attrapa son portefeuille, enfila ses sandales et sortit au trot, sans prendre le temps d'éteindre la télé.

La créature jaillit de l'obscurité d'un bond et jeta Buffy à terre. Son épieu lui échappa et roula hors d'atteinte. La créature la dominait maintenant de toute sa hauteur, en rugissant, et sa gueule béante hérissée de crocs se déforma en un immonde rictus de triomphe. Buffy était vraiment dans de sales draps.

Matt raccrocha et jeta un coup d'œil à Anna et Jenny, assises sur le canapé. Anna avait un bras autour des épaules de Jenny, qui pleurait toujours, mais moins fort.

— Mon père arrive, dit-il. J'appelle la police.

Anna opina. Matt reprit le téléphone pour composer le 911. Il venait d'appuyer sur le 9 quand la porte d'entrée s'ouvrit à la volée, puis heurta le mur avec une force qui arracha un cri à Jenny. Matt raccrocha pour aller voir qui c'était.

8

Au Jolly Jackal, pendant que Leo balayait les fragments épars du tube cathodique, John se demanda s'il devait appeler ou non son contact de Penultimate pour lui signaler ce qui venait d'arriver à Arthur Herk. *Rien à foutre*, finit-il par décider. *À quoi bon chercher les embrouilles ?* Sur ce, la porte s'ouvrit et deux hommes entrèrent, un grand et un petit, tous les deux en costume. Le grand lui mit sous le nez son portefeuille, qui contenait un insigne de police.

— FBI, annonça-t-il. Je suis l'agent Pat Greer, et voici l'agent Alan Seitz.

John glissa un bref regard à Leo. Ils pensaient tous les deux la même chose — à savoir que, vu la façon dont se passait la soirée, ils auraient été peut-être mieux au Grzkjistan, à boire des solvants au bidon.

À l'agent Greer, John demanda :

— Comment moi pouvoir aider FBI ?

— En disant au FBI où est la valise... répondit Greer.

Et il ajouta, après une courte pause :

— Ivan.

John soutint son regard sans ciller.

— Je m'appeler John.

— Bien sûr, dit Greer. Vous vous appelez John, et vous

n'êtes qu'un petit commerçant immigré, dur à la peine et respectueux des lois, qui se démène pour maintenir à flot ce rade merdique où vous n'avez jamais de clients...

— Oui, dit John.

— Oui. Dans ce cas, vous ne verrez pas d'inconvénient à ce qu'on jette un coup d'œil à l'arrière-salle. Celle qui a toutes ces serrures.

— Vous avoir mandat ?

Greer chercha le regard de Seitz et secoua la tête.

— N'est-ce pas réconfortant, dit-il, cette capacité qu'ont certains immigrants fraîchement débarqués d'un pays lointain, sans rien d'autre que la chemise qu'ils ont sur le dos et peut-être éventuellement quelques centaines de milliers de dollars empochés en revendant du matériel militaire dont ils n'ont jamais été propriétaires, à s'adapter à notre mode de vie au point de tout de suite chercher à savoir si on a un mandat ? Est-ce que ça ne vous réchauffe pas les ventricules, agent Seitz ?

— Ça me les réchauffe à bloc, répondit l'agent Seitz. Je dirais même que ça me les crame.

Ivan fronça les sourcils et consulta Leo, qui haussa les épaules pour lui indiquer qu'il ne savait pas davantage que lui ce qu'étaient des ventricules.

Greer reporta son regard sur John.

— Écoutez, *Ivan*. Petit un, on vous tient déjà. Vous n'avez pas été assez vigilant dans le choix des gens avec qui vous faites vos affaires. On vous tient même tellement que, si on veut, il y aura des glaciers à Key West quand vous ressortirez de votre prison fédérale, d'accord ? Ça, c'est le petit un. Le petit deux, c'est qu'on n'a pas besoin de mandat. On opère dans le cadre du... comment ça s'appelle, déjà, ce bidule dans le cadre duquel on opère, agent Seitz ?

— L'ordre exécutif spécial 768, alinéa 4, récita Seitz.

— C'est ça, dit Greer. L'ordre exécutif spécial 768,

alinéa 4, qui dit en substance que lorsqu'il s'agit d'une affaire de sécurité nationale, ce qui est le cas, on a le droit de perquisitionner où on veut, et sans avoir besoin d'un mandat. On pourrait vous carrer une équipe de recherche et un doberman dans le trou du cul si on en avait envie, *Ivan*.

John regarda Leo, puis se retourna vers Greer et dit :

— Je veux avocat.

— Vous avez entendu, agent Seitz ? Il veut un avocat ! Comme c'est son droit le plus strict aux termes de notre Constitution ! Que nous tenons pour sacrée !

— Je lui mets une balle dans le front ? proposa l'agent Seitz en sortant un pistolet de son holster.

— Pas tout de suite, dit Greer. (Puis, en se tournant vers John :) Mon équipier souhaiterait vous mettre une balle dans le front, et je sais avec certitude qu'il a le droit de le faire dans le cadre de l'ordre exécutif spécial 768, alinéa 4. Mais, à titre personnel, je trouve que ce serait mieux, pour toutes les parties concernées, si vous vous contentiez de sortir votre trousseau de clés et de me faire visiter cette arrière-salle, d'accord ?

John resta un moment immobile, puis plongea une main dans sa poche.

— Tout doux, avertit Seitz, sans pointer son pistolet sur John, mais en relevant légèrement le canon.

D'un geste lent, John sortit un trousseau de clés.

— Excellent ! approuva Greer. Tout à fait dans l'esprit de l'ordre exécutif 768, alinéa 4 ! Maintenant, vous et moi, on va aller voir ce qu'il y a là-bas au fond. L'agent Seitz va rester ici, prêt à donner un coup de main à Leonid au cas où les clients débarqueraient trop nombreux pour qu'il puisse s'en occuper seul.

Greer et John empruntèrent le couloir jusqu'à l'arrière-salle. Seitz s'approcha du comptoir, enfourcha un tabouret et indiqua du menton l'écran pulvérisé.

— Qu'est-ce qui s'est passé ?
— Jerry Springer, dit Leo.
— Je comprends, dit Seitz.

— Qu'est-ce que tu en penses ? s'enquit Leonard. On passe par l'avant ?

Henry et lui avaient filé la Lexus d'Arthur Herk jusqu'au 238 Garbanzo Street. Ils l'avaient vue franchir le portail. Ils s'étaient garés le long du trottoir, quelques mètres au-delà de l'entrée.

— Non, dit Henry. Je crois qu'on va plutôt refaire le tour par-derrière.

— Avec ces putains de moustiques ? Pourquoi, bon Dieu ? Je veux dire, on entre, on fume notre oiseau, pan-pan t'es mort, et hop, on prend l'avion de Newark. C'est quand même pas ces deux zonards à *collant* qui vont nous mettre des bâtons dans les roues, nom d'un chien !

— Je veux voir ce qu'ils fricotent. Je veux savoir ce qu'il y a dans cette valise. Et je veux être sûr qu'on n'aura aucune surprise. Du genre mec tombé des arbres.

— Si on ne descend pas quelqu'un vite fait, soupira Leonard, je vais finir par oublier comment on s'y prend.

La première personne que vit Matt, en passant du séjour à l'entrée, fut Arthur Herk, sur le seuil de la maison. Matt allait lui dire bonsoir, mais la gueule d'Arthur — une gueule très désagréable, même pour Arthur — l'arrêta.

— Qui est-ce, Matt ?

C'était la voix d'Anna, venue du salon.

Matt allait répondre, mais il fut arrêté par la vision, derrière Arthur, d'un petit mec barbu et trapu qui transportait une valise. Et derrière ce mec... *La vache...*

— Qui est-ce ? répéta la voix d'Anna, plus fort.

Matt réintégra le salon, suivi de peu par Arthur et par Puggy.

Anna, en les voyant, s'écria :

— Arthur ! Qui est...

Elle retint son souffle, et Jenny poussa un cri à la seconde où le visage de Snake, déformé par le collant, entra dans son champ de vision.

— FERMEZ-LA si vous voulez pas vous faire descendre ! cria Snake, en agitant son flingue en direction d'Anna et de Jenny.

Elles se turent et fixèrent toutes deux, horrifiées, l'orifice du canon. Snake apprécia. Il appréciait de tenir un flingue, d'avoir dans la main ce truc magique qu'il n'avait qu'à pointer sur les gens, comme une baguette magique, pour qu'ils fassent ce qu'il voulait.

Il observa les deux meufs assises sur le canapé — les meufs du gros bonnet. Il était à peu près sûr d'avoir déjà vu la plus âgée quelque part dans le Grove... Ouais, c'était bien elle ; elle était passée devant lui tout à l'heure en l'ignorant comme une merde. Ce soir, ce serait différent.

Snake marcha vers Anna et Jenny ; elles se recroquevillèrent sur le canapé.

— Voyons voir ce qu'on a là, dit-il. Hmm-hmm... V'là deux jolies petites pouffes. Très jolies, même. (Il se retourna pour adresser un coup d'œil à Arthur.) Tout à fait comme vous me l'avez promis.

Anna dévisagea Arthur, qui esquiva son regard.

— Je sens qu'on va s'éclater, ce soir, dit Snake à Anna.

Il abaissa sa main sans arme et, d'un geste lent, délibéré, se caressa l'entrejambe.

— Si vous touchez à ma fille, avertit Anna, je vous jure devant Dieu que je vous arracherai les couilles.

— Votre fille, hein ? dit Snake, en étudiant Jenny, sans

cesser de se caresser l'entrejambe. C'est vrai, ça ? C'est une gentille petite fifille ? Qui veut pas laisser sa môman ?

Il leva son flingue, le braqua sur le visage d'Anna et vit dans la façon qu'elle avait de le regarder que, malgré ses menaces, il était le maître. Aussi longtemps qu'il tiendrait sa baguette magique, tout lui appartiendrait.

— Je touche ce que j'ai envie de toucher, dit-il.

Il écarta sa main de son bas-ventre et l'approcha de Jenny, qui se mit à gémir et recula en se ratatinant sur le canapé.

— Lâchez tout de suite ce flingue ou je vous bute, lança Matt.

Gardant Anna en joue, Snake tourna la tête et vit que le garçon le braquait avec un flingue. C'était le JetBlast Junior, mais, dans l'esprit de Snake, il était bien réel.

— Déconne pas avec moi, petit.

— Je vous jure que je vous bute, m'sieur.

— Si tu me butes, je bute ta copine.

Et il déplaça légèrement son canon de manière à avoir Jenny en ligne de mire. Pas question de renoncer à la baguette magique.

Ils restèrent ainsi cinq bonnes secondes, Matt visant Snake, Snake visant Jenny, sans que ni l'un ni l'autre ait la moindre idée de ce qu'il devait faire. Le silence fut rompu par un fracas venu de l'entrée — un fracas produit par Eddie qui, aveuglé par son collant, venait de trébucher sur un porte-parapluies. Le bruit fit réagir tout le monde, et surtout Matt, qui pressa la détente du JetBlast Junior et expédia un long jet d'eau en direction de Snake.

— Houp-là ! dit Matt.

En deux foulées, Snake fut sur lui et le frappa avec le canon de son arme.

— Ummphh, fit Matt.

Il tomba, en se tenant le visage à deux mains.

Snake s'agenouilla et enfonça le canon de son flingue dans l'oreille de l'adolescent.

— Sale petit merdeux, dit-il. Avant de te buter, je vais te forcer à mater ce que je fais à ta copine, t'entends ? *T'entends ?*

Il enfonça le bout du canon dans l'oreille de Matt.

— Oui ! Ouillouilloui !

— T'as intérêt à entendre, petit merdeux, dit Snake. Eddie ! Ramène-toi !

— Bon Dieu, Snake, protesta la voix d'Eddie, depuis l'entrée. T'arrêtes pas de dire mon nom !

— T'occupe. Ramène-toi et enlève-toi ce truc de la gueule.

— Mais... ils vont nous voir, dit Eddie, en arrivant à tâtons dans le séjour.

— On s'en fout, dit Snake en se débarrassant de son collant.

Il réagissait comme les gros bonnets, maintenant. Il avait un plan.

Eddie retira son collant, chassa quelques mèches huileuses de son front et cligna plusieurs fois des yeux en découvrant la scène du séjour. Sur le canapé, il y avait deux meufs, dont une à qui il avait essayé de soutirer de l'argent dans le Grove un peu plus tôt dans la journée, et une autre très jeune, mais toutes les deux beaucoup trop canon pour Eddie. Dans un coin, il y avait les deux mecs qu'ils avaient amenés du bar — le gros bonnet et le petit barbu costaud à qui Snake avait filé des coups de pied. Et par terre, un gosse qui se tenait la figure.

Eddie s'approcha de Snake et murmura :

— Snake, putain, qu'est-ce que tu fous ?

— Ce qu'*on* fout, murmura Snake, c'est qu'on va ficeler ces trouducs (il indiqua du menton Arthur, Puggy et Matt), et qu'après on va se payer de la moule (il indiqua du menton Anna et Jenny), et encore après, on va savoir ce qu'il y a dans cette valise, et aussi où ce mec planque sa thune, et après, on fait le ménage, et on se barre aux Bahamas, et on n'aura plus jamais besoin de bosser...

— Aux Bahamas ? répéta Eddie. Putain, Snake, on y connaît que dalle à ces foutues Bahamas !

— On apprendra.

Snake avait entendu dire qu'ils étaient vachement coulants avec les gros bonnets aux Bahamas.

— Ça veut dire quoi, faire le ménage ?

— Ça veut dire se débarrasser de tout ce qui encombre, dit Snake. Et maintenant, dégotte-nous une corde !

L'agent Greer, précédé par John, ressortit de l'arrière-salle du Jolly Jackal en secouant la tête.

— Elle n'y est pas, annonça-t-il à l'agent Seitz. Ils ont là-dedans suffisamment de matos pour faire la guerre à la Corée du Nord — mais pas de valise. Et notre ami Ivan, ici présent, m'affirme qu'il ne sait pas de quelle valise je veux parler.

— C'est vrai, ça, Ivan ? demanda Seitz.

John hocha la tête.

— Vous vous dites peut-être que vous allez pouvoir utiliser cette valise comme, disons, une monnaie d'échange ? s'enquit Seitz. Qu'on a tellement envie de mettre la main dessus qu'on va accepter de passer un marché avec vous — vous nous dites où elle est, et nous, en échange, on ne vous tape pas trop fort sur les doigts ? On vous renvoie simplement en Russie, par exemple ? C'est peut-être quelque chose comme ça que vous vous dites ?

John ne répondit pas. Mais c'était, en effet, très précisément ce qu'il se disait.

— Hmmm, dit Seitz, fronçant les sourcils. Qu'en pensez-vous, agent Greer ?

— Hmmm, dit Greer, fronçant lui aussi les sourcils. Qu'en pensez-*vous*, agent Seitz ?

— J'en pense, dit Seitz, marquant une pause, que c'est *niet*.

Sans descendre de son tabouret, il tira une balle dans le pied de John. Seitz était un tireur d'élite. John s'écroula en hurlant. Il empoigna sa chaussure — d'où s'échappait un flot de sang par deux orifices, l'un dessus et l'autre dessous.

— Ne faites pas le bébé, Ivan, dit Greer, laissant tomber son regard sur le Russe. Ce n'est que votre pied.

— Au Bureau, on appelle ça un « tir périphérique », expliqua Seitz. En général, la victime survit. Elle ne s'en tire pas aussi bien avec ce qu'on appelle le « tir centré ».

Greer se pencha sur la silhouette en train de se tortiller par terre :

— Qu'en pensez-vous, Ivan ? Vous voulez faire l'essai d'un tir centré ?

Entre ses dents, John grogna :

— Je dire à vous qui avoir valise.

Greer regarda Seitz.

— J'adore l'ordre exécutif spécial 768, alinéa 4, soupira-t-il.

Roger était à l'affût sur la terrasse, le museau à soixante-dix centimètres du Crapaud Ennemi. L'amphibien trônait dans la gamelle du chien, il mâchonnait ses croquettes et Roger le surveillait en grondant. La scène se prolongeait depuis plus de deux heures, mais Roger n'était absolument pas lassé. Surveiller le crapaud en grondant était toujours un des temps forts de sa journée.

Il redressa brusquement la tête en entendant une sorte de grattement du côté du mur d'enceinte, à l'autre bout du jardin. Ce grattement signifiait qu'une intrusion était en cours, et pour Roger, cela ne pouvait signifier qu'une chose : *il y aurait peut-être à manger.* En une fraction de seconde, il se désintéressa du crapaud et s'élança à travers les buissons, roquette velue et affamée.

Eddie n'ayant pas trouvé de corde, Snake lui donna pour instruction d'arpenter le séjour, la salle à manger, la salle de télévision, puis la cuisine, et d'arracher tous les câbles du téléphone, qu'il préférait de toute façon voir hors service. Il les rapporta ensuite dans le séjour. Anna et Jenny étaient toujours sur le canapé, tandis que Puggy et Arthur s'étaient assis par terre à côté de Matt — dont le visage était barbouillé de rouge et dont le nez saignait à peu près autant qu'à sa dernière visite chez les Herk, quand Anna lui avait sauté dessus.

— Bon, dit Snake, en indiquant les trois hommes assis. Ligote-les.

Eddie, hésitant, s'immobilisa juste derrière Matt.

— Quel nœud? demanda-t-il.

— Quoi, quel nœud? Tu les ligotes et c'est marre, putain!

— Je veux bien, dit Eddie. Mais moi, j'ai jamais été chez les scouts. Tout ce que je sais faire, c'est le nœud plat, et l'autre, là, comment qu'il s'appelle, le nœud d'ancre. Lequel tu veux?

— LIGOTE-LES, PUTAIN!

Snake avait d'ores et déjà décidé que, dès qu'il serait établi comme gros bonnet aux Bahamas, il se dégotterait un acolyte un peu moins naze.

Leonard, sentant très distinctement le poids de la deuxième assiette de spaghettis à la saucisse qu'il avait mangée au dîner, grogna en faisant basculer son corps par-dessus le mur d'enceinte de la propriété Herk. Il se laissa glisser jusqu'à terre près d'Henry, qui était déjà en train de scruter les frondaisons du gros arbre.

— Tu cherches Tarzan? demanda Leonard. Il est à l'intérieur de la bicoque, non?

— Je me disais que mon fusil était peut-être là-haut. On dirait qu'il y a une sorte de plate-forme, c'est de là qu'il a dû sauter.

Leonard leva à son tour la tête et dit :

— Et pourquoi est-ce qu'il aurait... HUMMPH!

Roger venait d'offrir à Leonard une démonstration d'affection en lui percutant tête baissée le bas-ventre, ce qui eut pour résultat de faire partir Leonard à la renverse.

— Fous-moi la paix, putain! grommela Leonard, les quatre fers en l'air, en essayant sans succès de repousser Roger (qui, ayant détecté des atomes résiduels de sauce marinara sur le menton de Leonard, s'efforçait frénétiquement de les lécher avant qu'un rival les ait repérés.) Henry, nom de Dieu, débarrasse-moi de ce clebs!

Henry attrapa Roger par la peau du cou et le lança loin de Leonard. Ce qui ne lui causa aucun inconfort physique, vu que Roger était, fondamentalement, un long muscle recouvert de poils et commandé par un système nerveux central de la taille d'un raisin sec. En fait, il était même ravi : il y avait un deuxième humain! Peut-être que celui-là avait à manger!

— Couché, saloperie! dit Henry, en essayant de repousser le chien qui s'était de nouveau dressé sur ses pattes arrière et en se demandant s'il allait devoir l'abattre.

Tout à coup, Roger dressa les oreilles. Il venait de détecter quelque chose que Leonard et Henry ne pouvaient entendre à cette distance : le bourdonnement de l'interphone ! Roger connaissait ce son ; il signifiait qu'un humain était arrivé. Et quelle que soit son identité, il pouvait avoir à manger ! Aussi vite qu'il était venu, Roger repartit en rase-mottes vers la maison.

— Je vais jeter un coup d'œil dans l'arbre, dit Henry.

Resté au sol, Leonard marmonna :

— On ne me fera plus jamais quitter le New Jersey.

Eddie, après avoir enroulé un cordon de téléphone autour des poignets de Matt, avait fait un nœud — il croyait que c'était le plat, mais en réalité, c'était un double nœud — quand l'interphone bourdonna dans l'entrée.

Tous les regards convergèrent sur Snake. L'interphone bourdonna de nouveau, plus longtemps.

— Viens, dit Snake, en empoignant Anna par le bras et en la forçant à se lever. Qui que ce soit, tu vas lui dire de s'en aller. Et pas de connerie, ou tu te fais descendre.

Il suivit Anna vers la sortie, s'arrêta sur le seuil du salon pour pouvoir surveiller les deux pièces en même temps. L'interphone sonna de nouveau. Anna pressa un bouton et parla :

— Qui est là ?

— Ici la police de Miami, répondit une voix masculine.

— *Merde !* murmura Snake.

— Agents Kramitz et Ramirez, reprit la voix dans l'interphone. On peut entrer, s'il vous plaît ?

Anna regarda Snake, dont le flingue était toujours braqué sur elle.

— Demandez-leur ce qu'ils veulent, murmura Snake.

— Qu'est-ce que vous voulez ? demanda Anna.

— On a besoin de parler à Jenny Herk, répondit la voix.

— Dites qu'elle est pas là, murmura Snake.

— Elle n'est pas là.

Il y eut une pause.

— D'accord, dit la voix. On peut quand même entrer et vous parler une seconde, madame ?

Anna regarda Snake, qui, après un nouveau *merde*, dit :

— Bon. Ouvrez le portail et attendez-les à la porte d'entrée.

— J'ouvre le portail, dit Anna.

Et elle composa le code.

— J'ai eu comme l'impression que quelqu'un lui soufflait ses réponses, déclara Walter pendant que le portail coulissait.

— Ouais, dit Monica, c'est aussi l'effet que ça m'a fait. Je me demande si c'était son mari.

— Le connard ?

— Oui, dit Monica. Si ça se trouve, Jenny leur a raconté ce qui s'est passé, et ils disent qu'elle n'est pas là pour la laisser à l'écart.

— Et éviter de se retrouver impliqués, dit Walter.

— Exact.

— Sauf que, compléta Walter en immobilisant la voiture dans l'allée des Herk, ils vont se retrouver impliqués quand même.

Monica et lui mirent pied à terre et marchèrent jusqu'à la porte d'entrée. Walter frappa et dit :

— Police.

La porte s'entrouvrit, juste assez pour révéler le visage d'Anna.

— Oui, monsieur l'agent ? En quoi puis-je vous être utile ?

Ses maxillaires étaient tétanisés, ses yeux trop grands ouverts. Walter lui-même sentit que quelque chose clochait : Monica et lui supposèrent que son connard de mari lui avait dit ce qu'il fallait dire, et qu'il était juste derrière, en train d'écouter.

— Madame Herk, dit Monica, nous voudrions parler à Jenny de... quelque chose qui vient de se passer dans le Grove. Nous pensons qu'elle et son ami Matt en ont été les témoins. Votre fille n'aura pas d'ennuis, mais il est important que nous lui parlions.

— Je vous l'ai dit, Jenny n'est pas là.

— Madame Herk, insista Monica, ça vous dérangerait qu'on entre une seconde ?

— Je... je... non, répondit Anna. Enfin, si... ça me dérange. S'il vous plaît, n'entrez pas.

— Quelque chose ne va pas, madame Herk ? s'enquit Monica.

— Non, répondit Anna d'une voix blanche. Non.

Monica et Walter échangèrent un regard. Ils savaient l'un comme l'autre que, sans mandat, ils n'avaient aucunement le droit d'entrer de force dans cette maison.

— D'accord, madame Herk, dit Monica. Je vais vous donner ma carte et, dès que Jenny sera rentrée, j'aimerais que vous nous passiez un coup de fil, d'accord ?

— Oui, dit Anna en prenant la carte d'une main tremblante.

Monica lut quelque chose dans son regard et, avant d'avoir pu se raisonner, elle plaqua son épaule contre la porte, poussa et entra.

— Vous ne croyez pas que vous pourriez aller un tout petit peu plus vite ? demanda Eliot au chauffeur de taxi.

Le chauffeur leva les yeux sur son rétroviseur et

dévisagea Eliot pendant plusieurs secondes, ce qui n'était pas à proprement parler une manœuvre dangereuse, étant donné qu'il roulait à douze à l'heure. Au fil des ans, Eliot avait remarqué qu'à Miami, contrairement aux autres villes, où ils avaient tendance à rouler plus vite que tout le monde, les taxis se traînaient comme des vaches malades. Et il soupçonnait celui-ci d'être défoncé à Dieu sait quoi.

— Y a pas le feu, si ? demanda le chauffeur, préférant toujours regarder Eliot plutôt que la route.

— C'est un cas d'urgence.

— Hmm... fit le chauffeur, sans accélérer pour autant. En vérité, il sembla même ralentir, le temps d'analyser ce qu'il venait d'entendre. Et, au bout de quelques secondes :

— C'est laquelle, Caramba Street ?

— Ce n'est pas Caramba Street, dit Eliot. Garbanzo Street. Garbanzo.

Cette nouvelle information incita le chauffeur à lever le pied.

— Ah... je croyais que vous aviez dit Caramba Street.

— Non, répondit Eliot, sur le point de perdre son sang-froid. Garbanzo.

Le chauffeur parut s'absorber dans ses méditations. Ils avançaient à présent nettement moins vite qu'Eliot ne l'aurait fait en marchant.

— Pour être franc, reprit le chauffeur, j'avais jamais entendu parler d'une Caramba Street.

— Écoutez, dit Eliot, si vous pouviez simplement...

— Je dis pas qu'y en a pas, précisa le chauffeur. Je dis juste que j'en ai jamais entendu parler.

— S'il vous plaît, pourriez-vous me déposer sur Garbanzo le plus vite possible ?

— Y a pas le feu, si ? demanda le chauffeur.

— C'EST UNE URGENCE, PUTAIN DE MERDE !

— D'accord, d'accord, dit le chauffeur en retirant ses deux mains du volant et en les levant devant lui, les paumes en avant, pour bien faire comprendre à son client que, hé, doucement, il avait pigé. Pas besoin de hurler.

Lorsque Monica poussa la porte d'entrée de la maison Herk, Anna recula d'un pas en titubant. Monica la dépassa en la frôlant, sans trop savoir ce qu'elle cherchait au juste. Puis elle s'arrêta net.

À deux pas en retrait, Walter, désarçonné par la décision de Monica, était en train de marmonner :

— Bon sang, Monica, qu'est-ce que vous...

Et il s'arrêta à son tour — parce qu'il venait de voir ce que Monica avait vu derrière Anna : Snake, planté sur le seuil du séjour, son flingue braqué sur eux. Walter crut reconnaître un calibre 45.

— Je vais vous buter tous les deux, gronda Snake. Je vous le jure sur la tête de Dieu, si vous me donnez le plus petit prétexte, je vous bute tous les deux, là, tout de suite.

— Nous n'allons pas... commença Monica.

— Bouclez-la ! Bouclez-la, et les mains en l'air. Eddie ! Ramène-toi !

Eddie apparut sur le seuil et vit les deux agents de police les bras levés.

— Oh putain, Snake...

— Ta gueule, bon Dieu de bon Dieu ! dit Snake. Fais juste ce que je dis. Referme la lourde, prends leurs flingues, et apporte-les-moi.

Eddie referma la porte d'entrée, s'approcha de Monica, détacha le bouton-pression de sa gaine et en tira un Glock 40 qui lui parut très lourd. Puis il soulagea Walter de son pistolet. Walter, les mains en l'air, gonfla ses biceps et darda sur Eddie un regard de tueur, ce qui ne servit à rien, vu qu'Eddie évitait soigneusement tout contact visuel.

Eddie, ayant transporté les armes des deux flics avec autant de précautions que si c'était un couple de belettes enragées, les remit à Snake, qui en fourra une dans chacune de ses poches. Il se sentait de plus en plus en confiance : il avait maintenant trois baguettes magiques. L'arrivée des flics avait été une sacrée surprise, mais il avait assuré comme une bête, oui ou merde ? Il avait déjà un nouveau plan, et il se trouvait bon à ce jeu-là, très fort pour prévoir dans sa tête les coups qu'il allait jouer.

Snake fit signe à Anna et aux deux agents de se diriger vers le séjour.

— Tout le monde là-dedans, dit-il.

— Vous commettez une erreur, dit Monica.

— La seule erreur, fliquesse, ça serait que t'ouvres encore une fois ta grande gueule, dit Snake. Les fliquesses saignent autant que les flics.

Il était ravi de sa réponse. Un gros bonnet aurait sûrement sorti quelque chose de ce genre.

Quand tout le monde fut réuni dans le séjour, Snake dit à Monica :

— Fliquesse, je veux que tu prennes les menottes de Musclor et que tu l'attaches à... à ce bazar, là.

Il gesticula en direction d'un énorme meuble hi-fi fait de tubulures d'acier — deux mètres quarante sur deux mètres quarante. Sur ses rayons, il y avait une chaîne, quelques vases décoratifs, et une grande photo encadrée d'Anna et de Jenny.

Monica retira les menottes attachées à la ceinture de Walter. Elle en ferma une autour du poignet de son coéquipier et l'autre autour d'un des montants d'acier du meuble de rangement.

— Serre davantage sur son poignet, ordonna Snake.

Monica, tout en adressant à Walter un regard d'excuse, serra davantage.

— Maintenant, dit Snake, lance-moi les clés.

Monica prit les clés de Walter et les lança à Snake.

— Maintenant, fliquesse, tu vas prendre tes menottes et tu vas menotter ce connard — il désigna Arthur — à l'autre bout de ce bazar, sans faire d'histoires, et bien serré.

Snake avait décidé que le gros bonnet et le flic musclé étaient les deux menaces principales de la pièce ; le reste, c'était que des petits merdeux et des femmes.

Monica menotta Arthur à l'autre bout du meuble hi-fi.

— Maintenant, file-moi les clés.

Snake aimait dire à la fliquesse ce qu'elle avait à faire.

Monica lui lança les clés.

— Maintenant, dit Snake, en pointant son flingue sur le visage de Monica, enlève ta chemise d'uniforme et montre-moi tes nibards.

Monica fixa le flingue.

— Allez, fliquesse, dit Snake. J'parie que t'as une belle paire d'ananas là-dessous.

Monica obligea ses yeux à se détourner du flingue pour rencontrer ceux de Snake.

— Allez vous faire foutre, dit-elle.

Snake la maintint en joue pendant quelques longues secondes. Et finalement :

— On verra peut-être ça plus tard... Eddie, finis de ficeler le petit merdeux (il désigna Matt) et après, tu ligoteras la fliquesse et la dame, dit-il en indiquant Anna.

— Et ces deux-là ? demanda Eddie, indiquant Puggy et Jenny.

— J'ai un plan pour ces deux-là, répondit Snake en lorgnant Jenny.

Eddie ramassa ses câbles téléphoniques et se mit à

l'ouvrage. Il aurait vraiment eu besoin d'aide pour les nœuds, mais il décida que ce n'était pas le moment de l'ouvrir, vu que Snake, avec ses trois flingues, semblait avoir carrément pété les plombs. Il fit donc de son mieux, en formant autour des poignets de ses prisonniers des boucles confuses et plus ou moins aléatoires.

Quand Eddie eut fini, Snake inspecta ses liens un par un. Les nœuds avaient tous une sale gueule, mais les cordons semblaient à peu près serrés. Satisfait, il rejoignit Arthur :

— Où est la thune ?

— Quelle thune ?

Snake leva sa jambe valide et expédia un grand coup de genou dans les parties intimes d'Arthur. Arthur couina et se plia en deux. Son bras menotté exerça une violente traction sur le lourd meuble hi-fi, qui se serait renversé si Walter, à l'autre bout, n'avait réussi à le remettre d'aplomb.

— Où est cette putain de thune ? demanda Snake, levant de nouveau son genou.

— Dans ma poche, bredouilla Arthur, pleurant de douleur. Je l'ai dans ma poche ! Ne me frappez plus !

— Sors-la de ta poche, connard.

En reniflant, Arthur tordit maladroitement son bras libre et plongea la main dans la poche droite de son pantalon. Il en ressortit une liasse épaisse — quatre mille cinq cents en billets de vingt, le reste des cinq mille dollars prélevés par Arthur sur les dessous-de-table de Penultimate. Il tendit la liasse à Snake, qui n'avait jamais vu, et encore moins touché, autant d'argent de sa vie. Snake était de plus en plus convaincu que le métier de gros bonnet de la drogue était vraiment le top du top en matière de boulot — vu qu'il permettait à un type de se balader avec ce genre de somme en liquide.

— T'en as d'autre ? interrogea Snake, le genou levé.

Il n'y comptait pas trop, mais ça lui plaisait de faire ramper le gros bonnet. Ces gros bonnets, tu leur mettais un bon coup de latte dans les roustons, ils se la pétaient un peu moins.

— NON ! beugla Arthur, carrément en sanglots. Je vous en prie, prenez l'argent, prenez la valise, prenez la fille, mais laissez-moi tranquille !

À ces mots, « Prenez la fille », Anna bondit en avant et s'efforça, malgré ses mains liées, de se remettre debout.

— Ordure ! hurla-t-elle. Comment peux-tu... ?

Snake s'approcha et, avec une nonchalance étudiée, repoussa Anna de la semelle, ce qui la fit retomber sur le dos. Matt avança en se tortillant, comme pour la protéger ; Snake balança un coup de pied dans son visage déjà sanguinolent, et il repartit en arrière avec un grognement sourd. Monica fit mine de se lever à son tour, mais Snake l'arrêta d'un regard, après quoi il braqua le flingue sur Walter, ramassé comme s'il s'apprêtait à bondir en entraînant le meuble hi-fi dans son élan.

— Vas-y, Musclor, fit Snake. Essaie un peu.

Jenny rejoignit sa mère en rampant et s'agenouilla tout contre elle. Snake se détourna de Walter et empoigna l'adolescente par les cheveux. Jenny poussa un hurlement quand il la tira en arrière.

Sans lâcher les cheveux de sa fille, il dit à Anna :

— T'inquiète, môman. Je vais bien m'occuper de ta fifille.

— S'il vous plaît, supplia Anna. S'il vous plaît, laissez-la. Prenez-moi à la place. Je ferai ce que vous voudrez. S'il vous plaît !

Snake réfléchit.

— Vous me montrez vos nibards ? demanda-t-il enfin.

— Oh mon Dieu ! lâcha Jenny en frissonnant.

Anna fixa Snake dans le blanc des yeux.

— Oui.

— Eddie, dit Snake. Ouvre la chemise de la dame.

— Bon sang, Snake, je...

— Fais-le.

Eddie vint vers Anna et se mit à tripoter les boutons de son chemisier. Il tenta de lui dire, avec les yeux, qu'il était désolé, mais elle ne le vit pas ; elle fixait toujours Snake dans le blanc des yeux. Eddie réussit à défaire les boutons et ouvrit le chemisier sur un soutien-gorge de dentelle blanche.

— Soulève-le, ordonna Snake, en se léchant les babines.

Avec précaution, Eddie souleva le soutien-gorge, dévoilant les seins lisses et généreux d'Anna.

— Oh mon Dieu, souffla Jenny, toujours aux pieds de Snake. (Elle ferma les yeux, comme si elle espérait faire disparaître ce moment.) Oh mon Dieu...

— La ferme, fit Snake en lui tirant les cheveux, sans quitter des yeux la poitrine d'Anna. (Il commençait à avoir la trique. À Anna, il dit :) Tu me laisses téter ?

— Bon sang, intervint Monica. Espèce de malade, vous...

— Oui, coupa Anna, en regardant toujours Snake dans le blanc des yeux. Oui, si vous la lâchez, je vous laisserai téter.

Snake fit semblant de soupeser l'offre de la femme désespérée qui lui faisait face, les seins à l'air. Il s'éclatait de plus en plus.

— Naan, dit-il, en tirant de nouveau sur les cheveux de Jenny pour approcher son visage trempé de larmes de son entrejambe. Mon petit doigt me dit que les nichons de fifille doivent être encore plus chouettes...

— NON ! hurla Anna, dont le regard s'enfonça, brûlant, dans les prunelles de Snake, alors même qu'elle luttait pour se maîtriser. Si vous lui faites quoi que ce soit, je jure devant Dieu que je vous tuerai !

— Sûr, fit Snake. Avec deux obus pareils, vous pouvez me tuer en cinq secs.

Sa langue lécha l'air. Il tira sur les cheveux de Jenny pour la mettre debout et se tourna vers Walter.

— Musclor, dit-il, qui c'est qui a les clés de la bagnole ?

Ivre de frustration à cause de son incapacité à étrangler ce salopard, Walter crispa les mâchoires et fusilla Snake du regard, comme s'il espérait le tuer par la seule force de sa rage.

Snake pointa le flingue sur sa figure et dit, très lentement :

— Dis-moi tout de suite qui c'est qu'a les clés.

Walter respira deux fois de suite par le nez. Ensuite, entre ses dents et en détachant chaque mot, il répondit :

— Elles sont sur la bagnole, salopard.

Snake pressa la détente. Son intention était de descendre Walter — il le visait —, mais lorsqu'il pressa la détente, le flingue bougea, et sa balle partit dans le mur, une poignée de centimètres au-dessus de la tête de Walter. Snake s'en étonna : il se prenait pour un tueur-né depuis qu'il avait effacé Jerry Springer comme à la fête foraine. Cela dit, il se sentit de nouveau mieux dès qu'il vit le malabar se faire tout petit, visiblement terrorisé. Snake décida de faire comme s'il s'était contenté d'un coup de semonce.

— La prochaine sera pour ta gueule, *salopard* !

Il pointa le flingue sur Puggy qui, toujours accroupi au sol et parfaitement immobile, espérait se faire oublier.

— Ramasse la valise, ordonna Snake.

Avec un soupir, Puggy se leva et ramassa la valise.

Snake saisit Jenny par le bras et dit à Eddie :

— On se barre. On a un avion à prendre.

Quel avion ? se demanda Eddie. Mais il garda sa question pour lui. Il n'avait aucune envie d'aller où que ce soit avec le nouveau Snake, celui des plombs pétés ;

d'un autre côté, il se dit qu'il ne pouvait pas trop non plus rester avec les flics. Il emboîta à contrecœur le pas de Snake, qui tirait Jenny et poussait Puggy vers la sortie.

Snake avait un instant envisagé de zigouiller tout le monde dans le séjour, mais il craignait — dans cette branche, il fallait toujours prévoir un tas de trucs — de gaspiller des balles dont il risquait d'avoir besoin aux Bahamas pour s'établir en tant que gros bonnet. Et puis, aussi, il avait entendu dire quelque part qu'on pouvait s'attirer un gros surplus d'emmerdes quand on descendait des flics. D'ailleurs, de la façon dont il voyait la chose, les prisonniers n'étaient pas vraiment une menace : les deux mecs avaient les bracelets, et tous les autres étaient ligotés. Snake avait une grosse liasse de biffetons et une valise qui — il en était absolument sûr, maintenant — contenait un gros paquet de came. Il avait trois flingues. Il avait une petite pouffe mignonne et tout effarouchée avec qui il s'amuserait plus tard, dès qu'il aurait le temps. Il était sur le toit du monde, voilà où il était. Et dire que pas plus tard que ce matin, il était encore un zonard bas de gamme.

Au moment où Snake ouvrait la porte d'entrée, la voix d'Anna l'appela, rauque et désespérée :

— S'il vous plaît... supplia-t-elle. Mon Dieu, s'il vous plaît, ne l'emmenez pas !

— T'inquiète, môman ! lança Snake. Je vais juste lui offrir un peu de bon temps.

Il referma la porte et, l'espace d'une seconde ou deux, les plaintes désespérées d'Anna furent le seul son audible à l'intérieur de la maison Herk.

— T'as pas entendu un coup de feu ? demanda Leonard.

— On dirait un pistolet, confirma Henry. C'est venu de la bicoque.

Les deux hommes se tenaient sous l'arbre de Puggy. Henry reprenait son souffle ; il venait de passer dix minutes à grimper sur la plate-forme — où il avait récupéré son fusil, toujours chargé et emballé dans une feuille de plastique — puis à en redescendre avec une extrême prudence.

— Tu crois que c'est notre oiseau qui s'est fait fumer ? demanda Leonard. Que le gang des collants nous aurait coiffés au poteau ?

— Ça se peut, répondit Henry, prenant la direction de la maison. Ça se peut aussi qu'ils se soient fait fumer par quelqu'un.

— Ou alors, ajouta Leonard en lui emboîtant le pas, peut-être que quelqu'un s'est enfin décidé à abattre ce putain de clebs.

Snake ordonna à Puggy de coucher la valise dans le coffre de la voiture de patrouille. Ensuite, il y fit grimper Puggy lui-même et referma le coffre. Il fit monter Jenny sur la banquette arrière et se glissa près d'elle.

— Tu conduis, dit-il à Eddie.

— J'ai jamais conduit une voiture de flics ! objecta Eddie.

En fait, il y avait quinze ans qu'il n'avait pas conduit de voiture, et la dernière, volée, avait fini sa course dans un canal.

— C'est juste une bagnole, putain ! dit Snake, qui était lui-même assez rouillé sur le plan du pilotage, raison pour laquelle il avait décrété qu'Eddie serait le chauffeur. Allez, conduis !

— On va où ? demanda Eddie.

— L'aéroport, dit Snake.

— C'est de quel côté ?

— Je parie que notre fifille sait ça, dit Snake, en plaçant une main sur la nuque de Jenny et en serrant. Pas vrai, fifille ?

Jenny acquiesça avec un gémissement de douleur.

Snake serra encore un peu plus.

— Ça c'est une bonne fifille, dit-il.

— Vous avez dit Garbanzo, c'est ça ? demanda le chauffeur.

— Oui, confirma Eliot. Garbanzo. C'est la prochaine à droite.

Le chauffeur ralentit afin d'assimiler cette information.

— La prochaine à droite, là, tout de suite ?

— Oui, *tournez tout de suite*, gronda Eliot, en agrippant le bord de sa banquette pour s'empêcher de hurler.

Le chauffeur marqua un arrêt complet à l'intersection, leva les yeux et scruta le nom de la rue, en étudiant la plaque avec autant de fascination que si c'était une nouvelle constellation dans le firmament. Enfin, il dit :

— Garbanzo.

— Bon Dieu... soupira Eliot.

Il ouvrit brusquement la portière, jeta un billet de vingt — il n'avait pas plus petit — sur la banquette avant, et sortit en trombe. Il claqua la portière et s'élança vers la maison Herk.

Le chauffeur de taxi considéra d'abord le billet de vingt, puis la silhouette de plus en plus indistincte d'Eliot.

— Y a pas le feu, dit-il. Si ?

Eddie tourna la clé dans le contact, et le gros V8 de la voiture de police revint à la vie en grondant. Sur la radio de bord, des voix gorgées de parasites disaient des choses en langage chiffré, ce qui le rendit encore plus nerveux. Il se retourna et jeta un coup d'œil à travers la lunette arrière.

— Y a un portail, dit-il à Snake.

— Je sais, dit Snake. Y a un portail. Fais une marche arrière, il s'ouvrira.

Avec précaution, Eddie plaça le levier de vitesse en position de marche arrière et appuya sur l'accélérateur. La voiture tressaillit, mais ne bougea pas.

— Ça bouge pas, dit Eddie.

Snake se pencha en avant et jeta un regard par-dessus le dossier du siège.

— T'as laissé le frein à main, trouduc ! dit-il, indiquant un levier estampillé FREIN juste à côté du genou droit d'Eddie.

Eddie, toujours en marche arrière, abaissa le levier. Les pneus hurlèrent, la voiture de patrouille bondit en marche arrière comme une fusée et enfonça le portail. Alors qu'elle déboulait en rugissant sur Garbanzo Street, Eddie écrasa frénétiquement la pédale de frein du pied droit et se mit à braquer ; la voiture de police tournoya sur elle-même comme une toupie en faisant fumer ses gommes, puis s'immobilisa après avoir violemment tangué à deux reprises sur ses amortisseurs.

— Bon Dieu... souffla Eddie.

Soudain, il prit conscience de la présence d'une silhouette immobile sur le trottoir, juste à côté du portail détruit. C'était un mec en short et sandalettes, et il lui gueulait dessus.

— Foutons le camp ! gronda Snake. Tout de suite, putain !

Eddie enclencha la marche avant et piétina l'accélérateur. La voiture de police s'élança en zigzags, faillit percuter un taxi, retrouva une trajectoire à peu près rectiligne et disparut dans la nuit.

9

— J'ai des droits, répéta Jack Pendick, le Combattant du Crime, pour la quarantième fois depuis le début de sa garde à vue.

— Tout à fait, monsieur Pendick, répondit l'inspecteur Harvey Baker. Vous avez des droits plein la besace. Et je suis sûr que vous allez les faire valoir un par un. En attendant, vous allez suivre ces agents, qui vont vous emmener dans une jolie chambre où vous allez pouvoir vous reposer et faire repasser votre alcoolémie à un niveau plus proche de nos connaissances actuelles en matière de soûlographie, d'accord ?

— Je pourrai ravoir mon calibre ? demanda Pendick.

— Bien sûr que oui ! Dès que nous aurons effectué quelques tests et qu'une guimauve parlante aura été élue à la présidence de ce pays.

— Ça vaut mieux, dit Pendick d'un air satisfait. Parce que j'ai des droits.

Une fois débarrassé de Pendick, Baker appela le central, pour la troisième fois, afin de savoir si les agents Ramirez et Kramitz avaient renoué le contact. Ils ne l'avaient pas fait. Baker s'en trouva contrarié. Il envisagea d'abord d'envoyer une voiture pour voir ce qui leur était arrivé. En fin de compte il décida — sans trop savoir pourquoi — d'aller lui-même faire un tour chez les Herk.

Dès qu'elle fut sûre que le méchant homme était parti, Nina sortit de sa chambre. Elle avait pointé le bout du nez à la porte tout à l'heure, en entendant des cris ; c'était alors qu'elle avait vu le méchant homme au fond du couloir, près de l'entrée. Il portait sur le crâne une sorte de collant, qui lui masquait le visage et écrasait ses traits, ce qui le faisait ressembler à un serpent. Il avait une arme et il criait sur quelqu'un. Il ne vit pas Nina. Elle referma sa porte sans bruit et poussa le loquet. Après, elle entendit encore des hurlements, et un coup de feu, et elle eut terriblement peur. Elle aurait voulu appeler la police, mais il n'y avait pas de téléphone dans sa chambre. Alors, elle se contenta d'attendre, assise tout au bord de son lit, le visage enfoui dans ses mains, jusqu'au moment où la porte d'entrée avait claqué et où elle n'avait plus entendu la voix du méchant homme.

Elle sortit et remonta le couloir en courant, vers le bruit des sanglots de Madame Anna. En arrivant sur le seuil du séjour, elle s'arrêta net et porta une main à sa bouche. Madame Anna était couchée sur le dos, les mains sous elle. Son chemisier était ouvert, son soutien-gorge relevé ; elle roulait des yeux de folle. À côté d'elle, Nina reconnut la policière qui était déjà venue l'autre soir ; elle avait l'air de se débattre avec quelque chose derrière son dos. À côté de la policière, elle reconnut Matt, l'ami de Jenny, son nez saignait, et lui aussi se débattait avec quelque chose derrière le dos. À côté du meuble hi-fi, que Nina époussetait une fois par semaine, le policier musclé de l'autre soir tirait sur ses bras en poussant des jurons. De l'autre côté du meuble, Herk faisait de même.

Nina courut vers Anna.

— Madame Anna ! s'écria-t-elle, en remettant en place le soutien-gorge de sa patronne.

— Nina... dit Anna. Ils ont emmené Jenny ! Ils l'ont emmenée !

— Nina, dit Monica en basculant sur le flanc et en tendant ses mains liées, détachez-moi ! *Desatame !*

Nina s'attaqua aux liens de Monica et les défit en quelques secondes. Puis elle détacha Anna, pendant que Monica détachait Matt.

— Il me faut une voiture, dit Monica.

— Celle de mon père est dehors, dit Matt, en sortant un porte-clés de sa poche. C'est la Kia.

— Merci, dit Monica en prenant les clés.

— Hé, Monica, qu'est-ce que vous faites ? demanda Walter, debout à côté du meuble hi-fi.

— Il faut que je rattrape ce détraqué avant qu'il ne soit trop tard, dit Monica.

— Comment est-ce que vous pouvez savoir où il va aller ?

— Il a dit qu'il avait un avion à prendre. À mon avis, il se dirige vers l'aéroport international.

— Détachez-moi d'abord de ce bazar, dit Walter en tirant sur ses menottes.

— Walter, dit Monica, je n'ai pas les clés de cette paire de menottes, et je n'ai pas non plus le temps de démonter ce meuble. Débrouillez-vous pour vous détacher, et ensuite, prévenez le central et dites-leur d'envoyer quelqu'un à l'aéroport.

— Vous ne pouvez pas me laisser ici ! protesta Walter. Comment est-ce que vous voulez que je me...

— Walter, coupa Monica en s'éloignant vers la porte, il faut que j'y aille. *Maintenant.*

— MERDE ! dit Walter, en tirant violemment sur le montant du meuble hi-fi, ce qui fit tomber la photo encadrée de Jenny et Anna. MERDE de MERDE !

Anna rattrapa Monica dans l'entrée.
— Je vais avec vous.
— Vous restez ici.
Anna saisit le bras de Monica à deux mains et serra.
— C'est ma fille, dit-elle, et je vais avec vous.
Monica comprit que si elle voulait empêcher cette femme de la suivre, elle allait devoir se battre avec elle.
— Entendu, lâcha-t-elle.
Elle ouvrit la porte.
— Je viens aussi, lança Matt, en apparaissant à son tour dans l'entrée.
Monica se retourna pour le regarder.
— C'est la voiture de mon père, plaida-t-il.
— Bon sang... soupira Monica.
Et elle franchit le seuil, talonnée par Anna et Matt.

Sur la terrasse, Roger le chien donna quelques coups de griffes sur la baie vitrée coulissante et aboya à deux ou trois reprises. Quelquefois, quand il faisait ça, un humain venait, le laissait entrer et lui donnait à manger. Mais, cette fois, personne ne vint. Roger entendait pourtant du bruit à l'intérieur. Il donna encore deux ou trois coups de griffes sur la baie vitrée. Rien. Il soupira et s'en retourna gronder face au Crapaud Ennemi.

Eliot, après avoir copieusement invectivé la voiture de police qui l'avait manqué d'un cheveu — et encore, uniquement parce qu'il avait fait un bond de côté —, resta figé quelques secondes sur le trottoir, plié en avant, les mains sur les genoux, à tâcher de se calmer. Il était fermement décidé à se plaindre au département de la police. Ces tarés de flics avaient déboulé de l'allée en *marche arrière*, nom d'un chien ! En enfonçant le portail !

Eliot inspira profondément deux ou trois fois, pour reprendre ses esprits, puis il franchit le portail détruit et entreprit de remonter l'allée à grands pas. Il avait presque atteint la porte d'entrée lorsque celle-ci s'ouvrit à la volée et qu'il manqua être renversé par un agent de police de sexe féminin, en qui il reconnut, au bout d'une seconde, la jeune femme dont il avait fait la connaissance ici même l'autre soir. Apparemment très agitée, la policière attrapa Eliot par le devant de son tee-shirt.

— Ils ont filé de quel côté ?

— Les flics ? fit Eliot. Ces crétins ont bien failli...

— Ce ne sont pas des flics, dit Monica. Ce sont des truands.

— *Quoi ?*

C'est alors qu'Eliot vit Anna, qui semblait encore plus agitée que Monica, et Matt, qui avait du sang plein le visage et le tee-shirt.

— Matt ! s'écria-t-il. Ça va ?

— Ils ont emmené Jenny ! dit Matt. Faut qu'on la retrouve !

— Ils ont emmené Jenny ? répéta Eliot. Qu'est-ce que...

— ILS ONT FILÉ DE QUEL CÔTÉ ? beugla Monica en secouant Eliot par le tee-shirt.

— Par là, répondit Eliot. Ils ont pris Garbanzo. On peut les suivre dans ma...

Monica, Matt et Anna couraient déjà vers la Kia. Eliot les rattrapa juste à temps pour se glisser sur la banquette arrière près d'Anna. Il était en train de refermer la portière quand quelqu'un la rouvrit brusquement. C'était Nina.

— Nina ! cria Anna. Vous ne devriez pas...

— Vous restez ici, ordonna Monica en démarrant. *Quedate !*

— Non, dit Nina en poussant Eliot pour se faire de la place et en claquant la portière.

Il n'était pas question pour elle de rester dans cette maison de fous — surtout avec M. Herk.

— Bon sang... soupira Monica, essentiellement pour elle-même, en conduisant la Kia vers la sortie.

— Et maintenant ? demanda Snake à Jenny.

La voiture de police fonçait vers le nord sur Le Jeune Road.

— Tout droit, répondit Jenny d'une voix éteinte.

— Bonne fifille, dit Snake en lui caressant la nuque.

Elle tenta de se dérober. Il l'attira violemment à lui. Dans l'habitacle fermé, il empestait.

Devant, Eddie s'accrochait au volant comme un naufragé à sa bouée. Sa conduite était erratique, ce qui n'avait rien d'exceptionnel à Miami, une ville où la plupart des automobilistes préféraient obéir aux règles et coutumes de circulation en usage dans leur pays d'origine. D'ailleurs, Eddie conduisait une voiture de police. Du coup, même quand il brûlait un feu rouge — ce qu'il avait déjà fait deux fois —, personne ne le klaxonnait.

— Snake, dit-il, il y aura sûrement un tas de gens à l'aéroport, et aussi des keufs...

— Et alors ?

Snake n'avait plus peur des keufs. Les keufs, il te les attachait aux meubles hi-fi en trois coups de cuiller à pot.

— Et alors, reprit Eddie, en tâchant de garder un ton calme, on est dans une bagnole de keufs, et au cas où t'aurais oublié, on n'est pas des keufs. Je me disais : on n'a qu'à s'arrêter quelque part, on laisse la bagnole, on laisse la fille, on laisse le mec dans le coffre, on prend la thune et on fout le camp.

Snake soupira.

— Tu parles comme un connard de perdant, Eddie. Tu vois pas ce qu'on a fait ? On a niqué les nazes du bar, on a niqué les flics, on a niqué le gros bonnet. On est en train de gagner, Eddie ! Et on va continuer !

Snake n'arrivait pas à croire qu'il avait gâché autant d'années de sa vie à harceler des blaireaux pour qu'ils lui refilent un peu de ferraille. Des putains de pièces jaunes. C'était le passé, tout ça. Il était décidé à aller de l'avant, vers l'avenir brillant qui lui souriait derrière le pare-brise, au-delà des paluches crispées à bloc de son futur ex-acolyte.

La frustration de Walter était telle qu'il aurait été capable de s'arracher le bras de l'épaule. Sa coéquipière était en train de se payer une *poursuite en bagnole*. Elle était lancée aux trousses de *dangereux bandits armés*. C'était un truc dont Walter rêvait depuis qu'il était entré dans la police, et pendant ce temps-là, lui, il était attaché à un *meuble hi-fi* ! Avec ses propres menottes !

Exploitant le fruit de centaines d'heures passées à grogner et à transpirer en salle de musculation, Walter exerça sur le meuble une formidable traction qui le fit basculer d'un seul coup vers l'avant. Le meuble massif s'écrasa au sol, précipitant Walter et Arthur à genoux tandis que les tablettes de verre se brisaient et que les divers éléments de la chaîne hi-fi volaient à travers la pièce. Le cadre, en revanche, resta intact : les tubes d'acier étaient costauds et solidement soudés.

— Pourquoi vous avez fait ça, bordel de merde ? beugla Arthur.

— J'essaie de péter ce bazar, répondit Walter. Vous n'avez pas envie de partir d'ici ? Vous n'avez pas envie de voler au secours de votre famille ?

Arthur resta muet. La réponse était clairement non.

— Merde, fit Walter, en tirant de plus belle sur ses menottes. (Et, à Arthur :) Il faut qu'on téléphone.

— Ils ont débranché tous les postes de cette partie de la maison.

— Vous en avez un dans votre chambre? demanda Walter. De l'autre côté du couloir?

— Ouais, dit Arthur. Mais comment voulez-vous qu'on fasse pour...

— Aidez-moi à relever ce bazar, grogna Walter, tout en luttant pour soulever le meuble d'acier.

— On pourra jamais déplacer ça jusqu'à la chambre, fit remarquer Arthur.

— On va essayer.

— Sans moi.

Walter exerça une forte poussée latérale sur le meuble; le montant opposé heurta l'épaule d'Arthur.

— OUILLE!

— Soit vous m'aidez à déplacer ce bazar, soit je vous coince contre le mur et je vous écrase comme un insecte.

Au prix d'un vigoureux effort, dont l'essentiel fut fourni par Walter, ils réussirent à redresser le meuble. Ensuite, ils entreprirent de le déplacer en le tirant et en le poussant jusqu'au seuil, où Walter s'aperçut qu'il était trop haut pour le plafond de l'entrée.

— MERDE! lâcha-t-il. Il faut qu'on arrive à sortir de la maison!

— Quoi?

— Il faut qu'on arrive à sortir, comme ça, on n'aura qu'à crier pour alerter les voisins.

— Sortir? Attachés à ce bazar? Putain, mais vous avez perdu la boule ou quoi?

Walter n'écoutait pas. Son regard était braqué sur l'entrée; le meuble n'avait aucune chance de passer par la porte. Alors, comment était-il entré dans cette maison quand il avait été livré ? Il se retourna vers la salle de télévision, et la réponse lui sauta aux yeux.

— Par ici, grogna-t-il, tout en exerçant sur le meuble hi-fi une traction aussi puissante que déterminée.

— Tu vois quelque chose ? demanda Leonard.

Henry et lui étaient tapis dans la masse végétale qui bordait la terrasse des Herk.

— Non, répondit Henry. Mais j'entends des choses.

— Ouais. On dirait qu'ils sont en train de bousiller le mobilier. C'est soit ça, soit un disque de rap.

— Dans un cas comme dans l'autre, dit Henry, je suis prêt à... Hé, vise un peu !

— Bon sang ! souffla Léonard.

La silhouette grognante et ployée par l'effort de l'agent Walter Kramitz venait d'entrer dans leur champ de vision, tirant le meuble hi-fi derrière elle.

— Un flic ?

— Du département de police de Miami, précisa Henry. Et un balèze, encore. Mais qu'est-ce qu'il fout, bon sang ?

— On dirait qu'il est attaché à une sorte de... bon Dieu de bon Dieu ! lâcha Léonard, tandis qu'Arthur entrait à son tour dans leur champ de vision.

— Notre oiseau, fit Henry. Il mène une vie intéressante, pas vrai ?

Ils regardèrent le policier massif, rouge comme une tomate, traîner sans relâcher un instant son effort un meuble hi-fi encore plus massif que lui, à l'autre bout duquel était menotté un Arthur Herk visiblement peu enthousiaste, vers la baie vitrée coulissante à travers laquelle était passée la balle d'Henry l'autre soir. Quelqu'un avait collé un bout d'adhésif sur l'orifice.

Quand l'étrange attelage ne fut plus qu'à quelques pas de la porte-fenêtre, Henry dit :

— Je viens de prendre une décision.

— Qui est ?

— Qui est que je vais m'occuper de notre oiseau. Définitivement.

— Là, tout de suite ? demanda Leonard. Alors qu'il est attaché à un flic ?

— Ouaip, répondit Henry. Le flic ne peut rien contre nous, vu qu'il est attaché à ce bazar. Et je veux liquider le boulot pour m'en aller d'ici. Plus on traînera dans le secteur, plus ça risque de devenir dingue...

— Tu l'as dit ! approuva Leonard. C'est Bargeville USA, ce bled à la con.

— Alors, on va lui régler son compte, dit Henry en levant son fusil. Et tout de suite après, on file à l'aéroport.

— Amen, dit Leonard, en s'efforçant vainement de chasser un moustique. L'aéroport, ça c'est une idée qui me plaît.

Roger ne savait plus trop quoi faire. D'un côté, il y avait à gronder devant le Crapaud Ennemi. Mais il y avait aussi ces humains qui venaient vers lui de l'intérieur de la maison, et ils avaient peut-être à manger. Sans compter que les deux autres humains, ceux qu'il avait salués tout à l'heure au fond du jardin, s'étaient rapprochés. Et Roger avait emmagasiné, quelque part dans sa structure cérébrale primitive, qu'il leur avait trouvé bon goût. Peut-être qu'il avait intérêt à aller les saluer une deuxième fois. Mais... et le crapaud ? Et les humains de la maison ? Toutes ces décisions à prendre !

Walter tenta de faire coulisser la baie vitrée ; elle était fermée à clé.

— Où est la clé ? demanda-t-il à Arthur.

— Aucune idée.

Arthur était très malheureux. Son poignet saignait, à cause de la friction des menottes.

— Tant pis, dit Walter, en déplaçant le meuble de manière à ce qu'il soit parallèle à la porte-fenêtre. À trois, on balance ce bazar à travers la vitre.

— Mon cul !

Walter se ramassa.

— Un...

— Qu'est-ce qu'ils font ? demanda Leonard.

— Une cible géniale, répondit Henry en collant l'œil à la lunette de son fusil.

— Deux...

— C'est du *verre*, espèce de crétin ! dit Arthur. Vous allez nous tuer !

— Trois !

De toute sa force, qui était considérable, Walter fit basculer le meuble hi-fi vers l'avant. À la même seconde, deux faits se produisirent. Un, Henry appuya sur la détente. Et deux, Roger — qui venait de décider qu'il lui restait, dans son agenda surchargé, juste le temps de caser une seconde visite à ses nouveaux amis — se précipita truffe en avant dans le bas-ventre d'Henry. Il en résulta que la balle tirée par Henry, au lieu de passer à travers le crâne d'Arthur comme elle aurait dû le faire, passa juste au-dessus. Cette péripétie ne fut pas à proprement parler une chance pour Arthur, étant donné ce qui se produisit ensuite, à savoir qu'Arthur, entraîné à travers la vitre fracassée par le poids du meuble hi-fi, partit en vol plané sur la terrasse, pour atterrir la tête la première dans la gamelle de Roger, tout contre le Crapaud Ennemi.

Lequel, n'ayant aucune intention de partager les croquettes de Roger avec qui que ce soit, vida immédiatement les glandes qu'il avait derrière les yeux, ce qui entraîna l'émission dans la figure d'Arthur de deux jets de bufoténine laiteux, épais et hautement hallucinogènes. Arthur produisit un râle et extirpa sa tête de la gamelle. Le crapaud se remit à manger.

Henry et Leonard se dirigeaient vers le mur dans l'obscurité, sans courir, mais sans non plus batifoler en chemin.

— Tu l'as eu ? demanda Leonard.

— Je crois. Le clebs m'est rentré dedans, mais je suis sûr d'avoir vu tomber notre oiseau.

— Le flic aussi est tombé, remarqua Leonard.

— Ouais, dit Henry. Je dirais qu'il a plongé en entendant le coup de feu.

— Tu vois pourquoi un flic aiderait ce mec à transporter un aussi gros meuble hi-fi à travers sa baraque ?

— Non, dit Henry.

— Bargeville USA, soupira Leonard.

— Garbanzo, tu parles d'un nom de rue ! marmonna Greer, qui lisait le plan pendant que Seitz conduisait. Écoute un peu les autres noms qu'ils se tapent dans le coin. Loquat. Kumquat. Non mais tu le crois ? *Kumquat.* Tourne à gauche, ici. Tu crois qu'ils ont notre valise ?

— Ça m'en a tout l'air, dit Seitz. Je veux dire, on s'est déjà plantés sur cette affaire, mais là, j'ai tendance à croire que ce bon vieil Ivan nous a dit la vérité.

— Moi aussi, opina Greer. Il n'avait pas l'air de tenir à se faire ventiler l'autre godasse. C'est ici, le 238 Garbanzo, sur la... tiens, qu'est-ce qui est arrivé au portail ?

— Quelqu'un a dû partir en coup de vent.

— Pour aller où, c'est ce qu'il serait intéressant de savoir, dit Greer.

— Espérons qu'il y a quelqu'un à l'intérieur qui pourra nous éclairer sur ce point, dit Seitz.

Walter, accroupi sur une litière de verre brisé, se démenait pour relever le meuble hi-fi. Il ne bénéficiait plus d'aucune aide d'Arthur qui, toujours à l'horizontale à l'autre bout, poussait des râles et frottait son visage en feu de sa main libre.

— Allez ! cria Walter, en secouant le meuble. DEBOUT !

— Ma figure ! râla Arthur. Je suis touché à la figure !

— Raison de plus, dit Walter. On pourra vous trouver de l'aide si on arrive à relever ce...

— LAISSEZ-MOI ! hurla Arthur. OH MON DIEU, LAISSEZ-MOI !

Arthur avait hurlé en regardant Roger qui, à deux pas de lui, croquait avec enthousiasme les quelques croquettes qui s'étaient échappées de sa gamelle quand la tête d'Arthur avait atterri dedans. En l'entendant hurler, Roger leva brièvement la tête et remua la queue pour lui faire comprendre qu'il passerait lui faire un petit coucou dès qu'il en aurait fini avec l'importante mission qu'il avait en cours.

— Bon sang, dit Walter, c'est un chien ! C'est *votre* chien !

Arthur se tourna vers Walter, les traits déformés par la terreur.

— Vous ne VOYEZ pas ? Vous ne LA VOYEZ pas ?

— Voir quoi ? De quoi est-ce que vous parlez ?

— ELLE ! dit Arthur. C'est ELLE !

— Qui ?

— CETTE FEMME ! dit Arthur, en montrant du doigt Roger, qui remuait joyeusement la queue. Celle du type, vous savez... Bob Dole[1] ! Sa femme !

Walter regarda Arthur, puis Roger, puis de nouveau Arthur.

— Vous croyez que ce... que c'est *Elizabeth Dole* ?

— OUI ! dit Arthur. C'EST ELLE !

Il lui faisait face, et aucun doute, c'était Elizabeth Dole — une femme qu'il avait toujours trouvée vaguement effrayante —, là, à deux pas de lui, sur sa terrasse. Et en même temps, *ce n'était pas* Elizabeth Dole. Elle avait le visage et la coiffure ultradisciplinée d'Elizabeth Dole, mais ses yeux étaient deux globes rouges, luisants et maléfiques, et elle avait de longs crocs acérés. Et aussi, elle mangeait des croquettes. Arthur savait — il le *savait* — qu'il était face à une forme démoniaque d'Elizabeth Dole, et qu'elle était là pour lui prendre son âme.

— LAISSEZ-MOI ! hurla Arthur au démon d'Elizabeth Dole.

Elle le regarda fixement, les yeux scintillants, en remuant sa queue de démon. Puis elle ouvrit sa gueule hérissée de crocs et s'adressa à lui, en prononçant son nom d'une voix atroce :

— Herk ! Herk ! Herk !

— NON ! hurla Arthur, en tirant violemment, de toutes ses forces, sur son poignet menotté et en cherchant à reculer à quatre pattes. NON, NON !

— ARRÊTEZ ! cria Walter. Ce n'est qu'un CHIEN, nom de Dieu !

1. Sénateur républicain battu par Bill Clinton aux élections présidentielles américaines de 1996. *(N.d.T.)*

Mais il n'obtint aucune réponse d'Arthur, qui regardait fixement Roger en gémissant. De l'écume commençait à sourdre de ses lèvres. Walter, sentant qu'il n'était pas près d'obtenir son aide, attrapa le meuble hi-fi par en dessous et entreprit de le soulever seul — Arthur compris. Il réussit en grognant à le soulever d'une trentaine de centimètres, mais ce ne fut que pour le laisser retomber à la seconde où une voix s'éleva dans son dos :

— Ça va comme vous voulez, monsieur l'agent ?

Walter se tordit les reins et vit deux hommes, un grand et un petit, tous deux en costume, debout au centre de la brèche béante qui remplaçait la baie vitrée.

— Qui êtes-vous ? lança-t-il.

Le grand sortit un portefeuille et l'ouvrit d'un geste sec sur un insigne de police.

— FBI. Je suis l'agent Pat Greer. Et voici l'agent Alan Seitz.

— Grâce au ciel, soupira Walter. Écoutez, j'ai besoin que vous...

— Nous cherchons un certain Arthur Herk, coupa Greer.

— C'est lui, là, répondit Walter, en montrant Arthur du doigt. Mais écoutez, j'ai besoin que...

— Pas tout de suite, coupa Greer.

— Mais mon équipière est...

— J'ai dit *pas tout de suite*.

Walter faillit perdre son sang-froid, mais il décida que, vu qu'il était entravé et qu'il avait affaire à un agent du FBI, le mieux était encore de la boucler pour le moment.

Greer s'approcha d'Arthur. Il fixait toujours Roger, qui, après avoir aspiré quelques ultimes microparticules de croquettes, léchait avec dévotion la partie de la terrasse où elles s'étaient trouvées.

— Monsieur Herk... dit Greer.

Arthur tourna lentement la tête vers Greer. Ses pupilles avaient le diamètre d'une pièce de dix cents.

— Monsieur Herk, dit Greer, je suis du FBI, et j'ai besoin que vous me disiez où est la valise.

Arthur ouvrit la bouche, libérant un filet de bave écumeuse qui dégoulina sur son col de chemise.

— Monsieur Herk, dit Greer, vous m'avez entendu? C'est très important.

Arthur ferma lentement la bouche, la rouvrit, et dit :

— Elle veut mon âme. Ne la laissez pas prendre mon âme.

— Ne pas laisser *qui* prendre votre âme? demanda Greer.

— Elle, répondit Arthur, montrant Roger.

Roger remua la queue.

— Le chien? demanda Greer.

— Il croit que ce chien est Elizabeth Dole, expliqua Walter.

— Bon Dieu! fit Greer en se massant les joues. (Et à Seitz :) Qu'est-ce que vous en pensez?

Seitz plongea son regard dans les yeux hallucinés de Herk.

— Il n'est plus là, répondit-il. Et à mon avis, on n'est pas près de le récupérer.

Greer se tourna vers Walter.

— Écoutez, nous avons de bonnes raisons de croire que Herk était en possession d'une valise, probablement métallique, et très lourde. Vous avez vu cette valise?

Walter réfléchit un instant avant de répondre :

— Ouais. Ils avaient une valise. Ils sont partis avec.

— Qui ça, « ils »? interrogea Greer, qui était à peu près sûr de le savoir déjà grâce aux informations de John.

— Un salopard qui se fait appeler Snake, répondit Walter. Lui et un autre salopard, ils étaient déjà dans la place quand on a débarqué, mon équipière et moi. Il avait un flingue, et c'est comme ça que je me... enfin, je veux dire, que nous nous sommes fait surprendre. Ils ont emmené la fille de ce type (il indiqua Arthur), et aussi un petit mec barbu. Le petit mec portait la valise. Ils ont piqué notre voiture de patrouille. Mon équipière s'est lancée à leur poursuite avec la femme de ce type...

— Direction ? demanda Greer.

— L'aéroport, répondit Walter. International. Le salopard a dit qu'il avait un avion à prendre.

— Il a dit pour où ? demanda Seitz.

— Non, répondit Walter. En fait, c'est juste Monica — mon équipière — qui a supposé qu'ils allaient à l'aéroport.

Greer et Seitz se consultèrent du regard.

— Qu'est-ce que vous en pensez ? demanda Greer.

— J'en pense qu'on va foncer à l'aéroport international.

— Moi aussi, dit Greer. (Et à Walter :) Gardez cet homme au frais pour nous, d'accord ?

Il fit demi-tour.

— Hé ! cria Walter. Vous n'allez pas me laisser comme ça !

— Désolé, dit Greer, mais il faut qu'on y aille.

— JE SUIS AGENT DE POLICE ! protesta Walter.

— Je sais, dit Greer. Je sais aussi que vous êtes un *excellent* agent de police, parce que je ne vois pas d'autre explication au fait que vous soyez entravé à un meuble hi-fi à l'autre bout duquel est attaché un homme qui prend son chien pour Elizabeth Dole. Mais il faut vraiment qu'on y aille.

Sur ce, Seitz et lui disparurent de la maison.

— REVENEZ ICI, BON SANG ! glapit Walter.

Arthur fixait toujours Roger.

— Elle va m'avoir, dit-il. Je le sens. (Et, s'étant tourné vers Walter :) Elle vous aura aussi.

— Herk ! Herk ! cria Elizabeth Dole.

— À droite ! cria Snake. Putain, mec, t'as pas vu cette saloperie de panneau ?

La voiture de police volée roulait toujours sur la file de gauche de Le Jeune Road, cap au nord. Eddie, bien trop occupé à scruter la route devant lui pour remarquer le panneau de l'aéroport international de Miami, braqua à droite, traversa trois files en diagonale et fit une queue de poisson à un taxi — qui freina dans un hurlement de gomme et coupa latéralement la trajectoire d'une camionnette à plateau Ford 1963 toute cabossée qui transportait une énorme caisse. La camionnette percuta le taxi par le flanc et le poussa sur quelques mètres avant de s'immobiliser en fumant. L'impact fit basculer la caisse par-dessus le plateau de la camionnette. La caisse tomba sur le bitume, où elle fut heurtée de biais par une Toyota Tercel, ce qui provoqua son ouverture et la libération de son contenu — huit chèvres. Ces chèvres, qui devaient en principe être vendues à Hialeah afin de servir aux sacrifices rituels pratiqués par les fidèles de la religion Santeria, redevinrent d'un seul coup des chèvres libres, lâchées au milieu d'une multitude de véhicules qui se mirent aussitôt à zigzaguer et à klaxonner.

Sans s'intéresser plus qu'il n'était nécessaire au chaos qu'il venait de semer derrière lui, Eddie s'engagea sur la bretelle d'accès de l'aéroport, où il fut confronté à un défilé ultra-rapide de panneaux truffés d'informations concernant le stationnement, le retour des voitures de location, l'emplacement des terminaux, et autres sujets auxquels il n'entendait strictement rien.

— Je prends par où ? demanda-t-il.

Snake, qui lui-même n'avait jamais beaucoup pratiqué la voie aérienne, scrutait les panneaux dans l'espoir de trouver une quelconque référence aux Bahamas, mais il n'en trouva aucune.

— T'as qu'à continuer tout droit.

— D'accord, fit Eddie, mais là, en haut, il va falloir choisir un côté, soit les Arrivées, soit les Départs.

Dans l'esprit de Snake, c'était une question piège. D'un côté, il se dit qu'ils devaient choisir les Arrivées, vu qu'ils arrivaient à l'aéroport. Mais d'un autre côté, comme ils avaient l'intention de partir de l'aéroport, il valait peut-être mieux aller aux Départs. Snake envisagea de demander à la fille, mais il n'avait pas envie d'admettre son ignorance, sans compter qu'elle avait l'air totalement à côté de ses pompes. Finalement, il décida de se jeter à l'eau et dit :

— Départs.

— Va pour les Départs, dit Eddie, avec un nouveau coup de volant.

Quand l'inspecteur Harvey Baker arriva à l'adresse des Herk, il constata que le portail d'entrée était couché en travers du trottoir et que la voiture de ses agents n'était plus là. Il se gara dans la rue et remonta l'allée à pied. La porte d'entrée était ouverte. Il s'immobilisa un instant sur le seuil et tendit l'oreille ; à l'intérieur, un bruit de pas semblait venir vers lui. Ayant dégainé son pistolet, il se posta à côté de la porte et attendit. Deux hommes émergèrent du vestibule, à pas rapides.

— Stop ! ordonna Baker. Police !

Les deux hommes firent halte et se retournèrent à l'unisson pour faire face à Baker. Le plus grand soupira et dit :

— Nous sommes du FBI.

— Vous pouvez le prouver ? demanda Baker.

— Si vous me permettez de sortir mon insigne, oui, répondit Greer.

— Allez-y doucement, fit Baker.

Greer sortit son portefeuille et l'ouvrit d'un geste sec sur son insigne. Baker y jeta un coup d'œil et rengaina son arme.

— Je suis l'inspecteur Harvey Baker, du département de police de Miami.

— Je suis l'agent Greer. Et voici l'agent Seitz. Loin de moi l'idée d'être grossier, inspecteur, mais nous ne pouvons pas rester...

— Vous pouvez me dire ce qui se passe ici ? demanda Baker.

— Pour être tout à fait honnête, non, répondit Greer.

Greer et Seitz partirent vers l'allée. Baker les suivit.

— Hé, donnez-moi une minute !

— Nous n'avons pas une minute, lui lança Greer pardessus son épaule.

Baker lui saisit le bras et le força à se retourner.

— Je suis sûr que si, dit Baker.

— Inspecteur, soupira Greer, nous travaillons sur une affaire fédérale de la plus haute importance, et je suis tout à fait désolé, mais on n'a pas le temps de vous l'expliquer en long et en large.

Seitz et lui se retournèrent et se remirent à marcher.

— Halte ! dit Baker.

Greer et Seitz jetèrent un coup d'œil en arrière. Et cessèrent tous deux de marcher parce que Baker venait de ressortir son pistolet.

— Vous commettez une grosse erreur, inspecteur, dit Greer.

— Écoutez, dit Baker. Je ne sais pas pourquoi vous êtes ici. Mais moi, j'ai envoyé deux agents de police à cette adresse et ils n'ont pas donné signe de vie depuis un bon bout de temps, et maintenant que j'arrive, je trouve le portail par terre et la porte grande ouverte, et vous deux ici, et je veux savoir ce qui se passe, *tout de suite*, et si vous ne me le dites pas, je vous arrête, et votre affaire fédérale de la plus haute importance, vous allez pouvoir vous la carrer au fond de votre cul fédéral.

Greer chercha le regard de Seitz, qui haussa les épaules.

— D'accord, dit Greer. On va vous le dire. Mais il faudra que ce soit sur le chemin de l'aéroport. Vous n'avez qu'à venir avec nous.

— Est-ce que mes agents sont à l'aéroport ? demanda Baker.

— Un des deux, dit Greer. Celui pour lequel vous avez raison de vous faire du mouron.

La Kia, avec Monica au volant, filait sur Le Jeune à cent trente à l'heure — soixante de plus que la limite autorisée. Monica se reposait beaucoup sur son Klaxon et enfreignait à peu près toutes les règles de la circulation. Matt, à côté d'elle, les pieds collés l'un contre l'autre sur le tapis de sol, tâchait de ne pas avoir l'air trop effrayé. À l'arrière, Nina priait à mi-voix en espagnol. Anna pleurait, le corps secoué de sanglots. Et Eliot, sans trop savoir si c'était vraiment le truc à faire, lui avait mis un bras autour des épaules.

— Il ne lui arrivera rien, rassurez-vous, dit-il.

— Vous ne pouvez pas le savoir, bégaya Anna. Vous n'avez pas vu cet homme, ni la façon dont il... il...

Anna craqua une nouvelle fois en repensant à Snake, à ses mains sur Jenny.

— Ils n'iront pas loin, dit Eliot, en se sentant vaguement coupable de la façon dont une partie de son cerveau trouvait très agréable d'avoir un bras autour des épaules d'Anna. Je veux dire, c'est une grande ville, la police est partout...

— Il a raison, dit Monica en déboîtant sans préavis pour doubler un bus. Mon équipier va prévenir le central, et le temps qu'on arrive à l'aéroport, ces fumiers seront déjà en garde à vue.

Enfin j'espère, compléta-t-elle en son for intérieur, et elle se demanda si elle n'aurait pas dû s'assurer que Walter avait les moyens de se libérer, ou alors prendre le temps de passer elle-même un appel au central. Elle se demanda aussi si elle avait deviné juste en ce qui concernait l'aéroport.

— Quelqu'un a un portable ? demanda-t-elle.

— Moi, répondit Anna. Mais pas ici. Pourquoi ?

— Laissez tomber, dit Monica. On est presque arrivés. On appellera d'une... *merde* !

Devant eux, le trafic semblait paralysé. Des gens sortaient de leur voiture. Un homme avait escaladé le toit de la sienne pour tenter de visualiser le problème. Un peu plus loin, dans l'espace resté libre entre deux files, une petite forme sombre galopait en zigzags, disparaissant et reparaissant par intermittence, poursuivie par un homme lancé au sprint.

— Est-ce que ce n'était pas... une chèvre ? demanda Matt.

La voiture de police dérivait lentement dans le flot de circulation de la route d'accès à l'aéroport international de Miami. Snake tentait de décrypter les panneaux qui portaient une quantité déconcertante de noms de compagnies aériennes — TAM, LTU, Iberia, KLM, BWIA, Lacsa —, dont aucun ne donnait le moindre indice, en tout cas pas à Snake, sur l'endroit où ces compagnies permettaient d'aller.

Snake repéra un tronçon de trottoir désert sur leur gauche, devant un immeuble de parking en construction.

Ce parking aurait dû être inauguré un an plus tôt, mais il était l'œuvre de Penultimate SA — qui avait largement dépassé les délais, et aussi le budget initial, parce que des pans entiers de la structure (Penultimate avait invoqué l'incompétence des sous-traitants) persistaient à s'effondrer. L'entrée du garage était donc bloquée par des barrières mobiles, elles aussi fournies par Penultimate pour un coût qui était pratiquement le triple de celui que les autres fournisseurs de barrières mobiles avaient proposé.

— Là, dit Snake à Eddie, en désignant l'entrée du chantier.

Eddie immobilisa la voiture de police devant une barrière. Il se retourna vers Snake.

— Déplace ce truc et entre, ordonna Snake.

Eddie, qui ne cherchait plus à discuter avec Snake de quelque sujet que ce soit, déplaça la barrière, conduisit la voiture à l'intérieur du parking inachevé et remit la barrière en place. Pendant un moment, resté seul à l'extérieur, il envisagea de partir en courant, mais il vit que Snake l'observait par la lunette arrière et remonta dans la voiture.

— File-moi ton sweat-shirt, ordonna Snake.

Eddie fit mine de dire quelque chose puis retira son sweat-shirt. Jadis, ce sweat-shirt avait été bleu ciel, mais, à présent, il avait fondamentalement la couleur de la crasse. Il portait dessous un tee-shirt qui avait dû être blanc autrefois, bien qu'à ce stade ce soit impossible à prouver. Il remit son sweat-shirt à Snake, qui s'en servit pour envelopper le flingue qu'il tenait dans sa main droite. De la gauche, il attrapa la nuque de Jenny et lui fit baisser la tête jusqu'à approcher ses yeux à dix centimètres du canon.

— Tu vois ce flingue, fifille ?

Jenny hocha la tête.

— À partir du moment où on sera sortis de cette

bagnole, j'aurai ça dans la main, braqué sur toi. Tu fais la plus petite connerie, n'importe laquelle, je te bute. D'accord ? T'as pigé ?

Il appuya durement sur sa nuque.

Jenny hocha de nouveau la tête, avec une grimace effarée.

— Bonne fifille, dit Snake.

10

— Bien, dit Baker, je vous écoute.

Il était assis à l'arrière de la voiture de location. Seitz avait pris le volant, avec Greer à sa droite.

— Bon, dit Greer. Étant donné que vous êtes flic et que vous avez des agents impliqués dans cette histoire, je vais vous mettre au parfum. Mais ensuite, il se peut que je sois obligé de vous tuer.

— Ha-ha ! dit Baker.

— C'est ça, ha-ha, dit Greer, échangeant un regard avec Seitz. Bref, ce qu'on cherche, c'est une valise, métallique, et plutôt lourde.

— Quel rapport avec la maison Herk ?

— On pense que cette valise était là-bas ce soir. On pense que deux petits zonards ont mis la main dessus et qu'ils roulent en ce moment vers l'aéroport, peut-être avec des otages, dont l'un est la fille Herk. Et probablement dans la voiture de vos agents.

— Quoi ? s'exclama Baker. Et mes agents ?

— Un de vos agents — Monica, je crois que c'est ce nom-là — se dirige vers l'aéroport dans une voiture civile, avec des civils.

— Bon sang... Et l'autre ?

— Il est chez les Herk. Attaché à un gros meuble hi-fi auquel est aussi attaché Arthur Herk.

Baker se pencha en avant et saisit l'épaule de Greer.

— Vous êtes en train de me dire qu'on a laissé sur place un de mes agents dans le pétrin ?

— Du calme ! répondit Greer, en chassant la main de Baker. Votre agent va bien. Il n'ira nulle part, c'est sûr, mais il va bien, et il rend service au gouvernement fédéral en gardant l'œil sur un suspect de trafic d'armes.

— D'armes ? demanda Baker. C'est ce qu'il y a dans cette valise ? Des armes ?

— On le pense, dit Greer.

— Vous voulez dire des armes à feu ?

— J'aimerais bien, lâcha Seitz.

— Pour être franc, dit Greer, on ne sait pas, à cent pour cent, ce qu'il y a dans cette valise-là. Mais on en a une petite idée, et si on a raison, vous pouvez me croire, on a tout intérêt à l'avoir récupérée avant que des abrutis quelconques aient eu le temps de déconner avec.

— Bon, dit Baker. S'il s'agit bien de la valise qui vous intéresse, qu'est-ce qu'il y a dedans ?

Greer se contorsionna sur son siège de manière à pouvoir fixer Baker dans le blanc des yeux.

— Rien de bon, dit-il.

— Comment ça ?

— Rien que du très, très mauvais.

— Qu'est-ce que vous me chantez ? Ce n'est jamais qu'un objet qui tient dans une valise, pas vrai ? Comment est-ce que ça pourrait être aussi terrible ? Ce n'est quand même pas comme si on parlait d'une bombe atomique, pas vrai ?

Greer le regarda fixement.

— Pas vrai ? insista Baker.

Greer continuait de le regarder fixement.

— Attendez, fit Baker. Vous n'êtes pas en train de me

dire... c'est une blague, pas vrai? (Il se tourna vers Seitz et demanda :) Il plaisante, hein?

— J'aimerais bien... dit Seitz.

Puggy fut soulagé quand l'auto s'immobilisa enfin. Il avait été ballotté dans tous les sens, et, tassé comme il l'était contre la valise dans ce coffre privé d'air, il commençait à avoir sérieusement mal au cœur. Il fut content de voir le coffre s'ouvrir, même si son enthousiasme diminua nettement quand il vit que c'était Snake qui l'avait ouvert.

— Tu vois ça, enfoiré? dit Snake en lui montrant le flingue.

Puggy hocha la tête en pensant que, décidément, ce mec adorait montrer son flingue aux gens.

— Y sera planqué là-dessous, reprit Snake en enroulant le sweat-shirt d'Eddie autour de son poing armé. Braqué en plein sur toi. Si tu fais pas exactement ce que je te dis, tu sais ce qui va t'arriver, je pense?

Puggy hocha de nouveau la tête.

— Qu'est-ce qui va t'arriver, enfoiré? Dis-le-moi! Dis ce qui va t'arriver!

— Vous allez me buter.

— C'est tout à fait ça, enfoiré, dit Snake, en se gargarisant de chaque mot. Je vais te buter. Allez, sors de ce putain de coffre et prends la valise.

À l'avant de la Kia, Matt avait les yeux hermétiquement clos. Derrière, Eliot tenait toujours Anna par les épaules, et il la serrait fort; Nina priait en se regardant les mains.

Ils roulaient toujours plein nord, sur Le Jeune Road, sauf qu'ils étaient maintenant sur une voie destinée aux gens qui allaient vers le sud. Même si ce n'était pas quelque chose de totalement inouï à Miami, c'était illégal, et les automobilistes qui allaient vers le sud n'avaient pas l'air d'apprécier. Monica, les traits tendus par la concentration, donnait des coups de volant à droite et à gauche pour esquiver les véhicules qui leur fonçaient dessus en faisant mugir leur Klaxon. Juste après avoir dépassé les dépouilles fumantes de la camionnette à plateau et du taxi, dont les chauffeurs, chacun dans sa langue, se jetaient à la figure des paquets d'insultes, Monica braqua violemment à droite, précipita la Kia au-dessus du terre-plein central et traversa trois voies de circulation en faisant crisser ses pneus pour attraper in extremis la bretelle d'accès à l'aéroport.

— Ne dites jamais à personne que vous m'avez vu faire un truc pareil, dit Monica.

— J'ai rien vu du tout, répondit Matt.

Et il était sincère.

— C'est pas vrai ! lâcha Henry en assenant une grande claque à son volant.

Devant eux, et maintenant derrière, la circulation sur Le Jeune Road était en train de se figer comme une sauce refroidie.

— Tu vois ce qui se passe ? s'enquit Leonard, plissant les yeux face au pare-brise.

— On dirait que ça bloque juste après le feu. Il a dû y avoir un accident. Peut-être qu'ils savent quelque chose à la radio.

Il appuya sur le bouton de l'autoradio.

« ... n'écoutez vraiment pas ce que je dis. Ce que je dis, c'est que quand ils perdent — pas maintenant, là, ce soir, mais quand ils jouent un match et qu'ils le PERDENT —

alors, on ne les entend plus moufter, les fameux fans des Gators !

— C'est plutôt vous qu'écoutez pas ce que JE dis. JE vous dis que JE suis un fan des Gators, et JE vous appelle en ce moment, d'accord ? Je suis au téléphone en ce mom... »

Avec un soupir, Henry appuya de nouveau sur le bouton. Derrière eux, il y avait des coups de Klaxon. Devant, des cris. Tout à coup, une forme sombre et trapue se faufila sur le côté de la voiture.

— S'il vous plaît, mon Dieu, ne me dites pas que j'ai vraiment vu ce que j'ai vu, fit Leonard. S'il vous plaît, ne me dites pas que je viens de voir passer une putain de chèvre...

— Monsieur Herk, écoutez-moi, dit Walter. Il faut vraiment qu'on collabore. On va soulever ce bazar et contourner la maison pour rejoindre la rue, d'accord ? Comme ça, on pourra appeler à l'aide. D'accord, monsieur Herk ?

Lentement, Arthur détacha son regard de Roger pour le poser sur Walter. Ses yeux étaient deux puits noirs, son menton était noyé d'écume.

— Dites-lui de me fiche la paix, murmura-t-il.

— Écoutez-moi. Il faut que vous m'écoutiez. Ceci est un chien. D'accord ? Un chien. Et franchement, on risque de passer toute la nuit ici si vous ne...

— Faites qu'elle me fiche la paix.

— Écoutez, dit Walter, on a besoin de...

— DITES-LUI DE ME FICHE LA PAIX ! hurla Arthur.

Walter en vint alors à se dire que sa seule chance d'obtenir la coopération d'Arthur était de jouer son jeu. Après un soupir, il vrilla son index sur Roger et dit :

— Laissez-le en paix !

Roger redressa la tête — au cas où Walter serait en train de lui proposer quelque chose à manger.

— Il faut l'appeler par son nom, gémit Arthur.

— Bon sang, monsieur Herk...

— PAR SON NOM ! hurla Arthur.

Walter soupira encore, et dit à Roger :

— Laissez-le en paix, madame Dole !

Roger, ému par cette attention, trottina jusqu'à Walter, se dressa sur ses pattes arrière, posa les pattes de devant sur la poitrine de Walter.

— ELLE VEUT VOTRE ÂME ! hurla Arthur.

— Couché ! cria Walter. Couchée, madame Dole !

— Une bombe atomique ? Dans une valise ? demanda Harvey Baker.

— Ouaip, répondit Greer.

— Je voyais ça beaucoup plus gros, dit Baker.

Il se souvenait d'une vieille bande d'actualités montrant la bombe d'Hiroshima, qui ressemblait à un petit sous-marin.

— Pas obligatoirement, dit Greer.

— Bon sang... D'où est-ce qu'elle sort ? Et qu'est-ce qu'elle fout ici, nom de Dieu ?

— C'est une longue histoire, dit Greer. Que je vais tâcher de vous résumer. Dans le vaste bazar qui se fait maintenant appeler la Russie, ils ont hérité des missiles nucléaires de la guerre froide, d'accord ? Plein de missiles. Suite à un traité dont je vous passe les détails, les Russes sont censés mettre la plupart de ces missiles hors service — ce qu'on appelle le désarmement. Le problème, c'est que beaucoup de pièces de ces missiles — comme le gyroscope, l'indicateur de position, l'accélérateur...

— L'accéléromètre, interrompit Seitz.

— Excusez-moi, monsieur Wernher von Braun. En tout cas, ces pièces sont exactement ce dont on a besoin quand on est un emmerdeur international de deuxième division comme Saddam Hussein, qui cherche à mettre la main sur des missiles sérieux et à s'élever au rang d'emmerdeur international de haut niveau. Ces missiles sont un peu comme les BMW neuves dans les banlieues chaudes. Plein de gens sont demandeurs de pièces détachées.

— Est-ce que le gouvernement russe n'exerce pas, disons, une forme de contrôle sur tout ce matos? demanda Baker.

— Bien sûr que si, répondit Greer. Exactement comme la ville de Miami exerce une forme de contrôle pour empêcher ses inspecteurs des travaux de toucher des enveloppes.

— Ça n'a rien à voir. C'est juste du graissage de patte. Là, on parle d'engins nucléaires.

Seitz renifla.

— La seule différence, dit-il, c'est le prix.

— En tout cas, reprit Greer, la pièce du missile qui fait *vraiment* peur, c'est l'ogive — le machin qui fait boum. Et les Russes, c'est vrai, sont plutôt efficaces pour garder la trace de ces machins-là.

— Plutôt efficaces?

— Exact. Pas assez, en d'autres termes. Il y a environ deux ans, quelqu'un a fait sortir deux ogives, on n'a jamais trop su comment, d'une unité de démantèlement nucléaire située dans un bled appelé, euh...

— Sergeyev Posad, acheva Seitz. Pas très loin de Moscou. Anciennement Zagorsk. Quelques très belles églises.

— Merci, monsieur Michelin, dit Greer. Bref, ce quelqu'un met la main sur ces ogives, qui disparaissent un bon moment, sans que personne au monde soit fichu de retrouver leur trace. Et tout à coup, l'une d'elles refait surface — devinez où — au Moyen-Orient, en Jordanie pour être précis.

— Bon Dieu... fit Baker.

— C'est le cas de le dire, dit Greer. Sauf que l'ogive a été modifiée, et par quelqu'un qui connaît son métier. Elle est maintenant dans une valise métallique. Un costaud peut la transporter seul. Tu la déposes quelque part, tu déclenches le compte à rebours, et tu dégages. Le détonateur part, boum, il te rase un centre-ville. À côté, la bombe d'Oklahoma City ressemblerait à une boule puante.

— Tout ça avec un engin qui tient dans une *valise*? demanda Baker.

— En fait, dit Greer, l'ogive proprement dite est bien plus petite que la valise. Elle ressemble à une sorte de poubelle. Ce qui pèse lourd, c'est la charge d'explosifs conventionnels qui sert à faire péter l'ogive. Elle est commandée par un détonateur à retardement — rien de très sophistiqué, le genre de truc que vous pourriez facilement trouver dans une brocante. Mais ne vous braquez pas sur sa taille. Ce truc vous soufflerait tous vos beaux gratte-ciel, mon pote. Ce truc vous grillerait les yeux à quinze bornes à la ronde.

— Et vous dites que la deuxième valise est ici, dit Baker. À Miami.

— Ce que je dis, dit Greer, c'est que quand on a retrouvé l'ogive numéro un dans sa valise, elle était aux mains de personnes qui ne sont pas exactement des amis des États-Unis. Ces personnes ont été mises à l'ombre.

— Par qui? demanda Baker.

— Je ne peux absolument pas vous répondre, dit Greer, mais c'est par des gens qui ne passent pas un temps considérable à informer les suspects de leurs droits.

— Les Israéliens, tenta Baker.

Greer hocha la tête.

— Comme je viens de vous le dire, je ne peux pas vous le dire. Tout ce que je peux vous dire, c'est qu'ils sont très doués pour soutirer des informations aux gens qui ne se sentent pas d'humeur bavarde. Et l'information qu'ils ont fini par obtenir, c'est que la deuxième valise allait être envoyée à New York, où elle devait être récupérée par un Vrai Croyant qui souhaitait exprimer sa Vraie Foi en réduisant Times Square et ses alentours à l'état de poussière radioactive.

— Ce qui ne serait pas une grosse perte, commenta Baker.

— Hé, c'est beaucoup mieux qu'avant, intervint Seitz. Ils ont fait des travaux...

— Quoi qu'il en soit, dit Greer, à ce stade des opérations, nous, on ne savait toujours pas quand ni comment la valise devait arriver à New York. En revanche, on savait qui était le Vrai Croyant, et on l'a mis sous surveillance. On ne le lâche plus d'une semelle. On est prévenu chaque fois qu'il pète. Et on se dit que, le jour où il prendra un tacot pour Kennedy Airport, on sera là aussi. Sauf que, devinez quoi, voilà que des agents secrets à la mords-moi-le-nœud, travaillant pour une agence fédérale que je ne vous citerai pas, sauf par les initiales C, I et A...

— Alors que cette affaire ne relève même pas de leur putain de juridiction, précisa Seitz.

— Ces abrutis, reprit Greer, avaient eux aussi, sans rien dire à personne, mis sous surveillance le Vrai Croyant, et ils ont cru qu'il s'apprêtait à fuir le pays, et du coup, sur la route d'accès à l'aéroport, ils interceptent son tacot, le font garer sur le bas-côté, et ils embarquent notre client dans le cadre de ce qu'ils appellent une opération clandestine.

— Qui s'avère à peu près aussi clandestine que le spectacle d'avant-match de la finale du Superbowl, précisa Seitz.

— Et c'est comme ça qu'on se retrouve, reprit Greer, à deux pas des aérogares, et à deux doigts de descendre ces abrutis qui sont censés être dans notre camp, et naturellement, il ne faudra plus compter sur le Vrai Croyant pour nous mener où que ce soit. On passe les Arrivées internationales au peigne fin, mais la valise reste introuvable. Celui qui l'avait a dû être alerté par quelque chose — je parierais sur l'action des agents secrets — et il a filé. On fait des vérifications, on se dit que le mec a sûrement pris un tacot de Kennedy à La Guardia, qu'il a sauté dans un avion, et qu'il s'est envolé de New York, soit pour Atlanta, soit pour ici.

— À moins que ce ne soit pour Houston ou La Nouvelle-Orléans, précisa Seitz.

— À moins que ce ne soit pour Houston ou La Nouvelle-Orléans, concéda Greer.

— Vous n'avez pas dû avoir trop de mal à rétrécir le champ d'investigation, remarqua Baker.

— Hé, le signalement qu'on a à ce moment-là est plus que vague. En gros, ce qu'on a, c'est : « un type avec une valise ». Mais nous, on continue de poser des questions un peu partout, et on entend dire, par plusieurs sources, que le type commence à avoir la trouille. Il ne demande plus qu'à se débarrasser de la valise et à réunir assez de fric pour repartir fissa au pays des Vrais Croyants. Et on finit par supposer qu'il a revendu cette valise pas trop cher à des trafiquants d'armes — des mecs qui fourguent essentiellement des mitrailleuses, des trucs de ce genre.

— Pourquoi est-ce que ces mecs-là auraient voulu une bombe atomique ? demanda Baker.

— On pense qu'ils ne savaient pas exactement ce que c'était quand ils l'ont achetée, dit Greer. Si on le pense, c'est que, d'après ce qu'on sait, ces mecs l'ont revendue à d'autres mecs, qui l'ont revendue à leur tour aux tauliers d'un établissement du coin qui s'appelle le Jolly Jackal.

— Le bar ? demanda Baker.

— Ce bar, dit Greer, a plus d'AK-47 en stock que de fûts de Budweiser.

— Bon sang... dit Baker. Putain de ville !

— Le fait est, dit Greer, qu'il se peut qu'on ait tout faux sur cette affaire. La valise du Jolly Jackal pourrait être une autre valise, sans aucun rapport avec la nôtre. Peut-être qu'elle contient de la drogue, ou de la fausse monnaie. On a aussi des agents sur le coup à Atlanta, à Houston, à La Nouvelle-Orléans, et dans deux ou trois autres villes. Mais si on se fonde sur la petite conversation qu'on a eue tout à l'heure avec le patron du Jolly Jackal...

— Qui n'est pas près de s'enfuir au galop, précisa Seitz.

— Ça non, concéda Greer. Quoi qu'il en soit, si on se fonde sur la petite conversation qu'on a eue avec lui, il y a des chances pour que cette valise soit celle qu'on veut récupérer, et il y a des chances pour qu'elle se dirige en ce moment même vers l'aéroport international de Miami avec deux petits zonards du coin.

Baker se carra contre le dossier de sa banquette et regarda un instant par la fenêtre. Puis il se pencha de nouveau vers l'avant et dit :

— C'est là que je ne pige pas.

— Laissez-moi deviner, dit Greer. Vous ne pigez pas comment il se fait — dans la mesure où on pense qu'il y a une chance que la valise soit là-bas — qu'on ne prévienne pas les flics, qu'on ne donne pas l'alerte, qu'on ne fasse pas évacuer tout le monde. C'est ça ?

— En gros, oui.

— Plusieurs raisons, dit Greer. Un, les zonards ne s'en doutent pas ; mais on leur a tendu un piège à l'aéroport.

— Que voulez-vous dire ?

— Ce que je veux dire, c'est que juste avant que vous nous tombiez sur le râble, j'ai passé un petit coup de fil.

Greer montra à Baker un appareil qui ressemblait à un téléphone portable, sauf qu'il était un peu plus épais, et muni d'une antenne courte et boudinée.

— Sauf avis contraire de notre part, plus aucun avion ne décollera de l'aéroport international de Miami. Il n'y aura aucune annonce publique, les embarquements seront effectués comme d'habitude, mais personne ne recevra l'autorisation de décoller.

— Vous pouvez faire ça ?

— Vous seriez étonné, dit Greer. On a mis ces zonards sous cloche.

— Dans ces conditions, pourquoi ne pas faire évacuer les environs de l'aéroport ?

— C'est la deuxième raison, dit Greer. Réfléchissez. Si le bruit se répandait — ce qui finirait forcément par arriver — qu'il y a une putain de bombe atomique pratiquement en plein centre-ville, qu'est-ce que vous croyez qu'il arriverait ? Vous croyez qu'il y aurait une évacuation dans le calme et la sérénité ? Les femmes et les enfants d'abord ? La primauté de la pensée sur l'émotion ? Vous croyez vraiment que c'est de cette façon que réagiraient les citoyens de Miami ?

Baker resta songeur.

— Ce qui arriverait, dit Greer, c'est que tous les crétins de cette ville possédant un flingue — c'est-à-dire à peu près tous les crétins de cette ville — prendraient leur flingue, sauteraient dans leur bagnole ou dans la bagnole de quelqu'un d'autre, et fonceraient pied au plancher vers l'I-95. En dix minutes, la ville serait paralysée, et à côté de ce qui arriverait ensuite la bataille d'Iwo Jima serait un bal de la Saint-Jean. Miami ressemblerait à la fin d'un roman de Stephen King.

— Ça paraît plausible, concéda Baker.

— Raison numéro trois, dit Greer, si le bruit se répand, il risque de parvenir aux oreilles des abrutis qui ont la valise. Aussi longtemps qu'ils ne savent pas ce qu'ils ont entre les mains, ce qui semble être le cas, ils ne penseront pas à s'en servir comme d'une monnaie d'échange.

— Est-ce qu'ils pourraient la déclencher? demanda Baker. Je veux dire, elle doit bien avoir, comment dit-on, un dispositif de sûreté?

— Ce truc n'a pas été bricolé par des anges, dit Greer. Ce n'est pas comme dans les films, où le président doit composer le code secret pendant que deux soldats entièrement dignes de confiance tournent leur clé en même temps. Ce truc a été bricolé par des fumiers qui veulent pouvoir l'installer dans un lieu public, si possible en plein centre d'une ville grouillante, et le déclencher en vitesse. On n'est pas sûrs pour cette valise-là, mais pour l'autre, si. Celle qu'ils ont récupérée là-bas, en Jordanie. Tout ce qu'il y avait à faire, c'était soulever le couvercle et actionner trois commutateurs électriques — ce qui déclenchait un compte à rebours de quarante-cinq minutes.

— Quarante-cinq minutes?

— Quarante-cinq. À notre avis, le Vrai Croyant pensait sauter dans une rame de métro et se retrouver dans le Bronx, au nord de la ville, au moment de la déflagration.

— Et maintenant, ce truc est ici, à Miami, dit Baker en regardant par la fenêtre.

— On dirait, dit Greer.

— Bon sang... lâcha Baker, secouant la tête. On voit ce genre de saloperie dans les films, et on s'imagine que c'est de la fiction, mais je suppose qu'il fallait bien que ça arrive un jour.

Seitz ricana.

— Quoi? demanda Baker.

— Qu'est-ce qui vous fait croire que c'est la première fois ? demanda Seitz.

— Quoi, ce *n'est pas* la première fois ?

Seitz ricana de nouveau.

— Peu importe, dit Greer. Vous voilà au courant. Je vous ai dit ça parce que vous êtes flic et que vous avez des agents dans le coup. Mais ce que je vous dis aussi, c'est que, dès qu'on aura chopé les zonards, on les embarque, avec la valise, et on dégage, et c'est la fin de l'histoire en ce qui vous concerne, vous comprenez ?

— Qu'est-ce que vous voulez dire ?

— Ce que je veux dire, répondit Greer, c'est qu'en ce qui concerne le gouvernement fédéral il ne s'est strictement rien passé. Il n'y a jamais eu de bombe atomique à Miami. Aucune ogive nucléaire n'a jamais circulé librement dans une valise à l'intérieur de ce grand et beau pays qui est le nôtre. Parce que si les gens commencent à se dire qu'il y a des ogives qui se promènent dans le coin, on va se taper une panique du feu de Dieu — les gens vont partir en masse dans le Montana, faire des stocks de provisions, retirer tout leur fric de la banque et lyncher tous les barbus, vous voyez le tableau. Notre économie passe dans le trou des chiottes, la civilisation s'effondre, et c'est la fin de l'histoire. Donc, il ne s'est rien passé. Compris ? Quoi qu'il arrive, il ne s'est rien passé.

— Mais il faudra bien que je signale...

— Vous signalerez que dalle, coupa Greer. Si vous dites quoi que ce soit, l'agent Seitz et moi, on niera en bloc, et on sera soutenus par le putain de gouvernement fédéral tout entier. Et si vous poussez le bouchon encore plus loin, c'est vous qui serez poussé, et fort. Très, très fort. Rien de personnel là-dedans, parce que j'ai l'impression que vous êtes un bon flic, mais on peut — et on va — foutre en l'air votre carrière à tel point que vous n'arriverez même plus à vous faire engager comme représentant en pots de chambre.

Baker se carra sur sa banquette et regarda de nouveau par la fenêtre.

— Ce truc que vous avez dit tout à l'heure, comme quoi si vous m'expliquiez ce qui se passait, vous alliez devoir me tuer...

Greer se retourna pour le fixer dans le blanc des yeux.

— Eh bien ?

— Vous ne plaisantiez pas, n'est-ce pas ?

Greer regarda de nouveau droit devant lui et dit :

— Ça roule de moins en moins bien, je trouve.

11

Les vétérans du voyage aérien eux-mêmes trouvent l'aéroport international de Miami déconcertant. Il est généralement plein à craquer et semble avoir été conçu pour que chaque passager, d'où qu'il vienne et où qu'il aille, ait forcément à se heurter à tous les autres. Le grand hall ressemble à un mélange de bazar international et de camp de réfugiés. Il y a partout de gros essaims de gens — des groupes touristiques ou scolaires, des orchestres de salsa, des équipes de foot, des familles nombreuses —, tous en attente d'avions qui ne décolleront pas avant des heures, voire des jours. Comme il n'y a pas assez de places assises, ces essaims finissent toujours par s'avachir sur la moquette douteuse, cernés par des montagnes de bagages de dimensions appalachiennes qui incluent, outre des valises géantes et bourrées à exploser, un riche éventail de biens de consommation acquis en Floride pour être transportés en Amérique latine — des téléviseurs, des chaînes stéréo, des jouets, du gros électroménager, des jeux de pneus complets. Nombre de ces articles sont emballés dans un épais cocon de plastique extensible verdâtre destiné à réduire les risques de vol — le vol étant, à l'aéroport de Miami, une activité de la plus haute importance, de même que les constantes

« améliorations » dont l'endroit fait l'objet, et qui semblent consister pour l'essentiel en l'implantation d'une forêt de panneaux provisoires à l'aspect définitif priant le public de bien vouloir excuser la gêne occasionnée et annonçant les améliorations à venir.

L'air ambiant est imprégné d'une odeur de moisi typique de la pourriture tropicale, et aussi de syllabes proférées en toutes sortes de langues — principalement l'espagnol, mais aussi l'anglais, le créole, l'allemand, le français, l'italien et — peut-être plus facile à distinguer que n'importe quelle autre langue — le croisiériste. Les croisiéristes en partance arborent habituellement une tenue de croisière flambant neuve. Ils marchent en rangs serrés sur les talons d'un employé de compagnie de croisière brandissant une pancarte au nom de la compagnie qui l'emploie ; ils se racontent les uns aux autres les croisières qu'ils ont déjà faites, et ils rient bruyamment chaque fois que quelqu'un lâche une blague — ce qui arrive au moins toutes les quarante-cinq secondes — sur les sommes qu'ils vont dépenser à boire, à jouer, et à acheter. Les croisiéristes sur le chemin du retour sont plus éteints — fatigués, brûlés de soleil, abrutis d'alcool, bouffis à force d'avoir mangé onze fois par jour, qu'ils aient eu faim ou non, parce que... tout était compris ! Certaines passagères se sont fait faire des tresses et enfiler des perles dans les cheveux — un style de coiffure qui convient à merveille aux jeunes filles des Caraïbes, mais qui, sur la majorité des femmes de plus de seize ans, est au mieux comique, au pire carrément hideux. La plupart des croisiéristes sur le chemin du retour exhibent fièrement des objets d'« artisanat » populaire produits en série — les longs bâtons sont particulièrement prisés malgré leur absence totale de charme et d'utilité —, et bon nombre transportent aussi des caisses contenant le butin suprême de tout croisiériste : de l'alcool détaxé ! Peu importe qu'ils aient dépensé des milliers de dollars pour s'offrir ces vacances, ils sont excités comme des puces à l'idée d'avoir économisé jusqu'à *dix dollars par bouteille* de whisky, de cognac et autres liqueurs qu'ils ne boiront pas, mais qu'ils trimballent sur des kilomètres de couloirs d'aéroport, et d'un avion à l'autre, à seule fin de pouvoir, à leur retour au foyer, les montrer fièrement à leurs visiteurs pendant les mois et les années à venir. (« On l'a payé vingt-trois dollars cinquante aux îles Vierges ! Pensez au prix que ça coûte ici ! »)

Le soir où Snake et sa bande déboulèrent avec leur bombe atomique, l'aéroport international de Miami était encore plus chaotique qu'à l'ordinaire. Il faisait mauvais sur Chicago, ce qui signifiait comme de bien entendu que la quasi-totalité des vols de l'hémisphère — lancement de la navette spatiale compris — étaient retardés. En outre, certaines compagnies commençaient à soupçonner l'existence d'un sérieux problème concernant les autorisations de décoller de leurs avions, même si la tour de contrôle ne donnait aucune explication. De la plupart des postes d'enregistrement s'échappaient de longues files de passagers exaspérés qui jouaient des coudes pour atteindre le comptoir à seule fin de pouvoir se prendre vainement le bec avec des hôtesses tout aussi exaspérées. La police était déjà intervenue pour appréhender un croisiériste sur le chemin du retour qui avait menacé une hôtesse avec son bâton souvenir.

Eddie fut le premier à franchir les portes de l'aéroport, suivi de Puggy, qui portait la valise, et de Snake, qui avait une main sous son sweat-shirt et l'autre sur le bras de Jenny. Snake n'avait jamais mis les pieds à l'aéroport international et, l'espace d'un instant, au spectacle de cette foule tourbillonnante, il envisagea de prendre ses jambes à son cou. Mais, tout de suite après, il crispa les doigts sur son flingue, sa baguette magique, et la peur s'en alla. Il n'était plus question pour lui de retourner à la pêche aux pièces jaunes.

— On va où ? demanda Eddie, regardant fixement le chaos humain qui s'offrait à eux.

Jamais il ne s'était senti aussi peu à sa place — et pourtant, Eddie était le genre de type qui ne se sentait jamais à sa place nulle part.

— Par là, dit Snake, en dardant l'index, à peu près au hasard, sur une rangée de comptoirs de vente.

Il pressa le canon de son flingue camouflé sous le sweatshirt contre la colonne vertébrale de Puggy et souffla :

— Tu restes bien près de moi, enfoiré. Tu t'éloignes d'un pas et je te bute.

Ils fendirent lentement la foule — d'abord Eddie, puis Puggy, qui transportait la valise, talonné par Snake qui boitillait à hauteur de Jenny, laquelle avançait en traînant les pieds et en regardant droit devant, comme un zombie. Le premier comptoir de compagnie qu'ils atteignirent portait un nom que Snake ne comprit pas, au-dessus d'un panneau annonçant une liste de départs vers des villes dont il n'avait jamais entendu parler ; tout le monde, autour de ce comptoir, parlait espagnol. D'un coup de menton, Snake fit signe à Eddie de continuer. Ils dépassèrent une demi-douzaine d'autres guichets de compagnies dont les noms lui parurent incompréhensibles avant de parvenir devant un étroit comptoir, tenu par une hôtesse solitaire, face à qui une demi-douzaine de personnes faisaient la queue. Au-dessus du comptoir, un écriteau orangé annonçait :

AIR IMPACT !
Votre Portail d'Accès aux Bahamas
Vols Réguliers Quotidiens

Snake fut secoué d'un frisson. Les Bahamas ! Il fit signe à Eddie de prendre place dans la queue, et toute la petite bande se positionna derrière lui — Snake tenant toujours le bras de Jenny et enfonçant régulièrement le canon de son flingue dans la colonne vertébrale de Puggy. Au bout d'une dizaine de minutes, ils se retrouvèrent face à l'hôtesse.

C'était une mère célibataire, prénommée Sheila ; elle était en service depuis quatorze heures sans interruption, parce que deux de ses trois collègues avaient justement démissionné ce jour-là. Air Impact ! avait un mal fou à conserver son personnel : les salaires arrivaient en retard aussi souvent que les vols, c'est-à-dire trop souvent. Air Impact ! était la propriété de deux frères de North Miami Beach qui, ayant fait fortune dans la désinsectisation, avaient eu l'idée de fonder une compagnie aérienne afin d'avoir un prétexte professionnel légitime pour aller régulièrement jouer et s'envoyer en l'air aux Bahamas avec des femmes qui n'étaient pas les leurs. La compagnie en était à sa deuxième année d'existence, et les frères fondateurs passaient de plus en plus de temps aux Bahamas et de moins en moins à s'occuper de détails aussi triviaux que le versement des salaires, les horaires des vols et le recrutement d'un personnel qualifié.

La FAA [1] avait commencé à s'intéresser au fonctionnement d'Air Impact ! après avoir reçu un nombre singulièrement élevé de plaintes de passagers concernant des vols en retard ou annulés. Il y avait aussi eu quelques haussements de sourcils deux semaines plus tôt, quand un vol d'Air Impact ! censé relier Miami à Nassau, et confié à des pilotes aux références douteuses, avait atterri à Key West, qui, ainsi que même les moins avertis des

1. La Federal Aviation Administration est l'équivalent aux Etats-Unis de la Direction générale de l'Aviation civile française. *(N.d.T.)*

choses de l'aviation l'avaient remarqué, se situait à plusieurs centaines de kilomètres dans la direction opposée. Selon certaines rumeurs, la FAA s'apprêtait à fermer Air Impact!, et le moral était au plus bas chez ceux des employés qui n'avaient pas encore démissionné. Il l'était sûrement encore plus chez Sheila que chez les autres : outre le fait qu'elle était debout depuis ce qui lui paraissait être une éternité à affronter des clients insatisfaits, elle venait de recevoir un coup de fil de sa baby-sitter — qu'elle avait le plus grand mal à payer — qui la prévenait que sa fille de deux ans était en train de vomir, et ce coup de fil était arrivé juste après celui de son garagiste : sa Taurus 1987, qui avait toujours un bobo ici ou là, avait besoin d'une très grosse réparation au niveau de la transmission.

Si le moral de Sheila avait été meilleur, elle aurait sans doute été suffisamment attentive pour nourrir des soupçons à l'encontre du quatuor qui se tenait à présent devant son comptoir — une très jeune fille à côté de ses pompes encadrée par trois types carrément crades. Mais Sheila avait largement dépassé le stade où il lui aurait été possible de ne pas se contrefoutre de quoi que ce soit.

— Oui? lança-t-elle à Snake.

— Quatre places pour les Bahamas, aller simple, sur le prochain vol, dit Snake.

— Nassau, ou Freeport?

Snake fronça les sourcils.

— Les Bahamas.

— Nassau et Freeport sont aux Bahamas, remarqua Sheila en ajoutant mentalement : *Crétin.*

Snake réfléchit un instant et dit :

— Freeport.

Il trouvait que ce nom sonnait bien.

— Nous avons un vol à dix heures dix, dit Sheila en consultant sa montre (qui annonçait neuf heures un quart). Quatre allers simples, ça vous fera... (Elle pianota brièvement sur son clavier d'ordinateur.) Trois cent soixante dollars.

Snake lâcha un instant le bras de Jenny pour plonger sa main libre dans sa poche. Il en extirpa la grosse liasse de billets prise à Arthur Herk. Il la déposa sur le comptoir, devant Sheila, et d'une seule main entreprit de compter les billets de vingt à haute voix.

— Vingt, quarante, soixante...

À cent vingt, un voile lui recouvrit le cerveau — il avait toujours eu du mal avec l'arithmétique —, et il dut recommencer à zéro. Il le fit à deux reprises, lâcha un « Putain ! » et poussa la liasse en travers du comptoir, ce qui fit tomber les billets sur le clavier de Sheila.

— Servez-vous là-dessus, dit-il.

Sheila rassembla la liasse, la soupesa — un *gros* paquet de pognon dans la poche d'un mec qui ne semblait même pas fichu de compter sur ses doigts. Sheila retira trois cent soixante dollars. Puis, après un coup d'œil furtif à Snake, qui promenait des regards nerveux autour de lui, elle prit quatre cent quatre-vingts dollars de plus — la somme dont elle avait besoin pour faire réparer sa transmission —, et encore cent quarante — grosso modo ce qu'elle devait à sa baby-sitter pour la semaine précédente. Elle remit ce qui restait de la liasse sur le comptoir. Snake regarda l'argent. Il faillit dire quelque chose, mais il ne voulait pas d'ennuis. De toute façon, il avait l'impression qu'il lui restait encore un maximum de thune. Sans parler de la valise pleine de came, ou d'émeraudes.

— Il me faut le nom des passagers, dit Sheila en recommençant à pianoter sur son clavier.

Snake hésita, et dit :

— John Smith.

Sheila leva un instant les yeux et se remit à pianoter.

— Et les autres passagers ? demanda-t-elle.

— John Smith, répéta Snake.

Sheila leva de nouveau les yeux, sur Eddie, sur Puggy, sur Snake, et sur Jenny.

— Vous vous appelez tous John Smith ?

— Ouais, tout le monde, répondit Snake.

— Il me faut des pièces d'identité avec photo.

Snake prit une poignée de billets et la déversa sur le clavier de Sheila.

— Voilà, dit-il.

Sheila regarda les billets. À vue de nez, il y en avait bien pour deux cents dollars.

— Bon voyage, monsieur Smith.

Au volant de la Kia, Monica écrasa son Klaxon et fit une queue-de-poisson à une navette au nom d'une société de location de voitures sur la route d'accès à l'aéroport.

— Bon, dit-elle à ses passagers, écoutez-moi bien. On cherche ma voiture. Si vous la repérez, vous poussez un cri, d'accord ?

— D'accord, répondirent à l'unisson Matt et Eliot.

Anna resta silencieuse. Nina priait toujours.

— Dès qu'on l'aura repérée, reprit Monica (en pensant : *Bon sang, pourvu qu'on la repère !*), et s'ils ne sont plus dedans, on entre dans le hall de l'aéroport et on les cherche. Il y aura des policiers sur place pour nous aider. Tout va bien se passer, madame Herk.

À l'arrière, Anna ne répondit pas.

Monica propulsa la Kia vers le sommet de la rampe d'accès et passa sous le panneau *Départs*. Tandis qu'ils fonçaient vers l'aérogare, Monica, Matt et Eliot se mirent à scruter la cohue de véhicules en tout genre qui s'étirait devant eux. Ce fut Matt qui repéra la voiture de police à l'intérieur du parking en chantier.

— Là-bas ! s'écria-t-il en tendant le bras.

Monica braqua à fond sur la gauche, s'engouffra dans le chantier, s'immobilisa avec un crissement de pneus juste derrière sa voiture de police. Elle mit pied à terre avant même que la Kia ait cessé d'osciller sur ses amortisseurs. Ayant constaté que la voiture était vide, elle abattit sa main sur le capot, fit demi-tour, traversa la route à pied en zigzaguant entre les autos et pénétra dans le hall principal de l'aérogare. Matt se lança sur ses talons, suivi par Eliot, qui tenait Anna par la main, et Nina.

— On l'a dans l'os, dit Seitz en considérant l'interminable chapelet de feux rouges qui s'étirait devant eux sur Le Jeune Road en direction du nord.

— Si vous arrivez à sortir tout de suite à droite, dit Baker, on pourra rejoindre l'aéroport en passant par Douglas.

— Voyons si ce mec me laisse passer, dit Seitz, en indiquant du menton un Hummer immobilisé sur la file de droite, à leur hauteur.

Les Hummer, ou Humvee, sont un spectacle fréquent à Miami. Ils sont très appréciés des frimeurs qui adorent parader dans les rues au volant de ces quatre-quatre pseudo-militaires parfaitement incommodes avec leurs roues énormes, comme s'ils n'attendaient plus que l'ordre du QG pour foncer sur Bagdad. Le Hummer immobilisé à côté de la voiture de location des agents du FBI était occupé par trois jeunes mâles dont les crânes tondus oscillaient en cadence au rythme des basses monstrueuses vomies par le caisson de la taille d'une niche de chien qui encombrait l'arrière. Le conducteur s'était vu offrir ce quatre-quatre deux jours plus tôt pour son dix-neuvième anniversaire par son père, un importateur de cocaïne aussi prospère que respecté.

Les occupants du Hummer n'ayant pas entendu les

coups de Klaxon de Seitz, Greer baissa sa vitre et se mit à faire des signes pour attirer l'attention du conducteur. Quand celui-ci tourna la tête, Greer lui fit signe de la main qu'il souhaitait s'engager sur la droite. Le conducteur baissa sa vitre ; Greer, Seitz et Baker grimacèrent en recevant de plein fouet le bombardement des basses.

I want your sex pootie !
I want your sex pootie !
I want your sex pootie !
I want your sex pootie !

Greer, obligé de plisser les yeux face à cette effrayante bourrasque sonore, fit un signe au conducteur du Hummer pour le prier de laisser la voiture de location se faufiler devant eux. Le conducteur du Hummer fit un signe à Greer comme quoi il pouvait aller se faire foutre. Sur ce, il releva sa vitre ; ses amis et lui se tenaient les côtes.

— Les jeunes... soupira Greer.

— Vous voulez que je leur montre mon insigne ? proposa Baker.

— Pas la peine, répondit Greer en descendant de voiture.

— Vous avez déjà entendu parler de l'ordre exécutif spécial 768, alinéa 4 ? demanda Seitz à Baker.

— Non, dit Baker. Qu'est-ce que c'est ?

— Une arme très efficace contre le crime, répondit Seitz.

De la deuxième phalange de son index, Greer frappa contre la vitre du Hummer. Le conducteur tourna la tête de son côté, puis tendit de nouveau le majeur à son intention. Ses potes et lui éclatèrent de rire. Greer fit exploser la vitre d'un coup de la crosse de son revolver, plongea sa main gauche à l'intérieur de la cabine, saisit le conducteur par le col de sa chemise griffée Tommy Hilfiger, le tira à l'extérieur et le laissa tomber sur la chaussée. Le conducteur se remit précipitamment debout et partit droit devant lui dans le labyrinthe du trafic, au sprint et sans se retourner une seule fois. Ses deux amis sortirent du côté droit sans qu'on leur ait demandé quoi que ce soit. Greer se mit au volant, coupa la sono, éjecta le CD, fit monter le Hummer sur le trottoir, le conduisit jusqu'à l'aire de stationnement d'un Burger King, jeta le CD au sol, marcha dessus et revint à la voiture de location.

— J'aurais pu leur montrer mon insigne, observa Baker.

— Nan, fit Greer.

Seitz, aidé par les manœuvres empressées des chauffeurs environnants, qui avaient vu Greer en action et ne tenaient pas du tout à être considérés comme des empêcheurs de tourner à droite, réussit à traverser la file et à emprunter une rue transversale qui partait à l'est en direction de Douglas. Quand ils furent de nouveau en train de rouler vers le nord, Baker demanda :

— Qu'est-ce que vous croyez qu'ils vont faire ? D'après vous, pourquoi est-ce qu'ils vont à l'aéroport ?

— Si vous voulez mon avis, fondé sur ma vieille expérience déductive de combattant du crime, ils vont essayer de prendre un avion, répondit Greer.

— Comment ça ? Il y a tout un dispositif de sécurité à l'aéroport, pas vrai ?

Cette question lui valut un long ricanement de Seitz.

Quand Snake et sa morne petite clique atteignirent la zone d'embarquement, ils y trouvèrent une longue file de passagers en train d'attendre devant le poste de contrôle des bagages.

— Stop ! dit Snake, en tirant sur le bras de Jenny.

Il avait besoin d'un petit temps d'observation, histoire de voir ce qui se passait.

C'était la procédure de sécurité aéroportuaire standard, ce qui signifiait qu'elle semblait n'avoir été conçue que pour harceler les passagers respectueux des lois, sans doute afin de les rassurer, tout en n'offrant en réalité aucune protection contre les criminels dotés d'un QI supérieur à celui du céleri nain. Chaque passager déposait ses bagages sur un tapis roulant qui passait à l'intérieur d'un appareil à rayons X ; il déposait son téléphone, ses clés, son bip, ainsi que ses autres objets métalliques dans un bac en plastique ; et il passait lui-même sous le portique du détecteur de métaux. Les opérations étaient supervisées par des fonctionnaires débordés et distraits dont le premier souci semblait être de maintenir la file en mouvement permanent.

Il fallut à Snake, qui n'avait jamais vu le moindre poste de contrôle de bagages d'aéroport, deux minutes environ pour trouver la façon dont il allait faire passer son flingue. En fait, il en avait trois sur lui — un dans la main droite, et un dans chaque poche. Après s'être dit qu'il pourrait probablement les faire passer tous les trois, il décida de n'être pas trop gourmand. Il aiguilla sa clique vers une poubelle et, ayant jeté un coup d'œil autour de lui pour s'assurer que personne ne le regardait, il mit à la trappe les Glock réglementaires de Monica et de Walter. Ensuite, il attendit une minute, jusqu'au moment où il vit se diriger vers la queue un homme d'affaires portant en bandoulière une sacoche d'ordinateur portable. Snake ordonna à Puggy de se placer derrière lui dans la queue. Tandis que la morne clique attendait son tour en avançant à petits pas, Snake glissa à Puggy et à Jenny :

— Quand ce sera notre tour, toi (il désigna Puggy d'un coup de coude), tu poses la valoche sur le tapis, et après, tu passes sous le bazar. Toi, la fifille, tu passes juste derrière lui. Je te collerai au cul. L'un ou l'autre, vous ouvrez votre putain de gueule, je vous refroidis tous les deux, c'est pigé ?

— Snake... dit Eddie. Ça va foirer, mec. Ils ont des *machines*, putain, et tout le bordel...

— La ferme !

Snake commençait à en avoir plein les bottes de l'attitude de ce con d'Eddie.

Ils étaient presque au poste de contrôle. Un type rondouillard était planté de l'autre côté du détecteur de métaux, et son boulot, selon Snake, était de faire signe aux gens de passer aussi vite que possible.

— Allez, s'il vous plaît ! répétait-il inlassablement, en faisant signe au passager suivant d'avancer.

L'homme d'affaires qui attendait juste devant Puggy déposa sa sacoche d'ordinateur portable sur le tapis, et le type rondouillard lui fit signe de passer ; après quoi il fit signe à Puggy de passer aussi. Puggy, encouragé par le contact froid du canon dissimulé sous le sweatshirt de Snake, hissa la valise sur le tapis roulant et s'engagea à son tour sous le portique du détecteur de métaux. Au moment où il passait, la femme qui surveillait l'écran de l'appareil à rayons X vit l'ordinateur portable de l'homme d'affaires et dit :

— Contrôle d'ordinateur !

On ne badinait pas avec les ordinateurs, au point de contrôle.

Le type rondouillard se tourna vers une dame à la mine austère, assise à une table au bout du tapis roulant, et dit :

— Contrôle d'ordinateur !

La dame fit signe à l'homme d'affaires de s'approcher. Elle s'apprêtait à lui faire démarrer son ordinateur, car telle était l'essence de sa fonction : faire démarrer les ordinateurs des passagers. Dans l'univers des postes de contrôle, le fait qu'un ordinateur puisse être démarré constituait la preuve absolue qu'il ne s'agissait pas d'une bombe.

À l'instant où le type rondouillard détournait la tête, Snake, d'un mouvement preste, poussa Jenny sous le détecteur de métaux et plaça son sweatshirt, avec le flingue dedans, dans le bac en plastique. Il franchit le portique juste derrière Jenny et récupéra son sweatshirt ; le tout lui prit environ deux secondes. Le type rondouillard reprit sa position habituelle et porta son regard au-delà de Snake, sur la personne suivante de la file.

— Allez, s'il vous plaît !

— Contrôle de bagage ! lança la femme des rayons X en indiquant la valise métallique.

— Contrôle de bagage ! lança le type rondouillard à la dame austère, qui était en train de regarder l'homme d'affaires démarrer son ordinateur.

Quand l'ordinateur eut démarré, la dame austère désigna la valise métallique couchée à l'extrémité du tapis et demanda à Puggy :

— C'est à vous ?

— C'est à moi, dit Snake.

Il se tenait juste derrière Puggy, et lui faisait de nouveau sentir son flingue au creux des reins.

— Apportez-la ici et ouvrez-la, s'il vous plaît, dit la dame austère.

— Fais-le, glissa Snake à Puggy.

Puggy plaça la valise sur la table. Il défit les quatre fermoirs et souleva le couvercle. La dame austère regarda à l'intérieur, vit le cylindre d'acier, le boîtier noir avec son écriture étrangère, la rangée de commutateurs.

— Qu'est-ce que c'est ? demanda-t-elle.

— Une poubelle, répondit Snake.

— Une poubelle ? fit la dame austère.

Ce cas de figure n'avait pas été envisagé dans le cadre de sa formation d'agent de contrôle des bagages.

— Portable, précisa Snake.

La dame austère hésita une seconde. Elle pensa à appeler son superviseur. Mais elle pensa aussi à ce qui s'était passé la dernière fois qu'elle avait demandé à son superviseur d'examiner un objet qu'elle considérait comme suspect. L'objet en question s'était révélé être une machine à café au lait, et son superviseur lui avait passé un savon pour avoir laissé un embouteillage se former au poste de contrôle. Ce superviseur s'était lui-même fait récemment remonter les bretelles par son propre superviseur ; ces derniers temps, il y avait eu trop de plaintes de passagers qui avaient manqué — ou failli manquer — leur vol à cause du retard subi au poste de contrôle.

Tandis que la femme austère réfléchissait, sa collègue des rayons X lança :

— Contrôle d'ordinateur !

Un nouvel ordinateur portable — potentiellement mortifère — venait d'arriver sur le tapis roulant.

— Contrôle d'ordinateur ! reprit en écho le type rondouillard.

Les passagers continuaient d'avancer vers le détecteur de métaux. Un embouteillage était en train de se former.

La dame austère regarda la queue, la valise, et Snake.

— Vous allez devoir la démarrer, finit-elle par dire.

Snake considéra l'intérieur de la valise. Sur le boîtier noir, à côté du cylindre métallique, il vit trois commutateurs. Snake se dit qu'ils commandaient un système de sécurité quelconque, destiné à protéger la came, ou les émeraudes, ou quoi que ce soit qu'il y avait là-dedans. Il tendit le bras et actionna le premier. Rien ne se passa. Il actionna le second. Rien. Il actionna le troisième. Des chiffres numériques se mirent à clignoter sur un petit écran de plexiglas sombre dans un coin de la valise, en bas et à gauche. Ils disaient :

00 : 00

La dame austère fronça les sourcils en voyant apparaître ces zéros clignotants, et elle continua de froncer les sourcils en levant les yeux sur Snake.

— Y a un programmateur, expliqua-t-il. Comme ces trucs, là, comment ça s'appelle... Les magnétoscopes.

— Contrôle d'ordinateur ! cria la femme des rayons X.

— Contrôle d'ordinateur ! reprit en écho le type rondouillard.

Les ordinateurs portables se bousculaient sur le tapis roulant.

— D'accord, dit la dame austère en faisant signe à Snake et à sa morne clique de circuler.

Snake referma la valise — sans remarquer, ce faisant, que les chiffres numériques avaient cessé de clignoter et qu'ils disaient maintenant :

45 : 00

Puis :

44 : 59

Snake remit les fermoirs en place et donna un petit coup de canon dans le creux des reins de Puggy :

— Reprends-la.

Puggy souleva la valise et le groupe se dirigea vers les salles d'embarquement. Derrière eux, la femme austère concentrait son attention sur le passager suivant, un chef comptable en retraite qui était déjà, sans qu'on ait eu besoin de lui demander quoi que ce soit, en train de démarrer son ordinateur, convaincu que c'était le prix à payer par une société libre pour lutter victorieusement contre le terrorisme.

43 : 47

Monica franchit au trot la porte automatique du grand hall, en jetant des regards dans toutes les directions. Elle comptait repérer d'autres policiers, mais la malchance voulut que tous les agents de l'aéroport aient été appelés au même moment à l'autre extrémité de l'immense hall semi-circulaire, où un incident venait d'éclater au comptoir de Delta Airlines. Il avait commencé après qu'une hôtesse de Delta eut informé un passager qu'il ne serait pas autorisé à embarquer avec Daphné, son python femelle de quatre mètres, enroulé autour de son torse. Le passager, désireux de montrer à quel point Daphné savait se tenir, l'avait posée sur le comptoir. Lorsque l'hôtesse et les passagers les plus proches avaient reculé, terrorisés, Daphné avait repéré, sur la moquette à quelques pas de là, une petite cage de plastique pour transporter des animaux renfermant deux yorkshires, Pinky et Enid. Rapide comme l'éclair, elle s'était coulée hors du comptoir et avait rampé vers la cage, au milieu des passagers hurlants qui détalaient en tous sens, en tenant de se frayer un passage à coups de caisses d'alcool détaxé.

Quelques secondes suffirent à Daphné pour enserrer la cage dans ses anneaux. Elle chercha ensuite un moyen d'atteindre Pinky et Enid, dont les jappements terrifiés encouragèrent leur dévouée maîtresse, une veuve de soixante-quatorze ans munie d'une hanche artificielle, à surmonter sa peur viscérale des reptiles pour frapper le corps musculeux de Daphné avec un numéro roulé du magazine *Modern Maturity*, jusqu'au moment où elle fut terrassée par un plaquage en traître du maître de Daphné, qui était tout aussi dévoué qu'elle à son animal favori mais avait en plus joué arrière dans son équipe de football universitaire.

En une minute, la totalité du secteur de Delta Airlines avait sombré dans l'émeute, et presque tous les policiers de l'aéroport s'étaient mis à courir dans sa direction avec force nasillements de walkies-talkies. Par conséquent, quand, quelques minutes plus tard, Monica fit irruption à l'autre bout du grand hall, en quête de renforts, elle n'en trouva aucun.

— Merde ! lâcha-t-elle.

Elle se retourna et vit que Matt, Anna et Eliot étaient sur ses talons. Quant à Nina, elle venait tout juste de franchir les portes automatiques.

— Bon, reprit Monica, on va se séparer pour les retrouver. Je prends ce côté (elle gesticula vers la gauche) et vous autres, vous vous occupez de ce côté-là. Si vous les voyez, gardez un œil sur eux, mais *n'essayez surtout pas de les approcher*, et quant à vous, Matt, vous revenez me chercher en courant. D'accord ?

Matt et Eliot hochèrent la tête à l'unisson.

— C'est parti, dit Monica.

Elle tourna à gauche et s'immergea dans le flot des piétons du hall.

Matt tourna à droite, suivi à un pas de distance par Eliot et Anna, tandis que Nina se mettait à trottiner derrière eux, surtout motivée par la peur de se retrouver seule. Les quatre autres, tout en scrutant la foule, étaient tous habités, à des degrés variables, par une même question : *Et si on s'était trompé d'endroit ?*

42 : 21

L'avion chargé d'assurer le vol 2038 d'Air Impact ! à destination de Freeport était un bimoteur d'une capacité de vingt-deux passagers. Il n'avait aucun personnel de bord et était trop petit pour pouvoir être relié à une passerelle d'embarquement direct; afin de monter à bord, les passagers devaient descendre un escalier reliant la salle d'embarquement au tarmac, puis faire une trentaine de mètres à pied jusqu'à l'appareil.

Il aurait dû y avoir deux agents d'Air Impact! de service à l'embarquement ce soir-là, mais aucun d'eux ne s'était présenté, ce qui signifiait que le contrôle des billets des passagers était assuré par le bagagiste, un gaillard nommé Arnold Unger qui avait rejoint l'équipe d'Air Impact! après avoir été renvoyé de deux autres compagnies pour vol de bagages présumé. Unger venait de se coltiner le même double temps de service sans pause qui avait sérieusement mis à mal le désir de Sheila, la préposée aux billets, d'être élue Employée du Mois. Il avait néanmoins su entretenir sa bonne humeur en tétant régulièrement au goulot d'une bouteille de rhum Bacardi fauchée à un croisiériste et planquée sous l'escalier. Il était impatient d'expédier l'embarquement du vol 2038 d'Air Impact!, le dernier de la soirée, afin de pouvoir commencer à se klaxonner la gueule un peu plus sérieusement.

La tâche s'annonçait facile. La plupart des passagers prévus avaient loupé leur correspondance pour Miami à cause du mauvais temps sur Chicago. Unger n'avait chargé que onze bagages dans la soute. Ayant remonté l'escalier et rejoint la salle d'attente, il fit apparaître la liste de passagers sur l'ordinateur et n'y vit que huit noms — dont quatre, remarqua-t-il avec une fugace étincelle d'intérêt, s'appelaient John Smith. Il y avait déjà quatre personnes dans la salle d'attente : deux agents des postes en retraite et leurs épouses, tous originaires de l'Ohio mais vivant désormais à Naples, en Floride. Ils avaient traversé l'État en voiture dans l'après-midi pour profiter des prix massacrés d'Air Impact! sur les vols à destination des Bahamas, où ils avaient l'intention de jouer au Keno. Ils étaient très impatients de quitter l'aéroport international de Miami, qu'ils considéraient comme l'endroit le plus insolite où ils eussent jamais mis les pieds — y compris l'Italie, qu'ils avaient visitée en groupe avec d'autres postiers en retraite.

Ils vrillèrent des regards pleins d'expectative sur Unger quand celui-ci, parfaitement serein dans son bermuda bleu marine crasseux, sa chemise bleue d'ouvrier à manches courtes, ses bottes de manutentionnaire et ses genouillères, ouvrit d'une poussée énergique la porte de la cage d'escalier. Il décrocha le micro de l'appareil mural, composa un code et lança d'une voix tonitruante :

— Bonsoir, mesdames et messieurs ! Les passagers du vol Air Impact ! 2038, à destination de la charmante cité de Freeport, sont priés d'embarquer par cette porte, ici même. Ce soir, nous aimerions commencer par... (il feignit de balayer du regard la salle d'attente à peu près déserte avant de pointer le doigt sur les quatre retraités) VOUS, mes tout beaux !

Les retraités s'approchèrent sans entrain et présentèrent chacun leur billet. Unger leur dit de descendre l'escalier et de se diriger vers l'appareil. Ils lui demandèrent comment ils feraient pour savoir quel appareil était le leur. Il leur dit que c'était celui qui avait AIR IMPACT ! écrit en grosses lettres sur le côté. Ils n'aimèrent pas son ton.

Tout cela se passait dix minutes avant l'heure prévue pour le décollage, et Unger envisageait de refermer la porte d'embarquement quand Puggy, portant sa valise, pénétra dans la salle, talonné par Snake et Jenny, euxmêmes marqués à la culotte par Eddie. Ils s'approchèrent en formation compacte et bizarroïde. Snake tendit les billets à Unger.

— Ah, dit Unger. Les John Smith.

Snake lui décocha un regard genre déconne-pas-avec-moi. Unger répliqua d'un haussement d'épaules style j'en-ai-rien-à-battre. Son sentiment premier était que, qui que soient ces gens, ils ne seraient bientôt plus son problème. Il gesticula en direction de la porte.

— L'avion est en bas.

La formation compacte et bizarroïde descendit l'escalier et, derrière, Unger ferma la porte et suivit le mouvement jusqu'au tarmac. Il gesticula en direction de l'avion, où les couples retraités, en se plaignant de ne bénéficier d'aucune assistance, étaient en train de gravir l'étroite passerelle télescopique fixée à l'arrière de l'appareil, dans la douleur, comme s'ils s'attaquaient aux quinze derniers mètres de l'ascension de l'Everest.

Unger suivit la formation de Snake jusqu'au pied de la passerelle. Puis il tendit le bras vers la valise et dit à Puggy :

— Donnez, je m'en occupe.

Snake attrapa le bras d'Unger.

— Elle part aussi, dit-il.

— Je vais la charger dans la soute, contra Unger. Vous la récupérerez à Freeport.

— Je veux dire qu'elle fait le voyage *avec* nous, dit Snake.

— Pas possible, dit Unger. Trop grosse. Les consignes de la FAA...

Snake plongea une main dans sa poche de pantalon, en sortit une liasse de billets qu'il tendit à Unger.

— Laissez-moi vous donner un coup de main pour la monter à bord, proposa Unger.

Sous le regard attentif de Snake, il empoigna la valise — *Bon Dieu que ce bazar pèse lourd !* — et la traîna jusqu'à la passerelle. Unger avait beau être costaud, il arriva tout juste à la hisser jusqu'en haut de la passerelle. Épuisé, il la déposa dès qu'il eut franchi la porte.

Il redescendit l'escalier en haletant. Son regard fila par-delà Snake, vers l'aérogare, et demanda :

— Où va votre ami ?

Snake fit volte-face. Puggy, qui était à côté de lui un instant plus tôt, n'y était plus. Snake regarda vers l'aérogare juste à temps pour voir sa silhouette trapue disparaître derrière la porte du secteur d'embarquement.

— Le fils de pute ! lâcha-t-il, fou de rage, en pressant si fort le bras de Jenny qu'elle poussa un cri. Ce sale petit enfoiré de fils de PUTE ! (Il se retourna vers Unger.) Il part quand, ce zinc ? demanda-t-il.

— Vous voulez aller chercher votre ami ?

— Non, je veux que ce putain de zinc décolle *tout de suite*, dit Snake.

— Il décollera dès que vous serez à bord et que les pilotes auront fait les vérifications d'usage, dit Unger. D'ici cinq, dix minutes.

— Grimpe ! dit Snake à Eddie.

Eddie regardait en arrière, vers l'endroit où Puggy venait de disparaître.

— Snake, dit Eddie, je crois vraiment pas que ça...

— J'ai dit *grimpe dans ce foutu zinc* ! gronda Snake, en se servant de son flingue planqué dans le sweatshirt pour aiguillonner Eddie comme il l'avait fait jusque-là avec Puggy.

Eddie détourna à regret le regard de l'aérogare et entreprit de monter les marches. Snake poussa Jenny derrière lui. En haut de la passerelle, tout le monde dut enjamber la valise pour s'engager dans l'allée.

Unger contourna l'appareil par l'avant et fit signe au pilote d'ouvrir le panneau coulissant de son pare-brise latéral. Quand ce fut fait, Unger lui lança :

— C'est bon, vous pouvez y aller !

— Et le type qui vient de repartir en courant vers l'aérogare ? demanda le pilote. Il a oublié quelque chose ?

— Nan, répondit Unger. On dirait qu'il a changé d'avis.

Il faillit ajouter quelque chose, du style « Vous avez un drôle de gugusse en cabine », mais il décida de s'abstenir. Il avait déjà vu des gens pas nets embarquer sur des avions, le sud de la Floride était plein de gens pas nets. Ce mec trimballait sûrement de la came ou une saloperie quelconque. Mais Unger considérait que c'était désormais le problème de quelqu'un d'autre. Il se faisait tard, il était temps pour lui de se mettre à picoler, et, en plus, il ne connaissait pas cet équipage — deux jeunes gars qui venaient d'être embauchés pour remplacer deux autres jeunes gars qui en avaient eu marre d'Air Impact ! et qui s'étaient barrés. En s'éloignant de l'appareil, Unger fit signe aux pilotes, le pouce levé.

12

35 : 08

Tout en s'éloignant au trot de la zone d'embarquement d'Air Impact !, Puggy s'efforçait de prendre une décision. Son idée première avait été d'échapper au fou furieux et à son flingue, de courir à toutes jambes et de quitter aussi vite que possible cet aéroport noir de monde, effrayant et inconnu. Mais il pensait aussi à la fille restée sur place. Elle avait une peur bleue du fou furieux, Puggy l'avait bien vu, de même qu'il avait vu qu'elle avait tout à fait raison d'avoir peur. Alors, Puggy se dit qu'il ferait mieux de prévenir quelqu'un. Mais qui ? Il n'aimait pas les flics — il n'avait eu que de mauvaises expériences avec eux —, et pourtant, il aurait été bien content d'en trouver un à prévenir là, tout de suite, pour la fille.

Droit devant lui, il repéra un comptoir derrière lequel se tenaient deux employés, un type assez jeune et une dame plus âgée, occupés à compter des bouts de papier. Ils étaient en train de boucler la paperasse d'enregistrement d'un vol Miami-Philadelphie qui avait subi un retard de près de trois heures. Puggy hésita, puis se dirigea vers le comptoir. Le jeune homme leva les yeux.

— Oui ? fit-il, moyennement aimable.

— Euh, dit Puggy. Il y a... Faut que je...

— Je suis navré, dit le jeune homme, qui ne l'était visiblement pas, mais ce vol est complet. Plus une seule place, d'accord ?

— Non, il y a un mec, là-bas, reprit Puggy, en indiquant la zone d'embarquement. Il a la fille, et...

— Monsieur, intervint la dame, encore moins aimable que le type. Nous avons un vol à faire décoller *maintenant*, d'accord ? Alors, quel que soit votre problème, nous n'avons pas le temps de nous en occuper.

— Il l'a forcée, dit Puggy. Il a un...

— On n'a pas le temps de s'en occuper maintenant, *monsieur*, dit le type.

Il se remit à compter ses bouts de papier, et la dame fit pareil, et tous deux secouèrent la tête comme pour dire : « Ah, vraiment, ces touristes... »

34 : 02

— Quel est votre plan ? demanda Baker. On déboule dans l'aéroport et on sonne l'alarme ?

La voiture de location était en train de slalomer dans le trafic sur la rampe d'accès aux Départs.

— Négatif, répondit Greer. Comme je vous l'ai déjà dit, plus les gens en sauront, plus il y aura de risques qu'il y ait des victimes. Alors, tant qu'on ne sera pas absolument obligés de l'ouvrir, on la ferme.

— Comment est-ce qu'on est censés faire pour les retrouver ? demanda Baker.

— On va les retrouver parce que, un, avec cette valise, ils ne peuvent se déplacer que lentement, répondit Greer. Deux, d'après ce que m'a dit notre camarade du Jolly Jackal de ces deux taches, ils n'ont pas l'air d'être très bien fournis sur le plan de la matière grise. Sans compter qu'ils ont des otages. Ils vont sûrement se faire remarquer dans la foule.

— Je ne sais pas trop, observa Baker. Dans cet aéroport, ça doit pas être si évident de se faire remarquer...

33 : 34

Devant le comptoir de Delta Airlines, deux agents de police s'efforçaient de ranimer le maître de Daphné. Il avait tellement résisté à leurs efforts pour lui faire lâcher la veuve propriétaire des yorkshires qu'en fin de compte l'un d'eux l'avait assommé d'un grand coup de sa lampe-torche. C'était une mauvaise nouvelle, parce que la police avait besoin de lui pour maîtriser Daphné, laquelle, ayant renoncé à atteindre Pinky et Enid, promenait à présent ses regards sur la foule en rapide expansion des badauds, en pensant à des choses auxquelles pensent les gros serpents affamés.

Les policiers étaient confrontés à un problème. Il était évident qu'ils ne pouvaient pas laisser cette créature en liberté dans l'aéroport. Il était tout aussi évident qu'ils ne pouvaient pas prendre le risque de l'abattre avec autant de civils à proximité immédiate. Cela voulait dire qu'il fallait que quelqu'un la capture, mais son propriétaire était actuellement sur le carreau, et aucun des policiers présents n'envisageait une seconde d'appréhender physiquement Daphné. Comme l'un d'eux l'avait formulé :

— Et vous voudriez qu'on fasse quoi ? Qu'on lui passe les menottes ?

Donc, pour l'heure, c'était le statu quo. D'un côté se tenaient les policiers, tâchant de contrôler la foule ; de l'autre se tenait — ou plus précisément se lovait — Daphné. Un des agents avait contacté le central pour réclamer l'envoi immédiat d'une unité de la fourrière, mais il venait d'être informé que l'unité de la fourrière la plus proche était d'ores et déjà mobilisée par un énorme embouteillage sur Le Jeune Road, apparemment provoqué par un troupeau de chèvres.

33 : 17

— Où est la police? demanda Anna, à l'extrême bord de l'hystérie. *Comment se fait-il qu'on ne voie aucun policier ici?*

— On va en trouver, dit Eliot. Il doit bien y en avoir dans le coin...

En réalité, lui aussi s'interrogeait. En temps normal, il y avait toujours des policiers dans le coin.

Eliot et Anna couraient dans la foule quelques pas derrière Matt, et Nina fermait la marche. Plus les secondes passaient, plus leur désespoir augmentait, à mesure qu'ils prenaient conscience du nombre considérable de gens, et de salles, et de portes, qu'il y avait dans cet aéroport.

Ils arrivèrent à un poste de contrôle des bagages, où deux cents personnes au moins attendaient sur deux files le moment de franchir le détecteur de métaux pour gagner la zone d'embarquement. Matt, Anna et Eliot se séparèrent et longèrent les files, aller et retour, en étudiant chaque visage. Pas de chance. Alors qu'ils repartaient dans le hall, ils entendirent Nina pousser un cri. Ils se retournèrent et la virent repartir au trot vers le poste de contrôle, en criant quelque chose qui ressemblait à «Poggey». Matt fut le premier à comprendre ce qui se passait.

— C'est le petit mec! cria-t-il. Le barbu! Celui qui était chez Jenny! Celui qui portait la valise!

De l'autre côté du poste de contrôle, Anna et Eliot repérèrent Puggy, lui aussi en train de courir vers Nina, l'air béat.

— Matt, dit Eliot, cours prévenir la fille de la police. On va vous attendre ici avec ce type. Fonce !

Matt s'était déjà élancé à travers la foule.

29 : 32

— Vous avez dit Delta, c'est bien ça ? demanda le chauffeur.

— Oui, Delta, confirma Henry.

Henry et Leonard se trouvaient à bord d'une navette de la société de location de voitures U-Drive-It à destination de l'aérogare principale. Ils avaient fait signe au chauffeur — ils l'avaient même intercepté, le forçant à s'arrêter — sur la route d'accès à l'aéroport, après avoir abandonné leur voiture de location et slalomé à pied à travers la circulation paralysée de Le Jeune Road. Le chauffeur avait d'abord rechigné à leur ouvrir la porte, mais Henry l'avait convaincu en plaquant un billet de vingt contre son pare-brise.

Ils avaient chaud. Ils transpiraient et étaient de mauvaise humeur. Toutes les minutes environ, Leonard se mettait à secouer la tête et lançait aux autres passagers du bus, qui prenaient soin d'éviter son regard :

— Putains de chèvres !

Henry, malgré sa plus grande retenue, en avait lui aussi ras la casquette de cette mission aussi frustrante qu'improductive. Il avait pris sa décision : dès qu'ils auraient en main leur carte d'embarquement pour Newark, il téléphonerait à leur contact de Penultimate SA pour lui annoncer que, désolé mon vieux, ils n'avaient qu'à trouver quelqu'un d'autre pour effacer Arthur Herk, parce que lui, personnellement, ne remettrait plus jamais les pieds dans cette ville de dingues — où chaque fois que vous tentiez de flinguer quelqu'un avec rigueur et conscience professionnelle, un autre flingueur se pointait, ou la police, ou un chien, quand ce n'était pas un demeuré qui vous tombait dessus du haut des arbres.

— Delta, annonça le chauffeur, en immobilisant son bus et en déclenchant l'ouverture des portes.

Henry et Leonard descendirent. Leonard marqua un temps d'arrêt pour lancer au chauffeur, à titre d'adieu :

— Putains de chèvres !

Tandis que le bus redémarrait, Henry et Leonard regardèrent à travers les portes vitrées automatiques de l'aérogare. Le hall fourmillait de gens, dont bon nombre couraient. Quelque part à l'intérieur, ils entendirent un hurlement de femme.

— Qu'est-ce que c'est *encore* ? fit Henry.

— Quoi que ce soit, lâcha Leonard, ça ne peut pas être pire que les chèvres.

28 : 49

— Allez ! grogna Snake. Allez, décolle, putain de merde !

Il s'adressait surtout à lui-même, mais les postiers en retraite, installés quatre rangs devant lui dans la cabine de l'avion, l'entendirent — et ils n'aimèrent pas son ton.

Dans le cockpit, séparé de la cabine par un rideau noir entrouvert, les deux pilotes tout juste embauchés d'Air Impact ! étaient en train de procéder aux vérifications de routine de leur check-list. À en juger par le nombre de boutons qu'ils avaient sur la tronche, Snake estima qu'ils devaient avoir dans les dix-sept ans, alors qu'en fait ils en avaient vingt-trois. Ils s'appelaient Justin Hobert et Frank Teeterman Junior, et ils étaient inséparables depuis l'école élémentaire, où ils s'étaient découvert une passion commune pour l'aviation. Ils avaient beaucoup été chambrés au collège pour leur entêtement à construire des maquettes pendant que tous leurs potes investissaient leur énergie dans la lecture des magazines X.

Justin et Frank étaient restés des monomaniaques de l'aviation, et leur vie sociale en avait souffert. Mais ils sentaient maintenant que le jeu en avait valu la chandelle, parce que, après toutes ces années de cours et d'études, ils étaient enfin devenus pilotes de ligne : ce soir, ils allaient effectuer ensemble leur tout premier vol professionnel. Ils n'arrivaient pas encore à croire à leur bonheur ; la plupart des compagnies obligeaient les bleus à voler pendant des *années* avec des pilotes plus expérimentés. Bien sûr, le salaire chez Air Impact ! était plutôt mince — quatorze mille deux cents dollars par an —, mais l'important, c'était de voler. Ils portaient une chemise et un pantalon de pilote neufs, et ils étaient aux manettes, nom d'un chien !

Justin — qui avait gagné à pile ou face le titre de commandant de bord pour ce vol — se tourna vers les sept passagers de la cabine. En forçant sa voix dans les graves et le nasillard, il annonça :

— Chers amis, bienvenue à bord du vol 2036 d'Air Impact ! pour...

— Le vol 2038, souffla Frank.

— Exact, le vol 2038, pour, euh, Freeport, dit Justin. Je suis le commandant Justin Hobert, et voici Frank Teeterman, mon copilote.

Frank fit aux passagers un petit salut de la main.

— On en a presque fini avec la check-list, reprit Justin. Dans quelques minutes, nous allons procéder à la fermeture des portes, vous expliquer les consignes de sécurité, et nous nous envolerons.

Justin, qui avait répété ce discours devant le miroir de sa salle de bains, se concentra de nouveau sur les opérations de sa check-list.

— Hé ! (C'était la voix de Snake, venue du fond de la cabine.) Si on partait tout de suite, les mecs ?

— Pardon ? fit Justin en se retournant.

Les retraités se retournèrent eux aussi pour foudroyer collectivement Snake du regard. Il était assis à côté de Jenny, qui avait les paupières closes et la tempe appuyée contre le hublot. Eddie était de l'autre côté de l'allée, l'air maussade.

— J'ai dit : « partons tout de suite », répéta Snake.

Il pensait à l'enfoiré qui venait de s'enfuir. Il pensait que l'enfoiré, qui était fondamentalement un zonard comme lui, n'irait pas pleurer chez les flics. Il ne chercherait probablement qu'à sauver son petit cul, ce qui était ce que Snake aurait fait à sa place. Mais il voulait quand même partir.

— Monsieur, répondit Justin, il faut d'abord finir la check-list, et ensuite, on partira. C'est pour votre sécurité, monsieur.

Snake faillit sortir son flingue illico. Il lui vint même une bonne idée de réplique : *Ma sécurité, la v'là, trouduc !* Mais il décida de patienter encore une minute ou deux.

27 : 16

— Madame ! cria Matt, fendant la foule et moulinant des bras à l'intention de Monica, dont il venait de repérer l'uniforme près du comptoir des vols intérieurs d'American Airlines. Madame l'agent !

— Vous les avez retrouvés ? cria Monica, courant vers lui.

— On a retrouvé le petit mec, dit Matt. Le barbu. Par ici !

Ils couraient à présent côte à côte.

— Juste lui ? demanda Monica. Tout seul ?

— Ouais, dit Matt.

— Est-ce qu'il a dit où sont les autres ?
— Je lui ai pas parlé, dit Matt. Mon père m'a tout de suite envoyé vous chercher.
— Bien joué, dit Monica.

26 : 02

— Il est fichu comment, cet aéroport ? demanda Greer.
— Le hall principal est un demi-cercle, expliqua Baker. D'où rayonnent les salles d'embarquement.
— On est au milieu, là ? demanda Greer.
— Presque, répondit Baker.
— D'accord. Arrêtons-nous ici.
Seitz se gara juste sous un panneau STATIONNEMENT INTERDIT À TOUTE HEURE. Les trois hommes descendirent de voiture et se dirigèrent vers l'entrée de l'aérogare.
Greer, s'adressant à Baker, dit :
— Je parie que ces crétins ont déjà fait une connerie et qu'ils ont attiré l'attention des flics de l'aéroport. Ça ne devrait pas être difficile de les retrouver. Quand ça sera fait, on aura besoin de votre aide pour récupérer la valise, coffrer les malfaiteurs, et dégager d'ici aussi vite et aussi discrètement que possible. D'accord ?
— D'accord, répéta Baker.
— Mais dans tous les cas de figure, dit Greer, en s'adressant maintenant à Seitz en même temps qu'à Baker, *on récupère d'abord la valise.*
À leur entrée dans le hall, ils faillirent être renversés par deux hommes munis d'un talkie-walkie qui couraient vers la gauche et le comptoir de Delta. Ils distinguèrent un brouhaha venu de la même direction, puis un hurlement.
— Bingo ! dit Greer.

25 : 41

Puggy n'en revenait pas : son ange ! Ici ! Il lui prit la main et plongea son regard tout au fond des yeux de Nina, qui étaient exactement au même niveau que les siens. L'espace d'une minute, il n'entendit pas ce que l'autre dame s'époumonait à lui dire.

— S'il vous plaît, insista Anna, pour la troisième fois, où est ma fille ?

— Puggy, renchérit Nina, vous devez nous aider. *Poggey, voudévénossédé.*

Puggy comprit soudain. *La fille.*

— Par là, dit-il, tendant le bras vers l'autre côté du poste de contrôle. Ils ont pris un avion.

— Oh, mon Dieu ! s'écria Anna, en serrant le bras d'Eliot. Il faut les rattraper !

— Exact, acquiesça Eliot, en jetant sur le hall un regard empreint de désespoir.

Où diable est passé Matt ? Où est la policiè... Ah, là !

— Par ici ! glapit-il en faisant de grands signes à Monica et à Matt, qui arrivaient en courant à travers la foule.

— Alors ? Qu'est-ce qu'il a dit ? lança Monica, haletante, avant même d'avoir rejoint le groupe.

— Ils ont pris un avion, dit Eliot. Par là.

— Montrez-moi, dit Monica, saisissant le bras de Puggy et marchant à grandes enjambées vers le poste de contrôle.

Puggy, lâchant à regret la main de Nina, se laissa entraîner par Monica.

— Police ! cria Monica en atteignant le bout de la queue formée devant le poste de contrôle. Écartez-vous, s'il vous plaît ! C'est une urgence !

Traînant toujours Puggy dans son sillage, elle franchit le détecteur de métaux, dont l'alarme sonna à cause de son insigne. Le type rondouillard lui bloqua le passage sur-le-champ.

— Écoutez, lui dit Monica, c'est une urgence. Je dois accéder à la zone d'embarquement avec cet homme, et je veux que vous préveniez immédiatement la police de l'aéroport que...

— Je dois d'abord le passer au scanner, interrompit le type rondouillard en approchant de Puggy, son scanner à la main.

— Vous m'avez entendue, pour l'amour du ciel ? cria Monica. Je viens de vous dire que c'est une *urgence*. Il y a une prise d'ot...

— ET MOI JE VIENS DE VOUS DIRE QUE JE DOIS LE PASSER AU SCANNER, riposta le type rondouillard, en agitant son appareil sous le nez de Monica.

On ne badinait pas avec le règlement.

— Allez plutôt scanner là-bas, dit Monica.

Elle lui arracha son scanner des mains et le jeta par-dessus son épaule. Dans la foulée, elle bouscula le type rondouillard et entraîna Puggy.

— Hé ! cria le type rondouillard. Attendez ! Vous ne pouvez pas... HÉ !

— Excusez-nous, dit Eliot, franchissant le détecteur de métaux et bousculant à son tour le type rondouillard, suivi de près par Anna, Matt et Nina. On est avec eux...

— ARRÊTEZ ! cria le type rondouillard, tentant en vain de bloquer le groupe de renégats. SÉCURITÉ !

— SÉCURITÉ ! reprirent en chœur la femme des rayons X, la dame austère du tapis roulant et les autres employés du poste de contrôle. SÉCURITÉ ! SÉCURITÉ !

Un agent de police était en permanence assigné à la surveillance de ce poste de contrôle : il s'appelait Ralph Pendick et se trouvait être le frère aîné — mais pas tellement plus brillant pour autant — de Jack Pendick, l'homme qui plus tôt dans la soirée avait efficacement fait capoter la tentative d'aspersion de Jenny Herk en tirant à balles réelles sur tout ce qui bougeait sur le parking du Woolworth. Ralph Pendick avait pour consigne de rester sur place quelles que soient les circonstances, et il avait essayé de toutes ses forces d'y obéir quand il avait eu vent, grâce à son talkie-walkie, de l'incident du comptoir de Delta. Il avait vu, avec une envie grandissante, les autres agents de police de l'aéroport passer devant lui en courant, cap sur l'action ; il n'y avait *jamais* aucune action ici, au poste de contrôle des bagages à main. Pour finir, incapable de résister plus longtemps, Ralph avait abandonné son poste et s'était dirigé vers le comptoir de Delta, d'où il s'ensuivait qu'il n'y avait strictement plus personne pour répondre aux appels du personnel du poste de contrôle placé sous sa responsabilité — un personnel qui continuait de crier « SÉCURITÉ ! » sans quitter des yeux les silhouettes de plus en plus floues de Monica, Puggy, Eliot, Matt, Anna et Nina.

Le type rondouillard s'approcha à grands pas d'un téléphone mural, décrocha le combiné, composa un code et se mit à beugler dans l'appareil des phrases presque incohérentes. Le système de sécurité venait d'être forcé ! Un agent de la police de Miami était impliqué ! Plusieurs individus avaient franchi le poste de contrôle sans avoir été adéquatement scannés ! Il était possible qu'ils aient sur eux des... ordinateurs portables !

23 : 24

— Tu vois ce qui se passe ? demanda Leonard.

Ils venaient d'atteindre la lisière de l'énorme attroupement qui s'était formé devant le comptoir de Delta.

— Que dalle, dit Henry en étirant le cou. Tout ce que je vois, c'est un tas de gens qui essaient de voir.

— Qu'ils aillent se faire foutre, dit Leonard. Faut atteindre le comptoir, voilà ce que je dis.

— Ça vaut le coup d'essayer, reconnut Henry.

Prenant la tête, il se mit à jouer des coudes à travers la foule, qui vociférait en plusieurs langues. D'après les lambeaux d'anglais que Leonard et lui réussirent à capter au vol, ils déduisirent qu'il y avait des policiers quelque part devant eux, et aussi quelqu'un de blessé, et une chose qui rampait par terre. La foule devenait plus dense à chaque mètre, et Henry dut bientôt mobiliser toute sa force pour écarter les badauds, tandis qu'à chaque nouveau pas il sentait grandir sa résolution de *foutre... le... camp... de... cette... ville... de... barges.*

À l'approche du comptoir de Delta, la foule devenait d'une densité presque impénétrable, comprimée qu'elle était, à l'arrière, par les gens qui cherchaient à voir ce qui se passait et, à l'avant, par ceux qui cherchaient à reculer, apparemment pour fuir quelque chose. Des cris fusaient, dont les plus perçants provenaient d'une zone située droit devant Henry et Leonard. Tout à coup, le volume sonore s'intensifia, accompagné d'un chœur de couinements terrifiés ; la foule reflua violemment, comme un seul homme, au moment précis où Henry et Leonard exerçaient une forte poussée frontale. Ils basculèrent vers l'avant et se retrouvèrent soudain seuls, en terrain découvert, cernés par un anneau hystérique de cris et de visages déformés par la terreur. Henry réussit à rétablir son équilibre, mais Leonard poursuivit sa culbute et s'arrêta contre la cage de plastique de Pinky et d'Enid, toujours en train de japper et de sangloter. Avec un grognement, il releva la tête et vit, au ras du sol, à cinq centimètres de son visage... une langue vraiment très, très longue.

22 : 58

Snake allait craquer. Les minutes passaient, et les deux boutonneux étaient toujours à se la péter à l'avant, délirant dans leur micro, et ce putain de zinc ne bougeait pas. Il passait son temps à surveiller par le hublot la porte de l'aérogare, qu'il s'attendait à voir se rouvrir d'un moment à l'autre. En fin de compte, n'y tenant plus, il se mit debout dans l'allée centrale.

— Hé ! cria-t-il. Démarrez-moi ces putains de moteurs !

Justin, Frank et les quatre retraités se retournèrent, tous avec le même regard foudroyant — jusqu'à ce qu'ils aient vu le flingue braqué sur le cockpit. Les retraités ravalèrent un cri collectif et se recroquevillèrent instantanément sur leur fauteuil, hors de la ligne de tir. Justin et Frank continuèrent de fixer l'orifice du canon, les neurones momentanément paralysés. Une tache sombre s'élargit sur le devant du pantalon neuf de Frank.

— Démarrez-moi ces putains de moteurs TOUT DE SUITE !

— On... On... balbutia Justin. Je veux dire, la porte. Il faut qu'on ferme la porte.

— Je m'occupe de la putain de porte, boutonneux, dit Snake. (Plus question pour lui de laisser qui que ce soit se tirer comme l'autre enfoiré.) Et maintenant, DÉMARREZ-MOI CES PUTAINS DE MOTEURS ET EMMENEZ-NOUS AUX BAHAMAS OU JE FAIS SAUTER VOS PUTAINS DE CAFETIÈRES.

Cette phrase fit naître une tache sombre sur le pantalon de trois des quatre retraités. Justin et Frank lancèrent frénétiquement la procédure de mise en route des moteurs. L'hélice de l'aile droite commença à tourner, très lentement.

— Snake... dit Eddie, le regard fixé sur le hublot.

— Quoi ?

Snake se pencha pour regarder dans la direction où regardait Eddie et dit :

— Merde ! MERDE !

La porte de l'aérogare s'était rouverte. Le petit enfoiré — ce fils de pute — était en train de sortir du bâtiment et de montrer leur avion du doigt à... la fliquesse ! La putain de salope de sa mère.

Snake cria à Justin et à Frank :

— BOUGEZ-MOI CE PUTAIN DE COUCOU, BORDEL !

Il fit volte-face, rejoignit la porte arrière de l'avion, visa la fliquesse avec son flingue et tira. Instantanément, Monica plongea pour se mettre à couvert à l'intérieur du bâtiment, en entraînant l'enfoiré à sa suite et en refermant la porte derrière eux.

— POURQUOI EST-CE QU'ON BOUGE PAS, PUTAIN DE MERDE ?

— Il faut... démarrer l'autre moteur ! cria Justin en réponse.

Le moteur droit, après une succession de quintes de toux et de crachotements, s'était mis à rugir. L'hélice gauche commençait seulement à tourner. Snake reporta son attention sur la porte de l'aérogare ; elle était légèrement entrouverte, mais il lui était impossible de voir à l'intérieur. Snake se retourna vers le cockpit, où il vit Justin parler dans le micro de son casque.

— À QUI TU CAUSES ? hurla-t-il.

— À PERSONNE ! répondit Justin, obligé de crier lui aussi pour couvrir le bruit des moteurs. À LUI, ajouta-t-il en désignant Frank.

— ENLEVEZ-MOI CES TRUCS, cria Snake.

— ON EN A BESOIN POUR PARLER À LA TOUR, protesta Justin.

— ENLÈVE ÇA, BOUTONNEUX, dit Snake, braquant son flingue sur le cockpit.

Justin et Frank retirèrent leur casque.

— MAINTENANT, cria Snake, ON DÉGAGE !

— ET LA PORTE ? demanda Justin.

— JE M'OCCUPE DE LA FOUTUE PORTE ! cria Snake.

Il avait l'intention de la laisser ouverte, pour le moment, au cas où il aurait encore besoin de tirer.

Justin, secouant la tête, releva le frein et poussa doucement la manette des gaz. Très lentement, l'avion se mit à rouler.

20 : 40

Sans avoir l'air de se presser le moins du monde, Daphné ne mit que quelques secondes pour s'enrouler plusieurs fois autour de Leonard. Il savait très bien ce qui lui arrivait, mais il constata qu'il n'y avait strictement rien qu'il puisse faire pour l'empêcher : quels que soient ses mouvements, et les endroits où il plaçait ses bras, Daphné coulissait sans effort, pour ne pas dire avec nonchalance, autour de son corps. Ce fut tout juste si Leonard sentit sa force phénoménale : à aucun moment elle ne parut en avoir vraiment besoin. Leonard était terrorisé, mais malgré sa terreur, les hurlements qui fusaient autour de lui, et la répugnance instinctive qu'il éprouvait à être étouffé par cette *chose*, son cerveau trouva la place et le temps de s'interroger sur un phénomène surprenant : il ne se sentait pas broyé ; il ne se sentait même pas *comprimé.* En revanche, il remarqua que, après chaque expiration, il lui devenait plus difficile, voire carrément impossible, d'inspirer, au fur et à mesure que Daphné, placidement, inlassablement, resserrait ses anneaux. Leonard se sentit sombrer ; il était mourant, et il le savait. *Voilà, c'est la fin*, se dit-il. *Je ne reverrai plus le New Jersey.*

Et, dans un ultime sursaut de lucidité, il pensa : *Putains de serpents.*

20 : 31

Il n'y avait plus dans l'escalier que Monica et Matt. Après la balle tirée par Snake, Monica avait demandé à Eliot et à Anna de ramener Puggy en salle d'embarquement et de faire tout ce qu'ils pourraient (« Mettez le feu s'il le faut ») pour attirer l'attention de la police. Anna aurait préféré rester en vue de l'appareil, mais Monica lui avait expliqué que la meilleure façon pour elle d'aider sa fille était de trouver des renforts au plus vite.

« Et Matt ? avait demandé Eliot.

— Je préfère qu'il reste avec moi — au cas où j'aurais besoin d'un messager, avait répondu Monica. Tout se passera bien. »

Eliot et Anna avaient donc remonté l'escalier quatre à quatre, talonnés par Puggy et Nina, qui se tenaient toujours par la main. Monica entrebâilla légèrement la porte extérieure et observa l'avion d'Air Impact !, stationné parallèlement au bâtiment de l'aérogare. Pour rallier la piste d'envol, il allait devoir s'orienter perpendiculairement, et à ce moment-là, ses occupants ne verraient plus la porte. Le moteur droit de l'avion grondait, et son hélice tournait tellement vite qu'elle en était invisible ; le moteur gauche était en passe d'atteindre le même stade.

— Tu restes ici, dit Monica à Matt. Tu regardes ce qui se passe à travers cette fente, mais surtout, ne mets pas le pied dehors. Quand ton papa arrivera avec les renforts, tu leur raconteras ce qui s'est passé.

L'avion, qui s'était mis en branle, virait nonchalamment sur sa droite. Dès que les hublots furent hors de vue, Monica ouvrit la porte.

— Qu'est-ce que vous allez faire ? demanda Matt.
— Je vais essayer d'arrêter cet avion.
— Comment ?
— Aucune idée.
Monica se mit à courir sur le tarmac. Elle ne se retourna pas une seule fois.

20 : 17

L'agent Greer, en tête, fendait la foule en rejetant les gens sur son passage à la manière d'une moissonneuse-batteuse. Ceux qui ne s'écartaient pas de son chemin assez vite se faisaient ramasser, puis balancer comme des bottes de foin. Néanmoins, il fallut cinq bonnes minutes à Greer, Seitz et Baker pour arriver en vue du comptoir de Delta. Dans un concert d'exclamations et de hurlements, ils virent des policiers en uniforme, dont certains s'efforçaient de contenir la foule, pendant que d'autres se criaient mutuellement des instructions et montraient du doigt... quelque chose qui était au sol, invisible.
— Rappelez-vous, dit Greer par-dessus son épaule, juste avant de lancer son corps en avant pour traverser les derniers mètres de foule. On récupère la valise.

19 : 58

L'avion d'Air Impact ! commençait à prendre de la vitesse, mais il roulait tout de même encore assez lentement pour que Monica — qui, jusqu'à la classe de sixième et à l'apparition de ses seins, avait été la plus rapide à la course de son école, tous sexes confondus — puisse le rattraper. L'ayant contourné par la gauche, elle vit que l'étroite passerelle télescopique était toujours en place et traînait sous la porte arrière. Elle s'efforça de ne pas penser au flingue. Elle y penserait une fois qu'elle serait à bord.

19 : 50

De sa vie, Henry n'avait jamais tué aucun serpent, petit ou grand. Mais c'était un professionnel, et il réfléchit soigneusement — vite, mais soigneusement — à la façon dont il allait pouvoir gérer la situation. Il devait toucher l'animal à la tête, voilà au moins une chose qui était sûre ; le problème était que la balle continuerait ensuite son trajet. Henry ne voulait pas toucher Leonard, bien entendu, et il ne voulait pas non plus que sa balle aille se perdre dans la foule. Il ne voulait pas tirer de haut en bas, parce que la balle ricocherait sur le sol, qui était sûrement, sous la moquette, une dalle de béton. Henry décida que la meilleure solution était de tirer de bas en haut, vers le plafond.

Il s'agenouilla et dégagea le pistolet de sa gaine de cheville. Puis il se releva et contourna Leonard, dont les yeux aveugles étaient de plus en plus globuleux et dont les joues étaient en train de prendre une coloration prune. Deux braves flics avaient attrapé à deux mains le cou de Daphné et tiraient dessus de toutes leurs forces, sans le moindre effet notable sur l'intéressée. Tandis qu'Henry s'approchait, un troisième flic courut vers lui, en hurlant quelque chose qu'il ne comprit pas dans le brouhaha ; mais dès qu'il vit l'arme qui luisait dans la main d'Henry, le flic recula. Henry montra ensuite son flingue aux deux braves flics ; ceux-ci se consultèrent du regard, lâchèrent Daphné et se relevèrent. Pendant ce temps, Henry se laissa tomber sur le ventre, roula sur le dos et se plaça juste à côté de Leonard. Au moment où Daphné, toujours aussi peu pressée, levait gracieusement la tête pour voir ce qui se passait, il lui enfonça le canon de son arme sous la mâchoire inférieure, pressa la détente et lui fit sauter la cervelle, qui n'était d'ailleurs pas considérable.

La seconde d'après, Greer émergeait en trombe de la foule, son revolver dégainé à l'instant où il avait entendu le coup de feu et les cris qui lui faisaient écho. Il courut sur quelques pas, puis s'arrêta, l'arme au poing, pour contempler le groupe figé sur la moquette — d'abord Leonard inanimé, puis Daphné sans sa tête, et enfin Henry, sur le dos, l'arme toujours pointée vers le plafond.

Les deux hommes se fixèrent un long moment. Henry fut le premier à parler :

— Agent Greer... Qu'est-ce qui vous amène à Miami ?

19 : 22

L'avion roulait plus vite. Monica, qui fatiguait à vue d'œil, n'était pas sûre de pouvoir monter à bord. Elle n'était même pas sûre à cent pour cent d'en avoir envie. Mais elle trouva quelque part en elle une réserve d'énergie et réussit à s'approcher à quelques centimètres de la passerelle. Elle tendit la main gauche et, l'espace d'une seconde, elle sentit entre ses doigts le câble d'acier gainé de plastique qui faisait office de garde-corps, mais l'effort qu'elle avait produit pour se pencher ralentit très légèrement sa course, et le câble lui échappa. Les poumons en feu, elle se fendit de nouveau en avant et, cette fois, elle agrippa fermement le câble, mais au même moment elle sentit qu'elle commençait à trébucher et *merde, je suis en train de me vautrer, et l'avion va s'envoler, et...*

... et Matt, qui courait juste à côté d'elle, la remit d'aplomb et la poussa vers l'avant ; elle attrapa le second câble du garde-corps et réussit à mettre un pied sur la passerelle. Arrivée à la seconde marche, elle se retourna et tendit la main à Matt, il l'attrapa et elle tira dessus, et, la seconde d'après, Matt prit appui sur la première marche, l'avion accélérant alors d'un seul coup, et même le sprinteur le plus chargé de la planète n'aurait eu aucune chance de monter à bord.

18 : 37

Baigné de sueur et suivi par les autres en file indienne, Eliot revint ventre à terre vers le poste de contrôle.

— POLICE ! cria-t-il. POLICE !

Devant lui, un troupeau de croisiéristes sur le chemin du retour assista à son arrivée, bouche bée.

— APPELEZ LE 911 ! cria Eliot en passant à hauteur des croisiéristes. S'IL VOUS PLAÎT, IL Y A LÀ-BAS UN HOMME ARMÉ EN TRAIN DE TIRER !

Les croisiéristes regardèrent Eliot disparaître au fond de la salle, avec Anna, Puggy, et Nina dans son sillage. Un passager s'approcha d'un téléphone public, composa le 911 et répéta à l'opérateur ce qu'Eliot venait de crier. L'opérateur du 911 répondit que la police était déjà prévenue pour la fusillade à l'aéroport et que la situation était sous contrôle. Le passager annonça la nouvelle aux autres, et le troupeau se détendit.

18 : 08

Monica se hissa jusqu'en haut de la passerelle télescopique et, pliée en deux, contourna la lourde valise qui bloquait en partie le seuil. Elle jeta un coup d'œil au ras de la dernière rangée de fauteuils de gauche et vit Snake debout au centre de la cabine, le dos tourné — *grâce à Dieu.* Il surveillait les pilotes.

Le pilote de gauche hurla quelque chose à Snake, et Monica eut l'impression que cela concernait la porte. Snake hurla quelque chose que Monica ne comprit pas, et il braqua son flingue sur le pilote. Le pilote haussa les épaules et reporta son attention sur ses instruments de bord.

En rampant, Monica se faufila dans la dernière rangée de fauteuils, du côté droit de l'appareil. Matt l'imita côté gauche. Il lui jeta un regard qui voulait dire : «Et maintenant?» Monica leva la main, un geste qui voulait dire : «Attends.» Attendre quoi, elle n'en avait pas la moindre idée. L'avion avait atteint le bout de la piste de roulement et était en train de s'engager sur la piste d'envol. Les moteurs faisaient énormément de bruit. Ils allaient décoller.

17 : 41

Quand il s'engagèrent dans leur Lexus sur Garbanzo Street, l'homme et la femme se chamaillaient. Ils se chamaillaient depuis deux heures — depuis le début de leur dîner dans un restaurant italien de Coral Gables. Il s'agissait de savoir s'ils devaient ou non rester à Miami, où le mari avait été muté par sa banque un an et demi plus tôt, ou repartir à Cedar Rapids, d'où ils étaient tous les deux originaires. Lui estimait que, pour le bien de sa carrière, ils devaient rester; elle voulait rentrer.

Ils se chamaillaient avec une telle ardeur que le mari faillit renverser un grand type costaud debout sur la chaussée, en train d'agiter les bras. Le costaud portait apparemment un uniforme, mais il était sale et luisant de sueur, et il y avait du sang qui coulait sur son bras, qui était... *menotté* à une énorme structure de métal déformée, elle-même... *bon Dieu*, ce bazar était menotté à un *deuxième* homme, un homme à l'air bizarre, qui se tenait sur le côté de la route. Avec un gros chien.

— Je crois qu'on ferait mieux de partir, dit le mari

— On dirait qu'ils ont besoin d'aide, dit la femme.

— D'accord, dit le mari. Mais on reste dans la voiture.

Sans couper le moteur, il déclencha la fermeture centralisée des portières et abaissa sa vitre de quatre ou cinq centimètres.

— Écoutez, lui dit le costaud. Je suis de la police de Miami, et j'ai besoin que vous...

— FUYEZ, FUYEZ AVANT QU'IL SOIT TROP TARD ! cria l'homme à l'air bizarre.

— LA FERME ! rétorqua le costaud. (Et, se tournant de nouveau vers le couple :) J'ai besoin que vous...

— ELLE VEUT VOTRE ÂME ! cria l'homme à l'air bizarre.

Il darda l'index sur le chien, qui le renifla et aboya.

— JE VOUS AI DIT DE FERMER VOTRE PUTAIN DE GUEULE, BON DIEU ! cria le costaud, en repoussant violemment le gros bazar en métal, ce qui fit perdre l'équilibre à l'homme bizarre. CE CHIEN N'EST PAS ELIZABETH DOLE, PUTAIN DE MERDE !

Le mari écrasa l'accélérateur. La voiture fit un bond en avant, avec un crissement de pneus.

— NON ! cria le costaud. REVENEZ !

Le mari attendit d'avoir parcouru trois blocs pour ouvrir la bouche.

— C'est d'accord, dit-il. Tu peux appeler les déménageurs.

17 : 01

— Vous connaissez ce type ? demanda Baker à Greer.

Ils étaient avec Henry, qui observait les trois agents de police et les deux infirmiers occupés à extraire Leonard des anneaux de Daphné. Leonard avait repris conscience — de même que le maître de Daphné, qui était officiellement en état d'arrestation et s'était déjà vu remettre une carte de visite par quatre avocats spécialisés dans les coups et blessures qui se trouvaient par hasard sur les lieux.

— Oh que oui, dit Greer. J'ai connu Henry dans le bon vieux temps. Je l'interrogeais régulièrement dans le New Jersey quand je bossais sur le crime organisé.

— Qui ne l'était pas tant que ça, commenta Henry. Ce qui explique que j'aie raccroché.

— Vous voulez dire que vous êtes à la retraite ? demanda l'agent Greer. Que vous vous êtes reconverti dans la collection de timbres ? Que vous prenez des compléments nutritionnels ?

— Plus ou moins.

— Bien sûr, dit Greer. Écoutez, j'aurais eu beaucoup de plaisir à vous entendre expliquer à mes collègues ce que vous fabriquez dans leur aéroport avec un flingue sur la cheville, mais il se trouve que j'ai une importante affaire fédérale à régler, d'accord ?

— Ravi d'avoir bavardé avec vous, dit Henry, en se retournant vers Leonard.

— Bon, dit Greer, en s'adressant à Baker et à Seitz. Ces deux-là sont des crapules, mais ce ne sont pas les nôtres. J'ai besoin de parler à un responsable...

— Ce type, là, dit Baker, je suis à peu près sûr que c'est le chef des flics de l'aéroport.

Il montrait du doigt un homme à cheveux blancs, chemise et cravate, en train de parler dans un téléphone portable tout en tenant dans l'autre main un talkie-walkie qui émettait un feu ininterrompu de messages et de parasites.

Greer s'approcha.

— Non, aucune victime, disait l'homme à cheveux blancs. Juste le serpent. (Il écouta un moment, puis ajouta :) Je ne sais pas quelle espèce. Un gros.

Greer lui agita son insigne-portefeuille sous le nez et dit :

— FBI.

L'homme à cheveux blancs écarta le portefeuille.

— On n'a pas besoin d'aide. On s'est déjà occupé de tout.

— Je sais, dit Greer. C'est moi qui ai besoin de vous.

— Eh bien, vous allez devoir attendre, dit l'homme à cheveux blancs en lui tournant le dos.

Greer s'éloigna de quelques pas. Il sortit de sa poche son téléphone d'aspect bizarre et appuya sur un bouton. Il attendit deux ou trois secondes, puis parla pendant une vingtaine d'autres secondes. Il appuya sur un autre bouton, rempocha le téléphone, revint se planter devant l'homme à cheveux blancs et attendit. L'homme à cheveux blancs l'ignora, continua de parler dans son portable pendant une trentaine de secondes, puis cessa de parler et écouta.

— Quoi ? dit-il enfin.

Il leva les yeux sur Greer. Greer lui remontra son insigne.

— Exact, dit l'homme à cheveux blancs dans son portable. Il est en face de moi.

Il écouta encore, les sourcils froncés.

— D'accord, dit-il ensuite. J'ai compris.

Il éteignit son portable, regarda Greer et dit :

— Je m'appelle Arch Ridley. Dites-moi ce dont vous avez besoin.

— J'ai besoin que vous découvriez s'il s'est passé quoi que ce soit d'inhabituel dans cet aéroport au cours de la dernière demi-heure, dit Greer. À part ce truc, ici.

— Je vais appeler le bureau de la sécurité, dit l'homme.

Il composa un numéro, attendit un instant, puis :

— Doris ? Ici Arch. Écoutez, est-ce qu'il y a... *Quoi ?* Oh, bon Dieu ! Quand ?

— Quoi ? demanda Greer.

Ridley leva la main, un geste qui signifiait : « Attendez une seconde. »

— Je sais, ce n'est pas votre faute, disait-il, c'est à cause de tout ce trafic radio. Et à part ça, qu'est-ce qu'ils ont... d'accord... d'accord... Merde ! Ne bloquez surtout pas la ligne. Je vous rappelle tout de suite.

Il referma son téléphone.

— *Quoi ?* demanda Greer.

— Il y a cinq minutes, dit Ridley, la tour a reçu un message d'un pilote au sol. Il a dit qu'il avait un type armé dans son appareil, et que ce type lui ordonnait de décoller.

— Bon Dieu... lâcha Greer.

— La tour a essayé d'en savoir plus, mais ils ne répondent plus. L'avion a pris la piste et vient de décoller. À l'instant.

— Merde, lâcha Greer. Destination ?

— C'est un vol d'Air Impact !, répondit Ridley. Un avion à hélices. À destination des Bahamas.

— Bon, dit Greer, écoutez. Appelez la tour, dites-leur de suivre l'avion, d'essayer régulièrement de renouer le contact. Où est le comptoir de cette compagnie ?

— Par ici, dit Ridley, tendant le bras, juste après le milieu du hall. Je peux...

Mais Greer, Seitz et Baker étaient déjà partis au trot dans la direction indiquée.

15 : 21

Le vol 2038 décolla et se dirigea d'abord vers l'ouest, dans le sens des vents dominants. L'appareil ayant pris suffisamment d'altitude au-dessus des Everglades, Justin l'inclina sur la gauche, décrivit une courbe majestueuse jusqu'à se retrouver quasiment cap à l'est, survola le centre de Miami, puis la baie de Biscayne, la pointe sud de Miami Beach, et arriva au-dessus de l'Atlantique. Justin priait en silence pour que le contrôle aérien prévienne le reste du trafic aérien de sa position, parce que lui, sans radio, n'avait aucun moyen de recevoir des consignes de vol.

Justin jeta un coup d'œil à Frank, et ce qu'il vit ne lui plut pas : Frank avait l'air d'un zombie. Il allait devoir, lui, Justin, le commandant de bord, gérer tout seul le fou furieux au flingue. Il se dit que l'essentiel était de ne pas le mettre en pétard, de faire ce qu'il voulait, de l'emmener à Freeport. Ils allaient être suivis par radar ; les autorités seraient alertées ; des secours seraient envoyés sur place.

Justin s'accrochait à cette pensée. De l'aide allait forcément venir.

15 : 06

Tout en courant, Greer parlait dans son téléphone spécial. Baker, qui était derrière lui, n'entendit quasiment rien de ses propos. Il ne distingua clairement qu'un seul mot : « chasseur ».

13

14 : 16

Les employés du poste de contrôle des bagages à main entendirent Eliot revenir vers eux en courant et en criant aux croisiéristes d'appeler la police. Ils se tournèrent dans sa direction comme un seul homme et, alors qu'il se rapprochait du poste, reconnurent en lui un des malfaiteurs qui avaient enfreint la procédure de sécurité quelques minutes plus tôt.

— ARRÊTEZ-LE ! s'écria le type rondouillard en le montrant du doigt.

— ARRÊTEZ-LE ! reprirent en chœur la femme des rayons X, la dame sévère assise en bout de tapis roulant et les autres employés. ARRÊTEZ-LE !

Au moment où Eliot virait à droite pour gagner la sortie, trois jeunes hommes, qui repartaient pour Pittsburgh après une semaine à South Beach, s'interposèrent. Tous trois soulevaient régulièrement de la fonte, avec une attention particulière pour le développement de leurs biceps. Tous trois étaient en débardeur. D'ailleurs, ils étaient toujours en débardeur — sauf quand la température descendait sous les cinq degrés.

— Écartez-vous ! cria Eliot en essayant de se faufiler entre les trois baraqués. Je dois prévenir la police !

— ARRÊTEZ-LE ! cria le type rondouillard de la sécurité.

Un des baraqués retint Eliot par le bras.

— Pas si vite, l'ami !

— Écoutez, dit Eliot, luttant pour paraître calme. J'ai besoin de prévenir la police *immédiatement*. Il y a un type armé en train de tirer là-bas.

Il se dégagea.

— NE LE LÂCHEZ PAS ! cria le type rondouillard.

Les baraqués se sentirent enclins à suivre les ordres du type rondouillard, qui portait un veston officiel. Ils s'emparèrent d'Eliot tous les trois en même temps.

— NON ! brailla Eliot en se débattant. JE VOUS DIS QU'IL FAUT QUE JEEUUMMMPH...

Son souffle fut coupé net lorsqu'il se retrouva soudain plaqué sur la moquette, les trois baraqués sur le dos. Ceux-ci venaient d'être renversés par Anna, qui s'était jetée dans la mêlée sans ralentir sa course et martelait à présent de coups de poing la nuque d'un des trois baraqués.

— Lâchez-le donc, imbéciles ! criait-elle. Il essaie d'appeler des secours !

— ATTRAPEZ-LA ! cria le type rondouillard. ELLE FAIT PARTIE DE LA BANDE !

Un des trois baraqués décocha un coup de coude qui atteignit durement Anna au ventre et la fit tomber en geignant à bas de l'enchevêtrement humain. Les deux autres tenaient chacun Eliot par un bras et lui écrasaient le visage contre la moquette. Il n'arrivait plus à ouvrir la bouche pour crier, et son bras droit semblait près de s'arracher. Mû par l'énergie du désespoir, il tenta une dernière fois de se redresser et...

... et un des baraqués quitta la scène. Puis un autre.

Eliot roula sur le flanc droit et vit le troisième baraqué partir en vol plané, percuter le mur et atterrir à côté des deux autres.

Le lanceur de baraqués était Puggy, qui de sa vie n'avait jamais soulevé de fonte, mais qui avait toujours été doué pour manipuler les objets lourds. Il se pencha — il n'eut pas besoin de se pencher beaucoup — et remit Eliot d'aplomb sans effort. Nina aidait Anna, qui était toujours à court de souffle.

— ARRÊTEZ-LES, QUELQU'UN ! cria le type rondouillard, sans toutefois ébaucher le moindre mouvement dans leur direction.

— On a intérêt à partir d'ici, dit Eliot à Anna, qui acquiesça et lui fit signe d'avancer.

Eliot en tête, ils sortirent tous les quatre au galop de la zone de contrôle et bifurquèrent à droite. Deux agents de sécurité se mirent à courir dans leur sillage, sans cesser de demander en criant que quelqu'un les arrête. Sans ralentir, Eliot scrutait frénétiquement la foule stupéfaite. *Mais où sont donc passés ces maudits flics ?*

13 : 36

Quand Greer, Seitz et Baker rejoignirent le comptoir d'Air Impact !, celui-ci était désert : il n'y avait plus aucun vol prévu ce soir-là, et Sheila était repartie chez elle pour s'occuper de sa fille malade.

— Et maintenant ? demanda Baker.

Greer consultait la liste des vols d'Air Impact !, affichée au mur à l'arrière du comptoir.

— On fonce à l'embarquement, dit-il. On retrouve celui ou ceux qui se sont occupés du vol, et comme ça, on saura qui est monté à bord.

— Par ici, dit Seitz.

13 : 00

Le vol 2038 survolait à présent Miami Beach, avec au-delà la grosse flaque scintillante du comté de Dade, et droit devant l'immensité obscure de l'Atlantique, piquetée par les lumières des quelques cargos apparemment immobiles lancés sur les voies de navigation du Gulf Stream. Justin se sentait très, très seul. À côté de lui, Frank était en état de catatonie. Immédiatement derrière eux, les retraités étaient ratatinés sur leur fauteuil, les femmes en larmes, les hommes tête basse. Plus loin derrière, le fou furieux était toujours debout dans l'allée, avec son flingue, aux aguets. Il n'avait parlé qu'une seule fois à Justin, en criant à pleins poumons pour couvrir le vacarme :

«Deux choses, boutonneux! Si tu touches à cette putain de radio, t'es mort! Et si ce foutu zinc se pose ailleurs qu'aux Bahamas, t'es mort!»

Justin savait que ce serait une folie totale de la part de ce mec de lui tirer dessus, parce que, une fois qu'il serait mort, qui prendrait les commandes de l'avion? Mais il savait aussi que ce type était totalement fou, parce que s'il ne l'avait pas été, pourquoi aurait-il fait ce qu'il était en train de faire?

Pour ajouter encore au malaise de Justin, un signal d'alarme intérieur bourdonnait, lancinant, sous ses tempes, pour lui rappeler que la porte arrière de la cabine était restée ouverte. Cette porte, et aussi la passerelle télescopique, conférait à l'avion un comportement inhabituel. Justin se faisait surtout du souci pour l'atterrissage à Freeport. S'ils arrivaient à Freeport.

S'il vous plaît, se dit-il — même s'il n'était pas sûr de savoir au juste à qui adresser cette prière —, *s'il vous plaît, envoyez-nous de l'aide!*

12 : 26

Les deux F-16 avaient utilisé des fusées pour accélérer leur décollage de la base de l'aviation de réserve de Homestead, dans le sud du comté de Dade. Dès qu'ils furent en l'air, ils virèrent brutalement au nord-est, et moins d'une minute plus tard, frôlant la vitesse du son, ils se rapprochèrent de l'avion civil qui survolait Miami Beach à une vitesse qui, comparée à la leur, ne paraissait pas supérieure à celle des cargos du Gulf Stream. Les pilotes avaient reçu l'ordre de rester au-dessus et en retrait de cet avion, hors de vue mais le plus près possible. Ils n'étaient pas censés armer leurs missiles. Pas encore.

11 : 49

Pendant que Greer, Seitz et Baker trottaient au milieu de la foule, ils virent un homme vêtu d'un short et d'un tee-shirt courir en sens inverse, l'air hagard.

— POLICE ! criait-il.

Greer et Seitz l'ignorèrent ; quel que soit son problème, il ne les concernait pas. Mais Baker, lui, arrêta son regard sur le visage de l'homme hagard. Il l'avait déjà vu quelque part, mais ne parvenait pas à se rappeler où. Puis il aperçut la femme qui galopait sur ses talons, et ce fut le déclic.

— Madame Herk ! s'exclama-t-il.

L'homme et la femme firent halte, le dévisagèrent sans comprendre.

— Inspecteur Baker, dit Baker. Du département de police de Miami.

— Oh, grâce au ciel ! s'écria Anna, en attrapant le bras de Baker. Il faut que vous...

— Un instant, coupa Baker.

Il héla Greer et Seitz, déjà en train de disparaître dans la foule devant lui.

— Agent Greer ! Par ici !

Greer revint au trot, l'air impatient.

— Quoi ? demanda-t-il.

— Voici Mme Herk, dit Baker. Ça s'est passé chez elle. La valise.

L'instant suivant, Greer avait une main sur le bras d'Anna.

— Madame Herk, je suis du FBI. J'ai besoin que vous...

— Ma fille, dit Anna. Elle est dans l'avion avec cet homme, et il nous a tiré dessus, et il faut que vous...

— Écoutez, madame Herk, dit Greer, qui lui tenait maintenant le bras à deux mains. On va s'occuper de votre fille, mais d'abord, il faut qu'on sache — la valise métallique, où est-elle, là, maintenant, tout de suite ?

Anna secoua la tête.

— Je ne sais pas. Ils sont arrivés avec, et ils l'ont emportée en repartant de chez nous...

— Elle est dans l'avion ? interrompit Greer. Est-ce qu'ils sont montés dans l'avion avec la valise métallique ?

— Je ne sais pas, dit Anna, au bord des larmes. Je ne sais rien de cette valise.

— Madame Herk, dit Greer en la secouant, il faut que vous...

Eliot écarta Anna et se planta face à Greer, son nez à un centimètre à peine de celui de l'agent du FBI.

— Elle vous dit qu'elle ne sait pas où est cette fichue valise, d'accord ? Elle veut retrouver sa fille. Elle se fiche de votre valise.

— Qui êtes-vous ? demanda Greer.

— Je suis un ami.

— Eh bien, *l'ami*, si vous voulez venir en aide à sa

fille, vous feriez bien de vous soucier de notre fichue valise.

— Mme Herk n'était pas avec la valise, dit Eliot. Elle était avec moi. *Lui*, là, il était avec la valise.

Eliot désigna Puggy, qui venait d'arriver au trot.

Greer se tourna aussitôt vers lui.

— Qui êtes-vous ? demanda-t-il.

— Puggy, répondit Puggy.

— Vous étiez avec la valise ? Une valise métallique ? Vous l'avez vue ?

— Je l'ai portée, répondit Puggy. Elle est lourde.

— Vous l'avez *portée* ? Vous l'avez portée où ?

— Jusqu'à l'avion.

— Elle est dans l'avion ?

— Ouais, fit Puggy.

Greer réfléchit une seconde, puis demanda :

— Est-ce que quelqu'un a ouvert la valise ?

— Là-bas, répondit Puggy, en désignant le poste de contrôle.

— Ils l'ont ouverte là-bas ?

— Ouais, fit Puggy. Ils ont demandé au type de la démarrer.

Greer blêmit.

— Comment est-ce qu'il l'a démarrée ?

— Y avait... des boutons, et il...

Puggy fit un geste, comme pour actionner des interrupteurs imaginaires.

— Et qu'est-ce qui s'est passé ? demanda Greer. Il s'est passé quelque chose quand il a fait ça ?

— Des lumières, répondit Puggy. Des petits numéros.

Greer décocha un coup d'œil à Seitz et à Baker, qui n'avaient pas perdu une miette de la conversation. Le visage de Seitz n'exprimait rien. Baker avait l'air barbouillé Le regard de Greer revint sur Puggy.

— C'était quand? Il y a combien de temps qu'il a démarré la valise?

Puggy réfléchit un instant.

— Ça fait un moment.

07 : 43

Monica commençait à avoir les muscles endoloris à force de rester accroupie dans le minuscule espace réservé aux jambes des passagers. Elle s'efforçait de réfléchir, mais ce n'était pas chose facile dans le bruit épouvantable des moteurs et du vent qui s'engouffrait dans la cabine par la porte ouverte.

À deux reprises, prudemment, elle avait déplacé la tête juste ce qu'il fallait pour jeter un coup d'œil vers l'avant au ras du dossier du siège devant elle. Snake faisait toujours face au cockpit. Elle l'avait entendu crier quelque chose au pilote à un moment donné, mais elle n'avait pas compris ce que c'était.

De temps à autre, son regard cherchait celui de Matt, toujours en embuscade de l'autre côté de l'allée. Elle s'efforçait d'avoir l'air calme, mais elle était loin de se sentir sereine. Elle n'avait pas l'ombre d'un plan. La seule idée qui lui était venue jusque-là, c'était de ceinturer Snake par-derrière, mais il ferait presque assurément feu, et il y avait des passagers — Monica ne savait pas combien — à l'avant. Sans parler des pilotes. S'il descendait les pilotes, c'était la fin des haricots pour tout le monde. D'un autre côté, si elle n'essayait pas de le maîtriser, il risquait de tuer tout le monde quand même. Ce mec était totalement fêlé.

Monica se tourna vers Matt et lui offrit un nouveau masque de sérénité. Matt soutint son regard. Il avait visiblement très peur.

Et il a raison, se dit Monica.

06 : 22

Greer se tenait immobile à la lisière du trafic piétonnier du grand hall, près d'un comptoir de compagnie aérienne désaffecté, en train de parler dans son téléphone spécial. Seitz et Baker étaient à côté de lui. À quelques pas se trouvaient Eliot, un bras autour des hanches d'Anna, et Puggy, qui tenait la main de Nina.

— Toujours aucune nouvelle du pilote? disait Greer au téléphone. D'accord. Et sa position? D'accord, très bien. Et à Homestead? Ils ont...? D'accord, bien, bien. (Greer consulta sa montre.) Oui, affirmatif.

— Je ne comprends pas, dit Anna à Baker. Pourquoi est-ce que vous n'encerclez pas l'avion? Pourquoi est-ce que la police n'est pas déjà sur place?

– Madame Herk, fit Baker, l'avion a décollé.

— Oh mon Dieu! souffla-t-elle, portant une main à son visage.

Eliot l'enlaça un peu plus étroitement, en s'imaginant ce qu'il aurait ressenti si Matt avait été dans l'avion.

— Ils le suivent à la trace, ajouta Baker. Ils l'ont en permanence sur leurs écrans radar. C'est de ça que mon collègue du FBI est en train de parler en ce moment.

— Qu'est-ce qui va se passer? demanda Eliot. Ils vont arrêter ce type quand l'avion aura atterri?

Baker chercha le regard de Seitz.

— Ils feront ce qu'il y a à faire, répondit Seitz.

05 : 55

Ce raffut allait le rendre marteau. Snake décida d'essayer de refermer la porte lui-même. Toujours face au cockpit, il recula lentement vers l'arrière de l'avion.

05 : 45

Baker attira Seitz à l'écart, tout près de l'endroit où Greer parlait dans son téléphone spécial.

— Ça veut dire quoi « ce qu'il y a à faire » ? demanda-t-il.

— Rien de plus que ce que j'ai dit.

Baker fixa Seitz dans le blanc des yeux. À quelques pas de là, Greer était en train de dire :

— Est-ce que le feu vert a été donné ? Je voudrais parler à... Pardon, monsieur, je ne m'étais pas rendu compte. Oui, monsieur. Je comprends, monsieur. Tout à fait, monsieur, ils en sont équipés.

— Qui est équipé de quoi ? demanda Baker à Seitz.

— Plus bas, fit Seitz, en indiquant Anna du menton.

— Il parle d'avions de chasse, c'est ça ? insista Baker à mi-voix. De la base aérienne de Homestead. Vous avez l'intention de faire abattre l'avion, c'est ça ?

— On fera ce qu'il y a à faire, répondit Seitz.

05 : 12

Snake reculait pas à pas vers l'arrière de l'appareil, en gardant les yeux rivés sur le pilote. Il arriva à hauteur de la troisième rangée en partant du fond. Puis à hauteur de la deuxième rangée. Encore un pas, et il se retrouverait entre Monica et Matt ; et là, il les verrait forcément. Monica comprit qu'elle n'avait plus le choix.

04 : 52

— On n'a pas le choix, dit Greer.

Le visage de Baker était proche du sien à le toucher. Les deux hommes parlaient tout bas, afin qu'Anna et Eliot ne puissent pas entendre.

— Il y a des innocents à bord de cet avion, murmura Baker. La *fille* de cette femme est à bord.

— De même qu'une ogive nucléaire sur le point d'exploser, murmura Greer. Si elle explose à Freeport, une multitude d'innocents mourra, vous comprenez ? Une multitude. On doit agir maintenant.

Un homme arborant une chemise de golf officielle Greg Norman, une casquette officielle Greg Norman et un pantalon officiel Greg Norman tapa doucement sur l'épaule de Baker. Il dut taper plusieurs fois avant que Baker ne se retourne.

— Quoi ? fit Baker.

— Le comptoir de Northwest Airlines, s'il vous plaît ? demanda l'homme.

— Je n'en sais rien, dit Baker. (Puis, s'étant retourné vers Greer :) Il doit bien y avoir un moyen d'entrer en contact avec eux, non ? De leur dire de...

L'homme tapa de nouveau sur l'épaule de Baker et dit :

— Est-ce qu'il y a un...

— PAS MAINTENANT ! gronda Baker.

— Hé, vous n'êtes pas obligé de crier !

L'homme rejoignit sa femme, vêtue d'un muumuu[1] aussi vaste qu'une tente de garden-party, pour lui dire à quel point ce bonhomme était malpoli.

— Vous ne pouvez pas leur expliquer la situation ? dit Baker à Greer. Leur dire de balancer la valise à la mer ?

— On a essayé, dit Greer. Et on continue d'essayer. Le pilote ne répond pas.

— Mais comment est-ce que vous pouvez...

Les mains de Baker restèrent un instant en suspens, puis retombèrent le long de son corps.

— Il le *faut*, dit Greer. On n'a pas l'ombre d'une autre

1. Robe hawaïenne multicolore, longue et ample. *(N.d.T.)*

possibilité, voilà tout. Écoutez, ça ne plaît à personne. Personne n'a envie de ça. Mais ça a fait l'objet de discussions, croyez-moi, au plus haut niveau avec tous les scénarios possibles, et c'est la seule solution pour nous sortir de ce merdier.

Baker jeta un coup d'œil à Anna. Elle les observait, Greer et lui, les représentants de la loi et de l'ordre, avec l'espoir qu'ils lui annonceraient bientôt que tout allait bien pour son enfant. Baker se tourna de nouveau vers Greer.

— C'est pour quand ?

— Quand l'avion sera largement au-dessus du Gulf Stream. En haute mer.

— C'est-à-dire dans combien de temps ? demanda Baker.

Greer consulta sa montre.

— Trois minutes.

03 : 17

Snake s'était arrêté à une rangée de fauteuils de celle où Monica était accroupie. Elle voyait l'arrière de ses jambes ; il ne s'était toujours pas retourné. Il était en train de crier au pilote quelque chose que Monica n'arriva pas à comprendre — quelque chose qui concernait la radio.

Monica chercha le regard de Matt de l'autre côté de l'allée, indiqua Snake du menton et fit le geste d'attraper quelque chose à deux mains, ce qui signifiait : « On va lui sauter dessus. » Matt hocha la tête. Monica tendit l'index et le majeur de la main droite vers le bas, comme deux mini-jambes, et, de l'ongle de son index gauche, donna un petit coup entre ces mini-jambes, ce qui signifiait : « Balance-lui un coup de pied dans les burnes. » Matt parut déconcerté l'espace d'une seconde, puis comprit et opina de plus belle. L'idée traversa l'esprit de Monica, en un éclair, que Matt était nettement plus rapide à la détente que Walter, son coéquipier.

02 : 37

Les F-16 étaient armés de missiles AIM-9M attirés par la chaleur (également surnommés Sidewinder), ainsi que d'AIM-120 AMRAAM (missiles air-air avancés à rayon d'action moyen) guidés par radar. Parce que la distance était réduite, et parce que les moteurs à hélices du vol 2038 généraient une chaleur amplement suffisante, les pilotes avaient choisi d'utiliser les Sidewinder. Ils communiquèrent cette décision par radio et reçurent l'ordre d'armer.

01 : 58

Snake fit un nouveau pas en arrière. Il venait d'arriver à la hauteur de Monica et de commencer à pivoter vers la gauche — et la porte —, ce qui fit que le canon de son arme, dans le même temps, s'orienta vers Matt. Monica se releva d'un bond et lui saisit le bras droit, celui qui tenait le flingue. Elle le retint un instant, puis, sans prévenir, une crampe à l'arrière du genou déclencha une décharge de douleur qui lui paralysa instantanément la jambe. Tandis qu'elle basculait sur le côté, Snake réussit à libérer son arme et fit volte-face tout en pressant la détente. Monica fut brutalement catapultée en arrière, s'écrasa contre le hublot et glissa lentement jusqu'au plancher. Le hublot s'ornait maintenant d'un orifice ayant le diamètre approximatif d'une balle de base-ball, aux contours éclaboussés de sang.

À l'avant de l'avion, les postiers en retraite s'étaient plaqués au sol en entendant le coup de feu, de même que Frank, le copilote. Justin se retourna et vit le fou furieux en train de se battre avec quelqu'un — qui, Justin n'en avait pas la moindre idée — à l'arrière de la cabine. Il attrapa aussitôt son casque radio.

Pendant que Monica s'écroulait, Matt se redressa, noua les bras autour de Snake et tenta de l'immobiliser ; mais Snake, plus fort que lui, réussit à se retourner côté gauche malgré l'étreinte de son adversaire. Il abattit violemment le canon de son flingue sur la tempe gauche de Matt, qui bascula sur le flanc droit et tomba en travers de la rangée de fauteuils.

01 : 14

— Oui, dit Greer dans son téléphone spécial, en consultant sa montre. Affirmatif. Je répète, affirmatif. Dès que vous serez prêts.

01 : 12

Snake enrageait. *Cette foutue salope de fliquesse et le petit salopard ! Comment est-ce qu'ils sont arrivés jusqu'ici, putain de merde ?* Son regard tomba sur la salope ; ses yeux étaient ouverts, mais il n'aurait pas su dire s'ils voyaient encore quelque chose. Snake se retourna vers le petit salopard, qui geignait et bougeait légèrement. Pas de doute, en revanche, celui-là était vivant. *Pas pour longtemps, salopard.*

00 : 59

Greer avait toujours l'oreille collée à son téléphone spécial.

— *Quoi ?* dit-il, haussant le ton. *Qu'est-ce qu'il a dit ?*

— Quoi ? interrogea Baker en s'approchant de Greer. *Quoi ?*

— Le pilote a appelé, expliqua Greer. Il... Un instant. (Il écouta ce qu'on lui disait au téléphone.) D'accord, dit-il ensuite, consultant encore une fois sa montre. Demandez-lui si la valise est à bord de l'appareil. Compris? Demandez-lui s'il peut la balancer immédiatement.

Il consulta sa montre. *Merde.*

00 : 41

Snake leva son flingue, visa la tête de Matt.

— Snake! cria une voix.

Snake tourna vivement la tête sur la droite. C'était Eddie, debout dans l'allée. Son flingue toujours pointé sur la tête de Matt, Snake dit :

— Quoi, putain?

— Snake, bon Dieu! cria Eddie en montrant Monica du doigt. T'as descendu une fliquesse!

— Ouais! Et maintenant, je vais descendre ce salopard!

— Snake, cria Eddie, putain, t'es cinglé! Je veux pas...

Snake attrapa Eddie par la chemise, tira de toutes ses forces, pivota sur lui-même et précipita son complice contre la cloison arrière de la cabine, au-delà de Matt. Le dos d'Eddie heurta la cloison, et il glissa au sol à côté de la valise.

— ME TRAITE JAMAIS DE CINGLÉ! cria Snake.

— Snake, cria Eddie, quand on sera arrivés, je continuerai pas avec toi!

Snake fit feu. Eddie poussa un hurlement et roula sur le côté en se tenant la cuisse.

— Tu l'as dit! cria Snake. Tu continueras pas avec moi.

Il se retourna vers Matt et releva son flingue.

Jenny percuta Snake à hauteur de poitrine, noua les jambes autour de ses hanches, lui empoigna les cheveux d'une main et, de l'autre, chercha à lui griffer sauvagement les yeux. Snake leva la main gauche pour la repousser ; elle mordit dedans, enfonçant ses dents jusqu'à l'os.

00 : 26

Les F-16 étaient directement derrière leur cible, en position de tir idéale. La cible se déplaçait toujours aussi lentement et n'effectuait aucune manœuvre d'esquive. Théoriquement, le risque d'échec des Sidewinder était nul.

00 : 24

Snake hurla et réussit à extraire sa main sanguinolente de la bouche de Jenny. Il leva la droite et frappa l'adolescente avec le canon de son arme, sous le menton. La tête de Jenny partit d'un seul coup en arrière, et la jeune fille tomba sur le dos dans l'allée centrale.

— Putain de SALOPE ! hurla-t-il en lui décochant un grand coup de pied. Je vais TE TUER, PUTAIN DE SALOPE !

Jenny, toujours sur le dos, tenta de reculer en rampant sur ses coudes.

Ce fut alors que Snake entendit, malgré le grondement des moteurs et du vent, un bruit sourd dans son dos. Il fit volte-face et écarquilla les yeux. Eddie, la cuisse de plus en plus inondée de sang, venait de réussir à traîner la valise jusque sur le rebord inférieur de la porte grand ouverte. Les yeux clos, les mâchoires crispées, il essayait de la faire basculer dans le vide. Une partie de la valise était déjà à l'extérieur, caressée par le vent hurlant.

— NON ! hurla Snake.

Il se rua vers l'arrière. Au moment où il le rejoignait, Eddie exerça sur la valise une dernière poussée, donnée avec l'énergie du désespoir, qui la fit basculer par-dessus le rebord. Tout en repoussant Eddie d'un coup de pied, Snake se pencha au-dessus du seuil et tendit le bras gauche vers la poignée de la valise. Il s'en saisit, et faillit réussir à la récupérer. Mais il s'était penché un petit peu trop en avant, et la valise était beaucoup trop lourde pour lui. Snake se sentit entraîné vers l'extérieur. Il voulut se rattraper au côté de la porte avec sa main droite, mais il tenait toujours le flingue dans cette main-là, et il ne réussit pas à assurer suffisamment sa prise. S'il avait lâché la valise à cet instant, il aurait pu se raccrocher au garde-corps de la passerelle, rester à bord de l'avion, et sauver sa peau. Mais il voulait à tout prix cette valise : c'était sa valise de gros bonnet. Snake s'y agrippa tandis qu'elle rebondissait jusqu'au pied de la passerelle, quittait la dernière marche et l'entraînait à sa suite dans le vacarme du néant, tout droit vers l'océan immense et noir.

00 : 14

Justin entendit une série de chocs sourds et perçut une altération brutale de la répartition des masses à l'arrière de l'appareil. Il se retourna pour regarder l'endroit où s'était tenu le fou furieux, l'endroit où il y avait eu la valise. Plus rien. Il se mit à crier dans son micro.

00 : 11

Greer se mit à crier dans son téléphone spécial, ce qui poussa un flot de passagers à s'immobiliser dans le hall pour le regarder fixement.

— MISSION ANNULÉE-ANNULÉE-ANNULÉE ! VOUS M'ENTENDEZ ? ANNULÉE-ANNULÉE-ANNULÉE !

00 : 06

Snake tombait, tombait, tombait. Il avait très peur, mais il restait lucide. Il n'avait pas lâché la valise. Il n'allait pas la lâcher. C'était sa valise de gros bonnet. Il s'accrocherait à elle aussi longtemps qu'il vivrait.

14

Le journal du lendemain abondait en nouvelles.

La une était consacrée à la lame de fond, estimée entre deux mètres cinquante et trois mètres cinquante, qui avait déferlé à la fois sur le sud de la Floride et sur les Bahamas. Même les plus gros cargos l'avaient sentie ; elle avait fait chavirer nombre de petits bateaux, heureusement sans faire de victime. Heureusement aussi, la lame était arrivée de nuit, alors qu'il y avait très peu de monde sur les plages. Elle avait provoqué quelques frayeurs momentanées et des dégâts conséquents, mais personne ne s'était noyé.

L'origine de cette lame de fond demeurait, pour l'heure, un mystère. L'hypothèse privilégiée par les experts était qu'elle avait été causée par une secousse sismique au fond de l'océan, sous le Gulf Stream. Des lames de fond avaient déjà frappé la Floride : Daytona Beach avait eu droit à la sienne en juillet 1992. Selon les termes d'un océanographe cité dans le journal : « De temps à autre, il arrive à Mère Nature d'avoir ses soubresauts. »

Il était aussi question d'une dramatique affaire de tentative de détournement à bord d'un avion d'Air Impact ! censé relier Miami et Freeport. Un homme — décrit par un passager retraité comme « un fou furieux » — avait réussi à embarquer avec un revolver et avait contraint le pilote à décoller sans autorisation de la tour. Un agent féminin de la police de Miami, Monica Ramirez, s'était glissé à bord sans qu'on sache trop comment — aucun détail n'était fourni — et avait tenté d'appréhender le pirate, qui lui avait tiré dessus. D'autres passagers s'étaient également battus contre le pirate et, au cours de la lutte, celui-ci était apparemment tombé de l'avion, voué à une mort certaine dans l'océan. L'agent Ramirez, décrite par le directeur de la police comme une héroïne, respirait encore quand l'avion s'était posé à Miami, malgré son état critique, les médecins estimaient que ses chances de survie étaient bonnes. Un passager répondant au nom d'Edward Porter souffrait d'une blessure par balle — à la cuisse. Son état était jugé satisfaisant.

Un autre article relatait un incident survenu à l'aéroport à peu près à la même heure. Sans qu'on sache trop comment, un python femelle de quatre mètres s'était retrouvé en liberté dans le hall principal et avait attaqué un passager répondant au nom de Leonard Pflund, quarante-deux ans, consultant à East Orange, dans le New Jersey. M. Pflund avait été secouru par son associé, Henry Algott, quarante-sept ans, lui aussi d'East Orange, qui avait abattu le serpent avec son arme de poing. La police avait confisqué l'arme et placé Algott en garde à vue en attendant les conclusions de l'enquête. Elle avait l'intention d'enregistrer une plainte contre le propriétaire du serpent, Neil Hart, dès que celui-ci serait sorti de l'hôpital, où il était soigné pour les blessures subies tandis qu'il résistait aux forces de l'ordre.

La police avait en outre signalé deux incidents plutôt inhabituels à Coconut Grove. D'abord, un individu répondant au nom de Jack Pendick, vingt-huit ans, avait été appréhendé après avoir tiré plusieurs balles de revolver à proximité du centre commercial de CocoWalk.

Personne n'avait été blessé, mais l'incident et l'arrestation quasi immédiate de Pendick avaient attiré sur les lieux une foule de touristes qui avait temporairement bloqué Grand Avenue. Quelques heures plus tard, un agent de la police de Miami répondant au nom de Walter Kramitz avait été retrouvé au beau milieu de Garbanzo Street, menotté à une grosse structure métallique, à laquelle était aussi menotté un cadre moyen répondant au nom d'Arthur Herk. Ceci résultait apparemment d'une attaque à main armée contre le domicile des Herk, mais les détails de l'incident, surtout concernant la façon dont Kramitz et Herk s'étaient retrouvés dans la rue, restaient confus.

Enfin, la circulation sur Le Jeune Road avait été totalement interrompue pendant plusieurs heures après qu'un troupeau de chèvres eut été lâché sur la chaussée. Le journal avait choisi de publier cette histoire sous forme de billet humoristique en bas et à droite de la une, avec le dessin d'un agent de la fourrière en nage qui, cerné de véhicules à l'arrêt, cavalait après une chèvre espiègle. L'illustration produisit une réaction identique chez des milliers de lecteurs. Ils secouèrent la tête, sourirent et murmurèrent :

— Miami, décidément...

ÉPILOGUE

Au cours des semaines suivantes, les océanographes de la côte atlantique détectèrent des niveaux de radioactivité élevés dans les eaux du Gulf Stream ; par ailleurs, certains pêcheurs repérèrent des quantités inhabituelles de poissons d'eau profonde flottant le ventre en l'air à la surface de l'océan. Diverses explications furent apportées à ces phénomènes, incluant la possibilité qu'ils aient été provoqués, de même que la lame de fond, par un incident survenu à bord d'un sous-marin nucléaire. Cette allégation fut véhémentement reprise sur Internet par un certain nombre de personnes, et notamment Pierre Salinger ; le démenti apporté par le gouvernement américain, selon lequel aucun sous-marin d'aucune sorte ne se trouvait dans la zone au moment des faits, ne fit que renforcer leur conviction. Mais aucune preuve concrète ne fut jamais apportée et, pour finir, cette affaire s'en alla gonfler la longue liste de serpents de mer que ressortent régulièrement les obsédés de la conspiration.

La FAA suspendit sur-le-champ tous les vols d'Air Impact !, et la compagnie ne tarda pas à mettre la clé sous la porte. En réaction à l'indignation exprimée par l'opinion et les responsables politiques face au laxisme apparent de l'aéroport international de Miami en matière de sécurité, un groupe d'experts de haut niveau fut réuni pour déterminer l'origine des problèmes et proposer des solutions. Après des mois d'auditions, un train de mesures fut adopté, dont la plus significative fut l'engagement d'une société spécialisée pour superviser les opérations de contrôle des bagages à main. Ce contrat juteux fut attribué à See-Cure Tech SA — une filiale à cent pour cent de Penultimate SA.

Eddie Porter reçut à l'hôpital la visite de représentants de diverses agences gouvernementales chargées de la lutte contre la criminalité, dont certains se montrèrent très curieux des circonstances dans lesquelles il s'était retrouvé à bord du vol 2038. Le FBI prit l'enquête à son compte et, finalement, ne trouva aucune raison valable d'emprisonner Eddie, qui put retourner à Coconut Grove, où il intégra un temple local de Hare Krishna et prit le nom de Ram Raba Ram.

Personne ne posa jamais la moindre question sur ce qu'il était advenu de Snake.

Henry Algott fut arrêté et jugé pour plusieurs entorses à la législation sur les armes à feu après l'incident survenu devant le comptoir de Delta Airlines. Au procès, l'accusation présenta des éléments prouvant qu'Algott avait déjà été condamné et suggérant qu'il entretenait des liens avec le crime organisé. L'avocat d'Henry — qui par pure coïncidence était un de ceux à qui Henry avait donné une leçon de savoir-vivre sur le cigare, l'avocat C pour être tout à fait précis — reçut la permission du juge, malgré les objections véhémentes de l'accusation, d'introduire un python vivant dans la salle d'audience, afin que le jury puisse apprécier de visu la menace à laquelle Henry s'était bravement exposé à l'aéroport. Sans qu'on sache trop comment — l'accusation s'empressa de prétendre que c'était intentionnel —, le serpent réussit à s'échapper et ne fut maîtrisé qu'au terme d'une mêlée qui sema dans le prétoire une pagaille indescriptible. Un policier eut l'épaule luxée. Le jury mit moins de dix minutes à déclarer le prévenu non coupable. Henry repartit à East Orange, où Leonard et lui continuèrent à mener leur petite activité indépendante d'assassinats à la commande — même s'ils n'acceptèrent plus jamais le moindre contrat en Floride du Sud.

Le maître de Daphné poursuivit le comté de Dade pour coups et blessures, ainsi que pour la perte de son animal adoré. Un jury lui accorda trois millions deux cent mille dollars de dommages et intérêts.

À sa sortie de l'hôpital psychiatrique, Arthur Herk se rendit au bureau du procureur et raconta une histoire délirante pleine de corruption, de pots-de-vin, de tueurs à gages, et mentionnant un endroit à Coconut Grove où on pouvait se procurer des bombes et des missiles. Quand les enquêteurs se rendirent à l'adresse indiquée, ils ne trouvèrent qu'un bar désaffecté, aux issues condamnées par des planches, sans rien d'autre à l'intérieur que quelques vieilles enseignes de marques de bière et un téléviseur à l'écran pulvérisé. Arthur mourut quelques mois plus tard dans ce qui fut catalogué comme un accident de pêche, ce qui ne laissait pas d'être étrange, dans la mesure où personne ne se souvenait de l'avoir jamais vu pêcher jusque-là.

Ivan Chukov et Leonid Yudanski furent conduits dans un établissement fédéral de haute sécurité et interrogés pendant plusieurs semaines. Ils furent ensuite extradés vers Moscou, où ils ouvrirent en franchise un café américain promis à un grand succès.

Walter Kramitz finit par se lasser d'entendre les commentaires insidieux de ses collègues et quitta la police pour devenir danseur au Piston, un cabaret exclusivement réservé aux femmes. Son nom de scène est Buck Lance

Jack Pendick plaida coupable en ce qui concernait son rôle dans la fusillade de Coconut Grove. Il purgea un an de prison et, après sa libération anticipée pour bonne conduite, trouva une place d'agent de sécurité.

Monica Ramirez se remit lentement, mais sûrement. Dès sa sortie des soins intensifs, elle reçut la visite régulière d'Harvey Baker et, après qu'elle eut quitté l'hôpital, ils commencèrent à se fréquenter. Un soir, après avoir vidé une bouteille de vin — c'était la première fois que son médecin autorisait Monica à reboire de l'alcool —, Baker lui demanda sa main. Elle accepta, ils firent l'amour, et après, quand elle eut promis, croix-de-bois-croix-de-fer, qu'elle ne dirait jamais rien à personne, il lui révéla ce qu'il y avait eu dans la fameuse valise. Et elle lui dit :

— Tu voudrais me faire croire qu'ils ont laissé cette petite frappe franchir le poste de contrôle de l'aéroport avec un flingue *et* une ogive nucléaire ?

Et Baker répondit :

— Oui.

Et elle soupira :

— On vit dans un drôle de monde...

Et ils n'en reparlèrent pour ainsi dire plus jamais.

Eliot Arnold s'enfonça encore plus dans les dettes, et il passa tout près d'être expulsé de son bureau pour défaut de paiement du loyer. Le jour où son propriétaire avait prévu de le jeter dehors, il reçut la visite de deux jeunes collaborateurs de l'agence de pub la plus branchée de New York. Ils lui demandèrent si c'était bien lui qui avait conçu la campagne d'affiches de la bière Hammerhead, et il allait dire que ce n'était pas vraiment son idée, mais avant qu'il ait pu articuler un mot, ils s'exclamèrent qu'ils avaient ADORÉ, que c'était tellement BRUT, et qu'ils voulaient l'engager pour une campagne nationale, à la fois écrite et télévisuelle, dotée d'un énorme budget, pour un nouveau genre de boisson sans alcool destinée aux jeunes et baptisée SpewTum[1] — campagne dans laquelle devaient activement s'impliquer les Seminal Fluids.

Anna demanda — et obtint rapidement — le divorce. Arthur n'avait pas grand-chose en termes de patrimoine, mais elle réussit à garder la maison. Eliot et elle s'étaient promis de ne surtout pas se précipiter, d'aller doucement

1. Version librement orthographiée de *sputum*, qui signifie « bave » ou « crachat ». *(N.d.T.)*

et d'attendre d'être vraiment sûrs. Ils se marièrent quatre jours plus tard.

Jenny et Matt sortirent ensemble pendant quelque temps, et notamment à la fête de fin d'année, après quoi ils décidèrent que c'était un peu glauque, vu que leurs mère et père respectifs venaient de se marier et tout, et ils décidèrent d'être bons amis, ce qu'ils restèrent toute leur vie.

Le Crapaud Ennemi, probablement traumatisé par sa rencontre avec Arthur, s'en fut en bondissant et ne revint plus. Même si Roger n'arriva jamais à se formuler la chose aussi clairement, d'une certaine manière, sa présence lui manqua.

Puggy s'installa avec Nina dans la chambre de bonne, même si, parfois, en souvenir du bon vieux temps, ils allaient dormir dans l'arbre. Puggy s'acquittait de divers petits boulots autour de la maison pour Eliot et Anna ; parfois, il se faisait un peu d'argent de poche en votant aux élections municipales de Miami, qui étaient fréquemment annulées par la justice. Il aurait bien voulu que Nina lui apprenne l'espagnol, mais ne réussit jamais à prononcer autre chose que *Te quiero*. Ce qui, d'ailleurs, était tout ce qu'il avait besoin de dire.

Impression réalisée sur CAMERON par

BUSSIÈRE CAMEDAN IMPRIMERIES

GROUPE CPI

à Saint-Amand-Montrond (Cher)
pour le compte des Éditions Presses de la Cité
en janvier 2001

N° d'édition : 6864. — N° d'impression : 010133/1.
Dépôt légal : janvier 2001.

Imprimé en France